도전 만점 중등 내신 서술형 4

도전만점 중등내신 서술형 4

지은이 넥서스영어교육연구소
펴낸이 임상진
펴낸곳 (주)넥서스

출판신고 1992년 4월 3일 제311-2002-2호 ⑥
10880 경기도 파주시 지목로 5
Tel (02)330-5500 Fax (02)330-5555

ISBN 979-11-6165-006-7 54740
979-11-6165-002-9 (SET)

가격은 뒤표지에 있습니다.
잘못 만들어진 책은 구입처에서 바꾸어 드립니다.

www.nexusbook.com

※집필에 도움을 주신 분
: McKathy Green, Hyunju Lim, Julie, Nick, Richard Pennington

절대평가 1등급, 내신 1등급을 위한 영문법 기초부터 영작까지

도전 만점 중등 내신 서술형 4

통문장 암기 훈련 워크북 포함

영문법+쓰기

NEXUS Edu

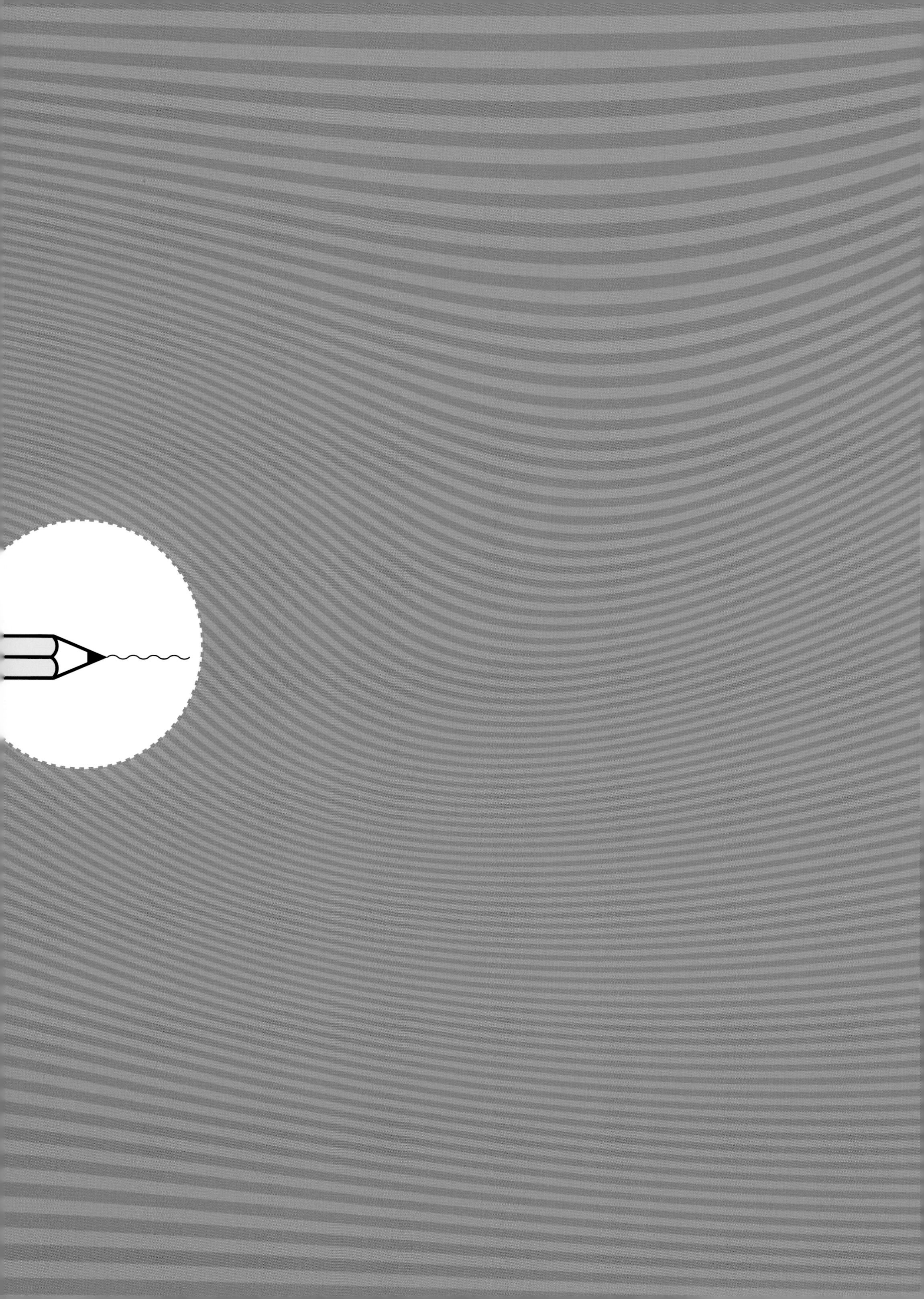

Preface

서술형 문제, 하나를 틀리면 영어 내신 점수에 어떤 영향을 줄까요?

앞으로는 단답형은 물론 서술형 문제 비중이 점차 높아진다고 합니다. 각 지역마다 차이는 있지만 30%~최대 50%까지 서술형 문제가 중간, 기말고사에 등장하고 있습니다. 학생들은 서술형이 너무 어렵다고 하면서도 어떻게 준비해야 할지를 모르는 경우가 많아, 객관식에서 거의 맞았음에도 불구하고 좋은 등급을 얻을 수 있는 고득점을 얻기에는 턱없이 부족한 점수가 나옵니다.

그렇다면,
서술형 문제는 어떻게 해결해야 단기간에 마스터할 수 있을까요?

첫째, 핵심 문법 사항은 그림을 그리듯이 머릿속에 그리고 있어야 합니다.

둘째, 문장을 구성하는 주어, 동사는 물론, 문장의 기본적인 구성 요소를 알고 있어야 합니다.

셋째, 문장 구성 요소를 파악하면서 핵심 문법과 관련된 다양한 예문을 완벽하게 써 보는 훈련이 필요합니다. 입으로 소리 내어 문장을 읽으면서 써 본다면, 듣기와 말하기 실력까지도 덤으로 얻게 됩니다.

마지막으로, 문장을 쓰고 난 후에 어떤 문장 요소를 바꿔 썼는지, 어떠한 문법 내용이 적용되었는지 확인하고 오답 노트를 정리한다면, 쓰기 실력은 여러분도 모르게 쑥쑥 향상되어 있을 것입니다.

"도전만점 중등내신 서술형" 시리즈는 내신에서 서술형 문제 때문에 고득점을 얻지 못하는 학생들을 위해 개발되었습니다. 개정 교과서 14종을 모두 철저히 분석한 후에, 중학교 1학년~3학년 과정의 핵심 영문법을 바탕으로 시험에 꼭 나오는 문제 중심으로 개발되었습니다. 또한 영문법은 물론, 문장 쓰기까지 마스터할 수 있도록 중등 과정을 반복 학습할 수 있도록 전체 목차를 구성하였습니다. 현재 예비 중학생으로서 중등 영어가 고민된다면, 도전만점 서술형 시리즈로 먼저 시작해 보세요! 영어 내신 점수는 물론, 영어 문법 및 쓰기 실력까지 완벽하게 갖출 수 있으리라 기대합니다.

넥서스영어교육연구소

Features

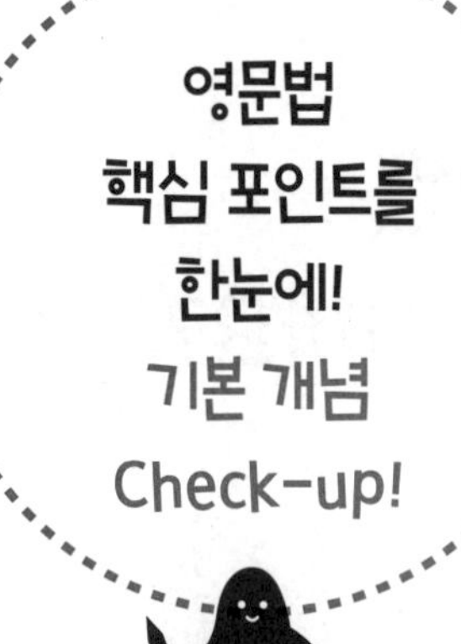

영문법
핵심 포인트를
한눈에!
기본 개념
Check-up!

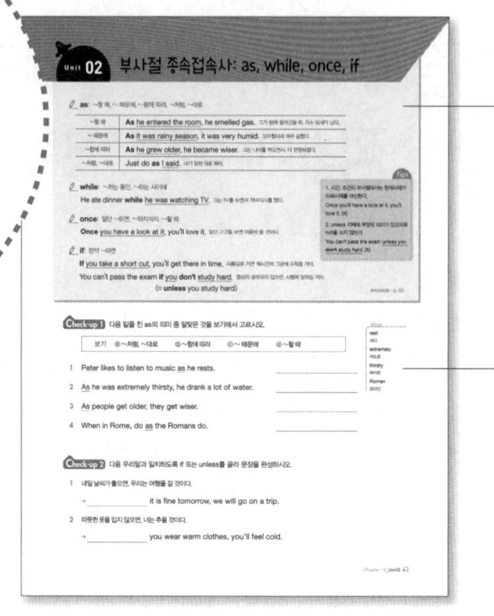

• 한눈에 핵심 문법 내용이 그림처럼 그려질 수 있도록 도식화하였습니다. 자꾸만 혼동되거나 어려운 문법 포인트는 Tips에 담았습니다.

• 핵심 문법을 Check-up 문제를 통해 간단히 개념 정리할 수 있습니다. 또한 어휘로 인해 영문법이 방해되지 않도록 어휘를 제시하였습니다. 서술형 대비를 위해서는 어휘는 기본적으로 암기해야 합니다.

Step by Step 중등내신 영문법+쓰기

• 핵심 문법을 Check-up 문제를 통해 간단히 개념 정리할 수 있습니다. 또한 어휘로 인해 영문법이 방해되지 않도록 어휘를 제시하였습니다. 서술형 대비를 위해서는 어휘는 기본적으로 암기해야 합니다.

도전만점 중등내신 단답형 & 서술형

• 학교 시험에서 자주 등장하는 서술형 문제유형을 통해 앞에서 학습한 내용을 복습하는 과정입니다. 핵심 문법 포인트를 기억하며 시간을 정해 놓고 시험보듯이 풀어본다면 서술형 시험을 완벽 대비할 수 있습니다.

YES

앞에서 학습한 내용을 통문장으로 영작해 보는 훈련을 하도록 구성하였습니다. 문법 핵심 포인트를 활용하여 문장을 쓰다 보면, 영문법 및 쓰기 실력이 쑥쑥 향상됩니다.

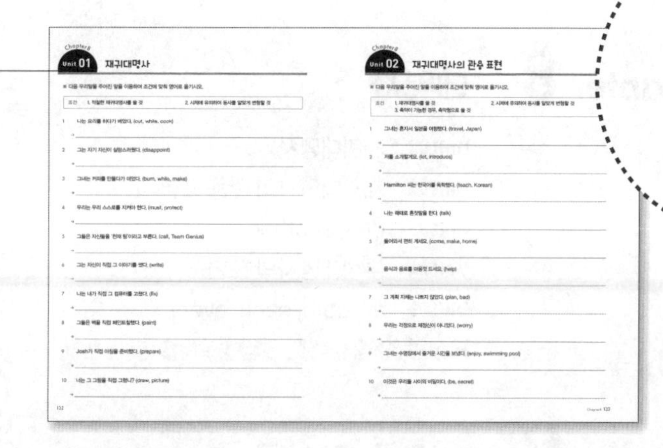

통문장 암기 훈련 워크북

Check-up부터 각 Step에 이르기까지 모든 문장의 해석이 들어 있습니다. 해석을 보고 영문을 말하고 쓸 수 있도록 정답지를 활용해 보세요. 간단한 해설을 통해 문법 포인트를 확인할 수 있습니다.

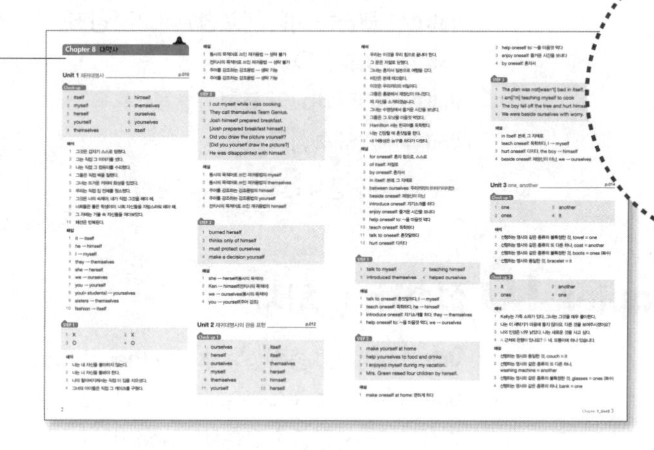

정답 및 해석, 해설

부가 자료 제공 : www.nexusbook.com

테스트 도우미
어휘 리스트 & 어휘 테스트

어휘 리스트

어휘 테스트

+

챕터별 리뷰 테스트
객관식, 단답형, 서술형 문제

통문장 암기 훈련북

정답, 해석 및 해설

+

기타 활용 자료
동사변화표 / 문법 용어 정리
비교급 변화표 등

동사형 변화표

기타 온라인 자료

Contents

Chapter 8 대명사

Chapter 9 비교급, 최상급

Chapter 10 접속사, 전치사

Chapter 11 관계사

도전만점 중등내신 서술형 시리즈-목차

도전 만점 중등 내신 서술형 1

도전 만점 중등 내신 서술형 2

Chapter 9 문장의 구조

Chapter 10 to부정사와 동명사

Chapter 11 전치사

Chapter 12 접속사

도전만점 중등 내신 서술형 3

Chapter 1 단순/진행 시제

Chapter 2 현재완료 시제

Chapter 3 조동사

Chapter 4 수동태

Chapter 5 부정사

도전 만점 중등 내신 서술형 4

Chapter 8

대명사

1 재귀대명사
2 재귀대명사의 관용 표현
3 one, another
4 부정대명사의 표현
5 all, both, each, every

도전만점! 중등내신 단답형 & 서술형

Unit 01 재귀대명사

재귀대명사: 인칭대명사의 소유격이나 목적격에 -self(단수) / -selves(복수)를 붙인 형태로 '~자신, ~자체'라는 의미이다.

	1인칭	2인칭	3인칭
단수	I – myself	you – yourself	he – himself / she – herself / it – itself
복수	we – ourselves	you – yourselves	them – themselves

재귀대명사의 용법

재귀용법	동작의 대상이 주어 자신일 때 사용하며, 생략이 불가능하다. Greg calls **himself** a genius. (동사의 목적어) Greg는 자기 자신을 천재라고 부른다. You should be proud of **yourself**. (전치사의 목적어) 너는 스스로를 자랑스럽게 여겨야 한다.
강조용법	주어, 목적어, 보어를 강조하기 위해 사용하며, 생략이 가능하다. 강조하는 말 바로 뒤 또는 문장의 맨 뒤에 위치한다. I **myself** cooked this pasta. (주어 강조) 내가 이 파스타를 직접 만들었다. I don't like the singer **herself**, but I like her songs. (목적어 강조) 나는 그 가수 자체는 좋지 않지만, 그녀의 노래들은 좋아한다.

Answers - p.02

Check-up 다음 밑줄 친 부분에 유의하여 빈칸에 알맞은 재귀대명사를 쓰시오.

1 It suddenly stopped ____________.

2 He wrote the story ____________.

3 I fixed the computer ____________.

4 They painted the walls ____________.

5 She burned ____________ with the hot coffee.

6 We cleaned the whole house ____________.

7 It's your homework. You should do it ____________.

8 You are good students. You should be proud of ____________.

9 The sisters looked at ____________ in the mirror.

10 Fashion repeats ____________.

Voca
suddenly 갑자기
fix 고치다
burn 화상을 입다[입히다]
mirror 거울

STEP 1 다음 밑줄 친 부분을 생략할 수 있으면 ○, 생략할 수 없으면 ×표 하시오.

Voca
take care of ~를 돌보다
build 짓다
bake 굽다

1 I don't like myself. → ______

2 You have to take care of yourself. → ______

3 My grandfather himself built this house. → ______

4 Her children baked the cake themselves. → ______

STEP 2 다음 우리말과 같은 뜻이 되도록 주어진 단어를 배열하여 문장을 완성하시오.

1 나는 요리를 하다가 베었다. (myself, I, cut, I, was, while, cooking)

→ ______________________________

2 그들은 자신들을 '천재 팀'이라고 부른다. (themselves, call, they, Team Genius)

→ ______________________________

3 Josh가 직접 아침을 준비했다. (Josh, himself, breakfast, prepared)

→ ______________________________

4 너는 그 그림을 직접 그렸니? (the picture, yourself, draw, you, did)

→ ______________________________

5 그는 자기 자신이 실망스러웠다. (himself, he, disappointed, with, was)

→ ______________________________

STEP 3 다음 조건에 따라 우리말에 맞게 문장을 완성하시오.

조건	1. 재귀대명사를 사용할 것	2. 괄호에 주어진 말을 활용할 것

1 그녀는 비행 중에 뜨거운 차에 데었다. (burn)

→ She ______________________ with hot tea during a flight.

2 Ken은 항상 자기 생각만 한다. (think only of)

→ Ken ______________________ all the time.

3 우리는 우리 스스로를 지켜야 한다. (must, protect)

→ We ______________________.

4 네가 직접 결정을 내려야 한다. (make a decision)

→ You should ______________________.

Unit 02 재귀대명사의 관용 표현

by oneself (남의 도움 없이) 혼자서(alone), 홀로	in itself 본래, 그 자체로
for oneself (스스로를 위해) 혼자 힘으로	of itself 저절로
enjoy oneself 즐거운 시간을 보내다	hurt oneself 다치다
teach oneself 독학하다	introduce oneself 자기소개를 하다
talk to oneself 혼잣말하다	make oneself at home 편하게 하다
help oneself (to) (~을) 마음껏 먹다	between ourselves 우리끼리의 (이야기이지만)
beside oneself 제정신이 아닌	

My grandma lives **by herself** in the country. 우리 할머니께서는 시골에 혼자 사신다.

Mark **taught himself** Spanish. Mark는 스페인어를 독학했다.

Please **make yourself at home**. 편히 계세요.

Answers - p.02

Check-up 다음 주어진 말을 보고, 알맞게 문장을 완성하시오.

1 We should finish this for ______________. (혼자 힘으로)

2 The door closed of ______________. (저절로)

3 She traveled to Japan by ______________. (혼자서)

4 The silk is smooth in ______________. (본래)

5 This is a secret between ______________. (우리끼리의)

6 They were beside ______________ with excitement. (제정신이 아닌)

7 Let me introduce ______________. (자기소개를 하다)

8 She enjoyed ______________ in the swimming pool. (즐거운 시간을 보내다)

9 They helped ______________ to the doughnuts. (~을 마음껏 먹다)

10 Mr. Hamilton taught ______________ Korean. (독학하다)

11 You talk to ______________ when you're nervous. (혼잣말하다)

12 My sister hurt ______________ playing basketball. (다치다)

Voca

silk 실크, 비단
smooth 매끄러운
excitement 흥분, 신남
nervous 긴장한

STEP 1 다음 우리말과 같은 뜻이 되도록 빈칸에 알맞은 말을 쓰시오.

1 나는 때때로 혼잣말을 한다. → I sometimes ______________________.

2 그는 우쿨렐레를 독학하고 있다. → He is ______________________ the ukulele.

3 그들은 한 명씩 자신들을 소개했다. → They ______________________ one by one.

4 우리는 그 치즈케이크를 마음껏 먹었다. → We ______________________ to the cheesecake.

STEP 2 다음 우리말과 같은 뜻이 되도록 주어진 단어를 배열하여 문장을 완성하시오.

1 들어와서 편히 계세요. (yourself, at, make, home)

→ Come in and ______________________.

2 음식과 음료를 마음껏 드세요. (to, food, yourselves, help, and, drinks)

→ Please ______________________.

3 나는 휴가 동안 즐거운 시간을 보냈다. (myself, during, I, vacation, my, enjoyed)

→ ______________________

4 Green 부인은 혼자서 네 아이를 키웠다. (Mrs. Green, four children, by, raised, herself)

→ ______________________

STEP 3 다음 조건에 따라 우리말에 맞게 문장을 완성하시오.

조건	1. 재귀대명사의 관용표현을 사용할 것	2. 괄호에 주어진 말을 활용할 것

1 그 계획 자체는 나쁘지 않았다. (bad)

→ ______________________

2 나는 요리책으로 요리를 독학하고 있다. (to cook)

→ ______________________ with cook books.

3 그 소년은 그 나무에서 떨어져 다쳤다. (fall off, hurt)

→ ______________________

4 우리는 걱정으로 제정신이 아니었다. (with worry)

→ ______________________

Unit 03 one, another

부정대명사는 불특정한 사물이나 사람을 막연하게 가리키는 대명사이다.

one	앞에 언급된 것과 같은 종류의 불특정한 것을 지칭하며, 복수형은 ones이다. His shirt is old and out of style. He needs to buy a new **one.** (one = shirt) 그의 셔츠는 낡았고 유행이 지났다. 그는 새로운 것을 사야 한다. I like roses, especially pink **ones.** (ones = roses) 나는 장미, 특히 분홍색 장미를 좋아한다.
another	'또 하나의 다른 것(의), 또 하나(의)'라는 의미로 같은 종류의 것을 가리킬 때 쓴다. Would you like **another** cup of tea? 차를 한 잔 더 드시겠어요? I don't like this skirt. Will you show me **another**? 이 치마가 마음에 들지 않아요. 다른 것을 보여주실래요?

Tips

앞에서 언급한 것과 같은 대상을 가리킬 때는 it을 사용한다.

I've lost **my bike**. Can you help me find **it**? (it = my bike)
자전거를 잃어버렸어. 그것을 찾는 데 나를 도와줄래?

Answers - p.03

Check-up 1 다음 우리말과 같은 뜻이 되도록 괄호 안에서 알맞은 것을 고르시오.

1 이 수건은 더러워. 나에게 새것을 갖다 줄래?
→ This towel is dirty. Will you bring me a new (one / it)?

2 이 외투는 너무 커요. 저에게 다른 것을 보여주세요.
→ This coat is too big. Please show me (one / another).

3 너는 갈색 부츠가 좋아 아니면 검은색이 좋아?
→ Do you prefer brown boots or black (one / ones)?

4 나는 어제 팔찌를 하나 샀는데, 오늘 아침에 그것을 잃어버렸다.
→ I bought a bracelet yesterday, but I lost (one / it) this morning.

Check-up 2 다음 보기에서 알맞은 것을 골라 문장을 완성하시오.

보기	one	ones	it	another

1 Kelly has a leather couch. She likes __________ very much.

2 I don't like this washing machine. Would you show me __________?

3 My glasses are too old. I want to buy new __________.

4 A Is there a bank around here?
B Yes, there is __________ around the corner.

Voca
leather 가죽
couch 소파
washing machine 세탁기

STEP 1 다음 밑줄 친 부분을 어법상 바르게 고치시오.

1 This is too expensive. Show me it. → ____________

2 Here comes the taxi. Let's take one. → ____________

3 My sneakers are worn out. I want to buy a new one. → ____________

4 I'm still thirsty. Can I have one glass of water? → ____________

5 I lost my old scarf. This is a new another. → ____________

Voca
sneaker 운동화
worn out 닳아서 못 쓰게 된
scarf 목도리

STEP 2 다음 우리말과 같은 뜻이 되도록 주어진 단어를 배열하여 문장을 완성하시오.

1 너에게 또 다른 질문을 하겠다. (ask, me, question, another, let, you)
→ ____________

2 펜이 필요하면, 내가 너에게 하나 빌려 줄게. (one, will, I, you, lend)
→ If you need a pen, ____________.

3 이 오렌지는 너무 시다. 내게 다른 것을 줄래? (give, you, will, me, another)
→ This orange is too sour. ____________

4 이 신발은 너무 커요. 더 작은 거 있나요? (have, ones, do, smaller, you)
→ These shoes are too big. ____________

STEP 3 다음 조건에 따라 우리말에 맞게 문장을 완성하시오.

조건	1. one, another를 사용할 것	2. 괄호에 주어진 말을 활용할 것

1 나에게 또 다른 기회를 줄래? (will, give, chance)
→ ____________

2 그녀는 지갑을 잃어버렸다. 그녀는 하나 사야 한다. (have to)
→ She lost her purse. ____________

3 나는 내 숟가락을 떨어뜨렸어. 나에게 다른 것을 갖다 줘. (drop, bring, please)
→ ____________

4 너는 어떤 것을 원하니, 빨간 사과 아니면 초록 사과? (which, want, apples)
→ ____________

Unit 04 부정대명사의 표현

one ~, the other ... (둘 중) 하나는 ~, 나머지 하나는 …	He has two pets. **One** is a dog, and **the other** is a bird. 그는 애완동물 두 마리가 있다. 하나는 개이고 나머지 하나는 새이다.
one ~, another ~, the other (셋 중) 하나는 ~, 또 다른 하나는 ~, 나머지 하나는 …	I have three classes today. **One** is English, **another** is science, and **the other** is history. 나는 오늘 세 개의 수업이 있다. 하나는 영어, 또 다른 하나는 과학, 나머지 하나는 역사이다.
one ~, the others ... (여럿 중) 하나는 ~, 나머지 모두는 …	Kate bought five pens. **One** is red, and **the others** are black. Kate는 다섯 자루의 펜을 샀다. 하나는 빨간색이고, 나머지 모두는 검은색이다.
some ~, others ... 어떤 것[사람]들은 ~, 또 다른 어떤 것[사람]들은 …	**Some** like baseball, and **others** like basketball. 어떤 사람들은 야구를 좋아하고, 또 다른 어떤 사람들은 농구를 좋아한다.
some ~, the others ... 어떤 것[사람]들은 ~, 나머지 모두는 …	There were twenty people at the meeting. **Some** agreed with the plan, and **the others** didn't. 회의에 20명이 있었다. 어떤 사람들은 그 계획에 동의하고, 나머지 모두는 동의하지 않았다.
each other (둘 사이에) 서로 **one another** (셋 이상 사이에) 서로	Sarah and Jason like **each other**. Sarah와 Jason은 서로 좋아한다. We all should respect **one another**. 우리는 모두 서로 존중해야 한다.

Tips
수와 상관없이 each other와 one another는 종종 교체 사용된다.

Answers - p.04

Check-up 다음 주어진 우리말과 같은 뜻이 되도록 괄호 안에서 가장 알맞은 것을 고르시오.

1 Grace와 Ross는 서로를 보며 미소 짓고 있다.
→ Grace and Ross are smiling at (each other / the other).

2 어떤 사람들은 소설을 읽고 또 다른 사람들은 시를 읽는다.
→ Some read novels, and (others / the others) read poems.

3 그 소녀는 두 개의 풍선을 들고 있다. 하나는 파란색이고, 나머지 하나는 빨간색이다.
→ The girl is holding two balloons. One is blue, and (other / the other) is red.

4 우리 가족은 4명이다. 우리는 서로를 매우 사랑한다.
→ There are four members in my family. We love (each others / one another) very much.

5 나는 세 명의 여자형제가 있다. 한 명은 열다섯 살, 또 다른 한 명은 열 살, 나머지 한 명은 여섯 살이다.
→ I have three sisters. One is fifteen, (other / another) is ten, and the other is six.

6 반에는 20명의 학생이 있었다. 어떤 학생은 그 시험에 통과했고, 나머지 모두는 그렇지 않았다.
→ There were twenty students in the class. Some passed the test, and (others / the others) didn't.

STEP 1 다음 밑줄 친 부분을 어법에 맞게 고치시오.

1 I have four children. One is a girl, and the other are boys. → ____________

2 Roses have various colors. One are red, and others are yellow. → ____________

3 Carrie has two exams today. One is English, and another is history. → ____________

4 I grow three kinds of vegetables. One is tomatoes, other is carrots, and the other is cucumbers. → ____________

Voca
various 다양한
grow 기르다, 재배하다
cucumber 오이

STEP 2 다음 우리말과 같은 뜻이 되도록 주어진 단어를 배열하여 문장을 완성하시오.

1 나의 세 명의 아이들은 서로를 돌본다. (my, take care of, children, one, three, another)

→ ____________

2 나는 머핀 두 개를 샀다. 하나는 내 것이고, 나머지 하나는 우리 엄마의 것이다.
(is, one, and, for my mom, the other, is, for me)

→ I bought two muffins. ____________

3 그 북클럽에는 10명의 회원이 있다. 일부는 남자 아이이고, 나머지 모두는 여자 아이이다.
(are, girls, some, are, boys, the others, and)

→ There are ten members in the book club. ____________

4 Chris는 3개 국어를 할 수 있다. 하나는 영어, 또 다른 하나는 프랑스어, 나머지 하나는 스페인어이다.
(English, is, one, another, the other, French, is, Spanish, is, and)

→ Chris can speak three languages. ____________

STEP 3 다음 조건에 따라 우리말에 맞게 문장을 완성하시오.

조건	1. 부정대명사 표현을 이용할 것	2. 시제에 유의할 것

1 Ron은 두 권의 책을 읽었다. 하나는 지루했고, 나머지 하나는 재미있었다. (boring, funny)

→ Ron read two books. ____________

2 어떤 아이들은 농구를 했고, 또 다른 어떤 아이들은 야구를 했다. (basketball, baseball)

→ ____________

3 나는 아홉 통의 편지를 받았다. 몇 통은 내 친구들에게서 온 거고, 나머지 모두는 내 가족에게서 온 것이다. (from)

→ I've got nine letters. ____________

Unit 05 all, both, each, every

all, both, each는 대명사뿐 아니라 형용사로도 쓰여 명사를 수식하기도 한다.

all + 불특정명사 all(+of) + 특정명사 [the/소유격 + 명사]	all은 '모든 사람, 모든 것, 모든'이라는 의미로 all이 사람이면 복수, 사물이나 상황을 의미하면 단수 취급한다. 「all + 명사」가 주어로 나온 경우, 명사의 수에 동사의 수를 일치시킨다. **All** were happy at the news. 그 소식에 모든 사람이 행복했다. When the Sun set, **all** was dark. 해가 지자, 모든 것이 어두웠다. **All** (of) the guests have arrived. 모든 손님들이 도착했다. **All** (of) my work is done now. 이제 나의 모든 일이 끝났다.
both(+of) + 복수명사	both는 '양쪽 다', '~ 둘 다'라는 의미로 복수 취급한다. **Both** of my parents are strict 우리 부모님은 두 분 다 엄격하시다. I have two brothers. **Both** are nice to me. 나는 두 명의 오빠가 있다. 둘 다 나에게 잘해준다.
each + 단수명사 each + of + 복수명사	each는 '각각의, 각각'라는 의미로 단수 취급한다. **Each** person has a different voice. 각각의 사람은 다른 목소리를 가진다. **Each** of the students has to write two reports. 각각의 학생들은 두 개의 보고서를 써야 한다.
every + 단수명사	every는 '모든'이라는 의미로 단수 취급하며 단독으로 쓰이지 않는다. **Every** student in the school likes Mr. Thomson. 학교의 모든 학생들이 Thomson 선생님을 좋아한다.

Answers - p.05

Check-up 다음 우리말과 같은 뜻이 되도록 괄호 안에서 알맞은 말을 고르시오.

1 집 안은 모든 것이 따뜻하고 아늑했다.
→ Inside the house, (all / every) was warm and cozy.

2 각각의 아이는 자신만의 능력을 가진다.
→ (All / Each) child has his or her own talent.

3 그 건물에 있던 모든 사람들은 안전하게 탈출했다.
→ (All / Each) the people in the building escaped safely.

4 두 선수 모두 경기를 잘하고 있다.
→ (Both / Every) players are doing well in the game.

5 그들은 각각 다른 언어를 썼다.
→ (Each / Every) of them spoke a different language.

Tips
every가 '~마다'라는 의미로 쓰일 경우 뒤에 복수명사가 올 수 있다.
The bus comes **every ten minutes**.
버스는 10분마다 온다.

STEP 1 다음 빈칸에 알맞은 말을 보기에서 찾아 쓰시오. (단, 중복 사용 가능)

보기	all	both	each	every

1 Sue and I meet ______________ two weeks.

2 I love ______________ of my parents very much.

3 ______________ of us has a different idea about the project.

4 We worked for six hours. Now ______________ the work is done.

5 I borrowed two books from the library. ______________ were interesting.

Voca
done 다 끝난
borrow 빌리다

STEP 2 다음 밑줄 친 부분을 어법상 바르게 고치시오.

1 All the table in the restaurant disappeared. → ______________

2 The girl is wearing a ring on each fingers. → ______________

3 Every person in town look up to Mr. Wilson. → ______________

4 I have two sisters. Both is college students. → ______________

Voca
disappear 사라지다
look up to ~를 존경하다

STEP 3 다음 보기와 같이 밑줄 친 부분에 유의하여 괄호 안에 부정대명사를 이용한 문장으로 바꿔 쓰시오.

보기	My sisters like cooking. (both) → Both (of) my sisters like cooking.

1 I spent my money buying a new computer. (all)

→ ______________________________

2 The students gave a different answer. (each)

→ ______________________________

3 They are interested in world history. (both)

→ ______________________________

4 She gave a hug to the children. (each)

→ ______________________________

5 My friends came to my birthday party. (all)

→ ______________________________

Voca
be interested in ~에 관심이 있다
world history 세계사
give a hug to ~를 포옹하다

STEP 4 다음 우리말과 같은 뜻이 되도록 주어진 단어를 배열하여 문장을 완성하시오.

1 각각의 아이들은 선물을 받았다. (child, a present, received, each)

→ ____________________

2 네가 냉장고에 있는 모든 우유를 마셨니? (drink, the milk, you, all, did, in the fridge)

→ ____________________

3 우리 이모는 두 분 모두 호주에 산다. (of, live in, both, Australia, my aunts)

→ ____________________

4 그는 모든 질문에 신중하게 답했다. (carefully, answered, he, question, every)

→ ____________________

5 Ron은 2주마다 조부모님을 방문한다. (visits, every, Ron, his grandparents, two weeks)

→ ____________________

STEP 5 다음 조건에 따라 우리말에 맞게 문장을 완성하시오.

조건 1. all, both, each, every를 활용할 것 2. 시제에 유의할 것

1 우리 둘 다 런던에서 태어났다. (be born in)

→ ____________________

2 나는 나의 신발 두 짝을 모두 잃어버렸다. (have lost, sneakers)

→ ____________________

3 그는 3일마다 식물에 물을 준다. (water, the plants)

→ ____________________

4 내 친구들 모두 그 소식에 기뻐했다. (be pleased with)

→ ____________________

5 각각의 학생들은 자신의 신분증을 가지고 있다. (his or her ID card)

→ ____________________

6 그녀는 우리 각자에게 무엇을 해야 하는지 말해주었다. (tell, what to do)

→ ____________________

[1-3] 다음 빈칸에 공통으로 들어갈 말을 쓰시오.

1

· I don't have an umbrella. Do you have ________?

· She has two cats. ________ is black, and the other is gray.

→ ________________

2

· Sarah calls ________ a princess.

· She cooked this spaghetti ________.

→ ________________

3

· Can I have ________ cup of coffee?

· Adam got three gifts. One is a book, ________ is a bike, and the other is a T-shirt.

→ ________________

[4-5] 다음 대화의 빈칸에 알맞은 말을 쓰시오.

4

A Will you say that again? I couldn't hear it.
B Never mind. I was just talking to ________.

5

A Who has a pet snake in your class?
B No one. ________ of us are afraid of snakes.

[6-7] 다음 빈칸에 알맞은 말을 각각 쓰시오.

6

I have four siblings. ________ is a sister, and ________ are brothers.

7

People like sports. ________ like soccer, and ________ like baseball.

[8-9] 다음 두 문장이 같은 뜻이 되도록 빈칸에 알맞은 말을 고르시오.

8

I live alone in this house.
= I live ________ myself in this house.

9

They had a good time at the snow festival.
= They ________ themselves at the snow festival.

10 다음 빈칸에 알맞은 말을 보기에서 찾아 쓰시오.

보기	beside	for	in	between

(1) This is a secret. Let's keep it ________ ourselves.

(2) She should finish her project ________ herself.

(3) A smartphone is a great innovation ________ itself.

(4) When I won the finals, I was ________ myself with joy.

[11-12] 다음 밑줄 친 부분을 바르게 고치시오.

11

Every ⓐ children needs love and care, and they can't take care of ⓑ them.

ⓐ ________ ⓑ ________

12

I had my birthday party today. All of my friends came. We helped ⓐ us to the delicious food. We danced and sang together. All ⓑ was happy!

ⓐ ________ ⓑ ________

[13-15] 다음 우리말과 같은 뜻이 되도록 주어진 단어를 배열하여 문장을 완성하시오.

조건 주어와 동사를 갖춘 완전한 문장으로 쓸 것

13 Ben과 Ross는 싸우고 난 후 서로 말을 하지 않는다.
(talk to, Ben and Ross, each other, don't)

→ ______________________________
after a fight.

14 각각의 사람은 고유하고 특별하다.
(person, and, unique, each, special, is)

→ ______________________________

15 내 돈은 모두 내 지갑에 있었다.
(all, was, in, my money, of, my wallet)

→ ______________________________

[16-18] 다음 우리말과 같은 뜻이 되도록 주어진 단어를 이용하여 문장을 완성하시오.

조건 주어와 동사를 갖춘 완전한 문장으로 쓸 것

16 너희들은 스스로를 자랑스럽게 여겨야 한다.
(should, proud of)

→ ______________________________

17 그들은 둘 다 금발머리이다. (blond hair)

→ ______________________________

18 그녀는 두 명의 삼촌이 있다. 한 명은 파일럿이고, 나머지 한 명은 교수이다. (a pilot, a professor)

→ She has two uncles. ______________________________

____

[19-20] 다음 글을 읽고, 물음에 답하시오.

A Are you reading *King Lear* again?
B Yes. It's my favorite book.
A Why do you like it so much?
B Well, it's not interesting in ⓐ it, but I like the story about an old king and his power.
A I see. So, is Shakespeare your favorite writer?
B Yes. I've read all of ⓑ his book. Some are interesting, and others are boring, but (A) 각각의 책은 그만의 교훈이 있어. (its own lesson) His books are worth reading.

19 윗글의 ⓐ와 ⓑ를 어법에 맞게 고쳐 쓰시오.

ⓐ ______________ ⓑ ______________

20 윗글에 주어진 단어를 이용하여 (A)를 영어로 옮기시오.

→ ________ ________ ________
________ ________ ________

9

비교급, 최상급

Unit 01 원급 / 비교급 / 최상급

A as + 원급 + as B: A는 B만큼 ~하다

I am **as active as** my brother (is). 나는 우리 형만큼 활동적이다.
He reads **as much as** me[I do]. 그는 나만큼 독서를 많이 한다.
Julia is **not as[so] sensitive as** me[I am]. Julia는 나만큼 예민하지 않다.
(= I am more sensitive than Julia.)

A 비교급 than B: A가 B보다 더 ~하다

Her hair is **longer than** mine. 그녀의 머리카락이 내 것보다 더 길다.
Writing is **more difficult than** reading (is). 쓰기가 읽기보다 더 어렵다.
(= Reading is **less difficult than** writing.) 읽기는 쓰기보다 덜 어렵다.

the + 최상급 + in[of] …: …에서 가장 ~하다

He is **the thinnest** of all my friends. (of + 비교 대상이 되는 복수명사) 그는 내 친구들 중 가장 말랐다.
She is **the most famous** actress in my country. (in + 장소, 범위의 단수명사) 그녀는 우리나라에서 가장 유명한 여배우이다.

Tips

비교의 대상은 자격이 동등해야 하므로 than, as 뒤에 나오는 격에 주의해야 한다.

He is shorter than I am.
그는 나보다 키가 작다.

His ears are as big as mine(= my ears).
그의 귀는 내 것(내 귀)만큼 크다.

* than이나 as 뒤에 주격 대신 목적격을 쓰기도 한다.

I can swim as fast as him[he can].
나는 그만큼 빨리 수영할 수 있다.

Answers - p.08

Check-up 1 다음 괄호 안에서 알맞은 말을 모두 고르시오.

1 Jessy is smaller (than / as) Lisa.
2 I am more popular (than / as) Tom.
3 Soccer is (more exciting / exciting) than baseball.
4 This is less expensive (than / as) that.
5 She is as thin (than / as) her mother.
6 He is not (so / as / more) diligent as Jake.
7 My hair is as long as (she is / her / hers).

Voca
popular 인기 있는
diligent 부지런한

Check-up 2 다음 빈칸에 in이나 of 중 알맞은 것을 쓰시오.

1 She is the most generous person ______ my friends.
2 Lisa is the youngest ______ my family.
3 Mr. Rogan is the oldest man ______ the village.
4 This is the funniest ______ all the TV shows.
5 He is the tallest person ______ the world.

Voca
generous 관대한
village 마을

STEP 1 다음 우리말과 일치하도록 괄호 안에 주어진 말을 이용하여 문장을 완성하시오.

1 내 차는 그의 것만큼 저렴하다. (cheap)

→ My car is ______________________________ his.

2 그녀는 그녀의 언니만큼 키가 크지 않다. (tall)

→ She is not ______________________________ her sister.

3 그는 모든 소년들 중 가장 인기가 많다. (popular)

→ He is ______________________________ all the boys.

4 그것은 그 가게에서 가장 비싸다. (expensive)

→ It is ______________________________ the store.

STEP 2 다음 주어진 조건에 맞게 괄호 안의 단어를 이용하여 문장을 완성하시오.

조건	1~2번은「비교급 + than」을, 3~4번은「less ~ than」을 사용할 것

Voca
dangerous 위험한
crowded 붐비는

1 Your bag is ______________________ mine. (heavy)

2 Some sports are ______________________ others. (dangerous)

3 This room is ______________________ that room. (crowded)

4 The first question is ______________________ the second one. (difficult)

STEP 3 다음 문장을 괄호에 주어진 조건에 맞게 다시 쓰시오.

1 This chair is more expensive than that chair.

= That chair ______________________________ this chair. (as ~ as를 쓸 것)

= That chair ______________________________ this chair. (less ~ than을 쓸 것)

2 The new story is not as funny as the old story.

= The old story ______________________________ the new story. (비교급 + than을 쓸 것)

= The new story ______________________________ the old story. (less ~ than을 쓸 것)

3 The chocolate cake is less delicious than the cheese cake.

= The cheese cake is ______________________ the chocolate cake. (비교급 + than을 쓸 것)

= The chocolate cake is ______________________ the cheese cake. (so ~ as를 쓸 것)

Unit 02 원급을 이용한 표현 / 비교급 강조

as + 원급 + as + possible[주어 + can/could]: 가능한 한 ~하게

Please call me **as soon as possible.** 가능한 한 빨리 제게 전화주세요.

= Please call me **as soon as you can.**

배수사 + as + 원급 + as: ~보다 …배 ~한/하게

This computer is **three times as expensive as** that one. 이 컴퓨터는 저것보다 세 배 더 비싸다.

= This computer is **three times more expensive than** that one.

much, still, far, even, a lot 등은 비교급을 강조해서 '훨씬'이라는 뜻으로 쓰인다.

This hat is much **bigger than** that hat. 이 모자가 저 모자보다 훨씬 더 크다.

Tips

very는 비교급을 강조할 수 없다.

(X) This hat is ~~very~~ bigger than that hat.

Answers - p.09

Check-up 다음 괄호에 주어진 말을 이용하여 빈칸을 완성하시오.

Voca

result 결과

clearly 명확하게

twice 두 배

1 가능한 한 빨리 시험 결과를 알려 줘. (soon, possible)

Let me know the test results ________ ________ ________ ________.

2 그녀는 가능한 한 명확하게 설명했다. (clearly, possible)

She explained ________ ________ ________ ________.

3 가능한 한 빨리 집에 오세요. (early, can)

Please come home ________ ________ ________ ________ ________.

4 나는 가능한 한 빨리 말하려고 애썼다. (quickly, can)

I tried to speak ________ ________ ________ ________ ________.

5 그는 나보다 두 배 더 무겁다. (twice, heavy)

He is ________ ________ ________ as me.

6 그의 방은 내 방보다 네 배 크다. (times, large)

His room is ________ ________ ________ ________ as mine.

7 이것은 저것보다 일곱 배 더 두껍다. (times, thick, than)

This is ________ ________ ________ ________ that.

8 그의 코트는 내 것보다 세 배 비싸다. (times, expensive)

His coat is ________ ________ ________ ________ than mine.

STEP 1 다음 두 문장이 같은 뜻이 되도록 문장을 완성하시오.

Voca
explain 설명하다
briefly 간략하게

1 I try to read as much as possible.

= I try to read ______________________.

2 She explained it as briefly as possible.

= She explained it ______________________.

3 Please return the book to me as soon as you can.

= Please return the book to me ______________________.

STEP 2 다음 우리말과 같은 뜻이 되도록 괄호에 주어진 조건에 따라 문장을 완성하시오.

조건 「배수사 + as + 원급 + as」, 「배수사 + 비교급 + than」을 쓸 것

1 파란색 상자는 검은색 상자보다 세 배 무겁다. (heavy)

→ The blue box ______________________ the black box.

→ The blue box ______________________ the black box.

2 녹색 건물은 하얀색 건물에 비해 다섯 배 높다. (tall)

→ The green building ______________________ the white building.

→ The green building ______________________ the white building.

3 이 테이블은 저 의자에 비해서 열 배 비싸다. (expensive)

→ This table ______________________ that chair.

→ This table ______________________ that chair.

STEP 3 다음 밑줄 친 부분을 어법에 맞게 고치시오.

Voca
reserve 예약하다

1 Please reserve a table as early as possibly. → ______________

2 He sent me the package as quickly as he can. → ______________

3 This purse is three times more expensive as that one. → ______________

4 Her room is twice as large than mine. → ______________

5 Chinese is very more difficult than Korean. → ______________

Unit 03 비교급을 이용한 표현

the + 비교급 + of the two: 둘 중에서 더 ~한

She is **the more intelligent of the two**. 둘 중에서 그녀가 더 똑똑하다.

비교급 and 비교급: 점점 더 ~한

The daytime is getting **longer and longer**. 낮이 점점 더 길어지고 있다.
She became **more and more famous**. 그녀는 점점 더 유명해졌다.

the + 비교급, the + 비교급 : ~하면 할수록 더욱더 …하다

The more you eat, **the fatter** you will become. 많이 먹으면 먹을수록 더 뚱뚱해질 것이다.

Answers - p.09

Check-up 1 다음 괄호 안에서 가장 알맞은 것을 고르시오.

1 She is (elder / the elder) of the two.

2 He is (smart / the smarter) of the two.

3 That computer is the faster (of / than) the two.

4 This color is the better (in / of) the two.

Check-up 2 다음 괄호에 주어진 말을 이용하여 문장을 완성하시오.

조건	1~2번은「비교급 and 비교급」을 쓸 것 3~4번은「the + 비교급, the + 비교급」을 쓸 것

Voca
science 과학
look like ~을 닮다

1 상황이 점점 더 나아지고 있다. (good)

→ Things are getting ______ ______ ______.

2 나는 점점 과학에 흥미가 생겼다. (interested)

→ I became ______ ______ ______ ______ in science.

3 더 많이 웃을수록 점점 더 행복해진다. (much, happy)

→ ______ ______ you smile, ______ ______ you become.

4 그녀는 나이가 들수록 점점 더 어머니를 닮아간다. (old, much)

→ ______ ______ she gets, ______ ______ she looks like her mother.

STEP 1 다음 우리말과 일치하도록 보기에서 주어진 말을 골라 알맞은 형태로 문장을 완성하시오.

Voca
approach 접근하다
deep 깊게

보기	dangerous	difficult	deep	close

1 그 사자는 점점 더 가까이 다가오고 있다.

→ The lion is approaching ______________________.

2 보물 상자는 점점 더 깊은 바다로 가라앉고 있었다.

→ The treasure box was sinking ______________________ into the sea.

3 그 도시는 점점 더 위험해지고 있다.

→ The city is getting ______________________.

4 그 시험은 점점 더 어려워지고 있다.

→ The exams are getting ______________________.

STEP 2 다음 보기와 같이 주어진 문장의 밑줄 친 부분에 유의하여 「the + 비교급, the + 비교급」을 이용한 문장으로 완성하시오.

Voca
cave 동굴

보기 As you eat more, you will become fatter.
→ The more you eat, the fatter you will become.

1 As it gets more expensive, people want it more.

→ ______________ it gets, ______________ people want it.

2 As we walked deeper into the cave, it became darker.

→ ______________ we walked into the cave, ______________ it became.

3 As I live longer in the city, I like it less.

→ ______________ I live in the city, ______________ I like it.

4 As he got older, he became more generous.

→ ______________ he got, ______________ he became.

5 As you learn more, you will become wiser.

→ ______________ you learn, ______________ you will become.

STEP 3 다음 우리말과 같은 뜻이 되도록 주어진 단어를 배열하여 문장을 완성하시오.

1 물은 점점 더 따뜻해지고 있다. (warmer, warmer, getting, is, and, the water)

→ ______________________________

2 그 수업은 점점 더 어려워지고 있다. (and, more, more, the class, getting, is, difficult)

→ ______________________________

3 이 에세이가 둘 중 더 길다. (the, is, the two, this essay, of, longer)

→ ______________________________

4 그녀는 나이가 들수록 더 현명해졌다. (she, she, the older, the wiser, got, became)

→ ______________________________

5 태양이 높이 떠오를수록 더 밝아졌다. (the Sun, the higher, rose, it, the brighter, became)

→ ______________________________

STEP 4 다음 주어진 조건에 따라 우리말에 맞게 문장을 완성하시오.

조건	1. 비교급을 쓸 것	2. 주어와 동사를 갖춘 완전한 문장으로 쓸 것

Voca
interested in
~에 관심이 있는
nature
자연

1 이 셔츠가 둘 중 더 싸다. (this shirt, cheap)

→ ______________________________

2 그녀는 점점 더 자연에 관심을 가지게 되었다. (become, interested in, nature)

→ ______________________________

3 그는 점점 더 천천히 운전했다. (drive, slowly)

→ ______________________________

4 우리 삼촌은 점점 더 뚱뚱해지고 있다. (my uncle, be getting, fat)

→ ______________________________

5 우리가 출구에 접근할수록 우린 더 추위를 느꼈다. (close, approach, the exit, cold, feel)

→ ______________________________

6 그들은 많은 돈을 벌수록 더 많은 것을 사고 싶어 한다. (much money, make, many things, want, buy)

→ ______________________________

Unit 04 기타 비교급 표현

prefer A to B: B보다 A를 선호하다

I **prefer** cookies **to** chocolates. 나는 초콜릿보다 쿠키가 더 좋다.

라틴어에서 온 단어의 비교급

inferior to: ~보다 열등한
superior to: ~보다 뛰어난
prior to: ~보다 앞선
senior to: ~보다 연상의
junior to: ~보다 연하의

She is five years **senior to** me. 그녀는 나보다 다섯 살 연상이다.
(= She is five years older than me.)

the same, similar, different

A the same as B: A는 B와 같은
A similar to B: A는 B와 비슷한
A different from B: A는 B와 다른

Your shoes look **the same as** mine. 너의 신발이 내 것과 같아 보인다.
Her voice is **similar to** her mother's. 그녀의 목소리는 그녀의 어머니의 목소리와 비슷하다.
Their plan was **different from** ours. 그들의 계획은 우리의 것과 달랐다.

Tips

would rather A than B
B하기 보다 차라리 A하는 게 낫다

I **would rather** watch TV **than** go out.
밖에 나가느니 TV를 보는 게 낫다.

Answers - p.10

Check-up 다음 빈칸에 to, as, from 중 알맞은 것을 쓰시오.

1 My father prefers coffee ____________ tea.

2 He is senior ____________ me.

3 This design is inferior ____________ hers.

4 Our team is superior ____________ his.

5 Prior ____________ dinner, a photo was taken.

6 His sunglasses are the same ____________ mine.

7 My cell phone is similar ____________ his.

8 His jacket is different ____________ mine.

9 She has the same computer ____________ me.

10 His machine is similar ____________ ours.

Voca

design
디자인, 설계도
sunglasses
선글라스
machine
기계

STEP 1 다음 괄호에 주어진 말을 이용하여 문장을 완성하시오.

1 그녀는 그보다 네 살 어리다. (junior)

→ She is four years ______ ______ him.

2 그들의 기술은 우리보다 못하다. (inferior)

→ Their technology is ______ ______ ours.

3 당신의 컴퓨터는 내 것보다 좋다. (superior)

→ Your computer is ______ ______ mine.

4 내 초콜릿 바는 너의 것과 맛이 똑같다. (same)

→ My chocolate bar tastes ______ ______ ______ yours.

5 이 두 사진은 서로 비슷하다. (similar)

→ These two pictures are very ______ ______ each other.

6 개는 늑대와 다르다. (different)

→ Dogs are ______ ______ wolves.

Voca
taste 맛이 나다
each other 서로
wolf 늑대

STEP 2 다음 괄호에 주어진 말을 활용하여 주어진 문장과 같은 의미의 문장을 완성하시오.

1 I like vanilla ice cream better than chocolate ice cream. (prefer A to B)

= ______

2 The boy is three years younger than her. (junior to)

= ______

3 He says his car is better than mine. (superior to)

= He says ______.

4 The old machine is not as good as the new machine. (inferior to)

= ______

5 American English and British English are not the same. (different from)

= ______

Voca
British 영국의

STEP 3 다음 우리말과 같은 뜻이 되도록 주어진 단어를 배열하여 문장을 완성하시오.

Voca
get married
결혼하다
graduation
졸업

1 그는 영화보다 책을 선호한다. (to, he, a book, prefers, a movie)

→ ____________________

2 나는 그보다 세 살 어리다. (to, I, junior, am, him, three years)

→ ____________________

3 우리 부모님은 졸업 전에 결혼하셨다. (prior, got married, to, my parents, graduation)

→ ____________________

4 나는 그와 같은 학교에 다녔다. (the same, I, as, went to, school, him)

→ ____________________

5 그들의 생각은 우리와 비슷하다. (are, their ideas, to, similar, ours)

→ ____________________

6 그는 자신의 형제들보다 우월하다고 느낀다. (to, his brothers, he, superior, feels)

→ ____________________

STEP 4 다음 우리말과 같은 뜻이 되도록 주어진 말을 이용하여 문장을 완성하시오.

Voca
introduce
소개하다

1 그는 자신의 아버지와 닮았다. (look, similar, his father)

→ ____________________

2 그녀는 나보다 세 살 많다. (senior, three years)

→ ____________________

3 나는 그보다 두 살 어리다. (junior, two years)

→ ____________________

4 나의 형은 나와 다르게 생겼다. (look, different)

→ ____________________

5 나는 매장에 방문하는 것보다 온라인 쇼핑을 선호한다. (prefer, shopping online, visiting a store)

→ ____________________

6 그녀는 연설 전에 자신을 소개했다. (introduce, prior, the speech)

→ ____________________

Unit 05 기타 최상급 표현

one of the + 최상급 + 복수명사: 가장 ~한 것 중 하나

He is **one of the greatest soccer** players in the world.

그는 전 세계에서 가장 위대한 축구 선수 중 한 명이다.

the + 최상급(+that) + 주어 + have ever p.p.: 지금까지 ~한 것 중에서 가장 …하다

This is **the most touching movie (that) I've ever seen.**

이 영화는 내가 지금까지 본 영화 중에서 가장 감동적이다.

원급과 비교급을 이용한 최상급 표현

Seoul is **the largest** city in Korea. 서울은 한국에서 가장 큰 도시이다.

= **No (other)** city in Korea **is larger than** Seoul. 한국에서 서울보다 더 큰 도시는 없다.

= **No (other)** city in Korea **is so[as] large as** Seoul. 한국의 어떤 도시도 서울만큼 크지는 않다.

= Seoul is **larger than any other** city in Korea. 서울은 한국의 어떤 도시보다 더 크다.

Answers - p.11

Check-up 1 다음 괄호 안에서 가장 알맞은 것을 고르시오.

Voca
actor 배우

1 The man is one (in / of) the most popular actors in Korea.

2 She is one of the smartest (student / students) in the school.

3 The boy was (fastest / the fastest) swimmer I had ever seen.

4 He is one of (the most / more) famous singers in the world.

5 It is (most delicious / the most delicious) cake I've ever eaten.

6 This is the funniest story (I ever heard / I've ever heard).

Check-up 2 다음 보기와 같이 같은 뜻의 문장을 완성하시오.

Voca
sport 스포츠
cheap 값이 싼

> 보기 Soccer is the most popular sport.
> = No other sport is more popular than soccer.
> = No other sport is as[so] popular as soccer.
> = Soccer is more popular than any other sport.

This is the cheapest camera in the store.

= No other camera in the store ________ ________ than ________.

= No other camera in the store ________ ________ ________ as ________.

= ________ is ________ than any other camera in the store.

STEP 1 다음 우리말과 일치하도록 주어진 조건에 따라 문장을 완성하시오.

조건 1~3번은 「the + 최상급 + 주어 + have ever p.p.」를 써서 문장을 완성하시오.

1 이것은 내가 읽었던 책 중 가장 지루하다. (boring, read)

→ This is ______________ book ______________.

2 이것은 내가 방문해 본 박물관 중 가장 크다. (large, visit)

→ This is ______________ museum ______________.

3 그는 내가 아는 사람 중 가장 재미있다. (humorous, know)

→ He is ______________ person ______________.

조건 4~6번은 「one of the + 최상급 + 복수명사」를 써서 문장을 완성하시오.

4 그는 역사상 가장 위대한 과학자 중 한 명이다. (great, scientist)

→ He is ______________ in history.

5 그 사업가는 세계에서 가장 부유한 사람 중 한 명이다. (rich, person)

→ The businessman is ______________ in the world.

6 모나리자는 세계에서 가장 비싼 그림 중 하나이다. (expensive, painting)

→ The *Mona Lisa* is ______________ in the world.

STEP 2 다음 문장을 괄호에 주어진 조건에 맞게 다시 쓰시오.

1 Jupiter is the largest planet in the solar system.

= ______________ (부정어, than)

= ______________ (부정어, as)

= ______________ (비교급 than any other)

2 She is the youngest girl in my neighborhood.

= ______________ (부정어, than)

= ______________ (부정어, as)

= ______________ (비교급 than any other)

Voca
Jupiter 목성
planet 행성
solar system 태양계
neighborhood 동네

STEP 3 다음 우리말과 같은 뜻이 되도록 주어진 단어를 배열하여 문장을 완성하시오.

Voca
theater 극장

1 오늘은 내가 보냈던 날 중 가장 행복한 날이다. (I've, the, happiest, is, today, day, ever, had)

→ ______________________________

2 그녀는 내가 가르쳤던 학생 중 가장 상냥하다. (the, was, she, student, nicest, ever, I've, taught)

→ ______________________________

3 뉴욕은 미국에 다른 어떤 도시보다 크다. (any other, is, New York, than, larger, city, in the U.S.)

→ ______________________________

4 이것은 이 도시에서 가장 오래된 극장 중 하나이다. (in this city, the, oldest, is, this, of, one, theaters)

→ ______________________________

5 이 마을의 다른 어떤 식당도 이곳보다 저렴하지 않다. (than, restaurant, no other, cheaper, is, in this town, this place)

→ ______________________________

6 이 세상의 다른 어떤 동물도 치타만큼 빠르지 않다. (animal, no other, is, as, as, in the world, fast, the cheetah)

→ ______________________________

STEP 4 다음 주어진 조건에 따라 우리말에 맞게 문장을 완성하시오.

Voca
nation 국가
dish 음식
health 건강

조건 1. 원급, 비교급, 최상급을 적절히 쓸 것 2. 시제와 수에 유의할 것

1 바티칸 시국은 세계에서 다른 어떤 나라들보다도 작다. (Vatican City, small, any other, nation)

→ ______________________________

2 이 세상의 어떤 강도 나일 강만큼 길지 않다. (no other, river, as long as, the Nile)

→ ______________________________

3 저것은 내가 이제까지 구매한 가장 비싼 코트들 중 하나이다. (that, expensive, coats, buy)

→ ______________________________

4 이것은 메뉴에 있는 가장 인기가 많은 음식 중 하나이다. (this, one, popular, dish, on the menu)

→ ______________________________

5 이 세상에서 건강보다 중요한 것은 없다. (nothing, important, than, health)

____

6 이것은 내가 봤던 영화 중 가장 길다. (this, long, movie, watch)

____

단답형 & 서술형

Answers - p.13

1 다음 빈칸에 공통으로 들어갈 말을 쓰시오.

· He is three years junior ________ her.

· These pearls are inferior ________ others.

· She prefers Italian food ________ Chinese food.

→ ____________

[2-5] 다음 문장에서 어법에 맞지 않는 부분을 고쳐 쓰시오.

2 This is very cheaper than that.

____________ → ____________

3 This is the oldest restaurant of this town.

____________ → ____________

4 He is the fastest boy in the runners.

____________ → ____________

5 He is the same size with his father.

____________ → ____________

[6-8] 다음 우리말과 같은 뜻이 되도록 괄호에 주어진 말을 이용하여 문장을 완성하시오.

6 Jane은 나의 가장 큰 누나이다. (old)

→ Jane is my ________________ sister.

7 우리는 좀 더 연구해야 한다. (far)

→ We need to study ____________.

8 내가 너에게 그것을 되도록 빨리 가져다줄게. (soon)

→ I'll bring it to you ________________.

[9-10] 다음 짝지어진 두 문장이 같은 뜻이 되도록 문장을 완성하시오.

9 He is stronger than I am.

= I am ________ as ________ as I him.

10 As I learned more, I got more confused.

= ________ ________ I learned,

________ ________ ________ I got.

[11-13] 다음 괄호에 주어진 조건에 맞게 같은 뜻의 문장을 쓰시오.

11 Her violin is the most expensive in the world.
(부정어 no, than)

= ______________________________

____

12 As a bird flies higher, it can see farther.
(the 비교급, the 비교급)

= ______________________________

____

13 My bag is three times heavier than yours.
(배수사 as 원급 as)

= ______________________________

____

[14-17] 다음 우리말과 같은 뜻이 되도록 괄호에 주어진 말을 이용하여 문장을 완성하시오.

14 두 채의 집은 서로 비슷하다.
(the two houses, similar, each other)

→ ______________________________

15 한국어는 영어와 매우 다르다.
(Korean, very, different, English)

→ ______________________________

16 우리는 점점 더 빨리 걸었다. (walk, fast)

→ ______________________________

17 고양이는 사람보다 두 배 더 많이 잔다.
(cats, sleep, as, much, people)

→ ______________________________

[18-20] 다음 우리말과 같은 뜻이 되도록 주어진 단어를 배열하여 문장을 완성하시오.

18 나는 점점 더 지루해졌다.
(bored, I, more, got, more, and)

→ ______________________________

19 그것은 내가 참여했던 제일 긴 회의였다.
(I've, meeting, it, longest, is, the, ever, attended)

→ ______________________________

20 이곳은 한국에서 가장 아름다운 곳 중 하나이다.
(the most, is, this place, of, places, beautiful, one, in Korea)

→ ______________________________

____

Chapter 10

접속사, 전치사

Unit 01 명사절 종속접속사: whether/if, that

whether/if : '~인지 아닌지'라는 뜻이며, 명사절을 이끈다.

주어	**Whether** she will win the award (**or not**) is not clear. 그녀가 상을 받을지 아닐지는 확실하지 않다.
목적어	We don't know **whether[if]** he will come (**or not**). 우리는 그가 올지 안 올지 모른다.
보어	Their concern is **whether** the traffic is heavy (**or not**). 그들이 우려하는 것은 교통이 혼잡한지 아닌지이다.

Tips
- if는 주어절을 이끌지 않는다.
  ~~If he will come~~ is up to you. (×)
- whether or not으로는 쓰지만 if or not으로는 쓰지 않는다.

that : '~하는 것'라는 뜻이며, 접속사 that이 이끄는 절은 문장에서 주어, 목적어, 보어 역할을 한다.

주어	**That** our team won the game is surprising. = **It** is surprising **that** our team won the game. 우리 팀이 경기에서 이겼다는 것은 놀랍다.
목적어	I thought **that** the man in black was your father. 나는 검은 옷을 입은 그 남자가 너의 아버지라고 생각했어.
보어	The problem is **that** we failed the test. 문제는 우리가 시험에 불합격했다는 것이다.

Tips
that절과 if절은 전치사의 목적어로 쓰지 않는다.
It depends on ~~if~~ you have the ability to think creatively. (×)

Answers - p.14

Check-up 다음 괄호 안에서 가장 알맞은 것을 모두 고르시오.

1 I wonder (whether / if / that) we will be able to arrive on time or not.

2 I don't know (whether / if / that) she will visit me or not.

3 (Whether / If / That) she likes the job or not is not important.

4 He is wondering (whether / if / that) or not they are students.

5 It was fortunate (whether / if / that) they weren't hurt in the accident.

6 I think (whether / if / that) they are reliable.

7 The important fact is (whether / if / that) we won the competition.

8 My parents truly believe (whether / if / that) I can do anything if I put my mind to it.

9 (Whether / If / That) his younger brother became a police officer is unbelievable.

Voca
- arrive 도착하다
- fortunate 운 좋은
- accident 사고
- put one's mind to ~에 전념하다

STEP 1 다음 보기에서 주어진 말을 골라 문장을 완성하시오. (단, 중복 사용 가능)

보기	that	whether	if

1 It is not right ________________ you blame others for your fault.

2 It is certain ________________ he has left his umbrella at home.

3 ________________ we will play the game or not depends on the weather.

4 They wonder ________________ or not Tim will join the club.

5 I asked her ________________ she could go to the festival with me.

6 I wonder ________________ you have finished the book report.

7 I don't know ________________ or not my father will allow me to go to the concert.

Voco

blame A for B
B를 A의 탓으로 돌리다

fault
잘못

depend on
~에 의존하다

festival
축제

STEP 2 다음 우리말과 같은 뜻이 되도록 접속사 that을 이용하여 문장을 완성하시오.

1 내가 그 시험에 합격한 것은 다행이었다. (had passed, test)

→ It was lucky ____.

2 나는 그녀가 돼지고기에 알레르기가 있다고 들었다. (allergic to pork)

→ I heard ____.

3 그가 11번가에서 사는 것이 확실하니? (lives, on 11th Street)

→ Are you sure ____?

4 내 의견은 이 건물에서 흡연은 금지되어야 한다는 것이다. (smoking, should be banned)

→ My opinion is ____.

5 그는 거기에 제시간에 도착할 수 있다고 확신했다. (could get, on time)

→ He was sure ____.

6 네가 모든 불을 다 껐는지 확인하도록 해라. (turned off, all the lights)

→ Please check ____.

STEP 3 다음 우리말과 같은 뜻이 되도록 주어진 단어를 배열하여 문장을 완성하시오.

1 나는 네가 나를 도와줄 수 있는지 궁금하다. (I, could, if, me, you, wonder, help)

→ ______________________________

2 기술이 우리의 삶을 편하게 만든다는 것은 사실이다.
(our lives, it, is, that, true, makes, technology, convenient)

→ ______________________________

3 나는 그녀에게 그들의 사과를 받아들이겠다고 말했다. (I, accept, her, told, I'll, that, their apology)

→ ______________________________

4 문제는 우리가 공연을 위한 시간이 충분하지 않다는 것이다.
(is, that, for the show, the problem, don't, we, enough time, have)

→ ______________________________

5 우리가 외식을 할지 안 할지는 너에게 달려있어. (up to you, we, whether, eat out, will, is, or not)

→ ______________________________

6 문제는 우리가 자동차를 빌려야 하느냐 택시를 타야 하느냐이다.
(or, is, the question, we, whether, rent, a car, should, take, a taxi)

→ ______________________________

Voca
convenient 편리한
apology 사과
be up to ~에 달려 있다

STEP 4 다음 우리말과 같은 뜻이 되도록 주어진 단어를 이용하여 문장을 완성하시오.

1 시험 전에 긴장을 하는 것은 당연한 것이다. (it, natural, feel nervous, before a test)

→ ______________________________

2 나는 Julie와 그녀의 여동생이 닮았다고 생각한다. (think, Julie and her sister, look, alike)

→ ______________________________

3 요점은 그들이 사고를 막을 수 있었다는 것이다. (the point, could have prevented, the accident)

→ ______________________________

4 그는 당신이 서울에서 사는 것이 즐거운지 궁금해 하고 있다. (wonder, if, enjoy, live in Seoul)

→ ______________________________

5 그것은 그가 시간이 충분한지 아닌지에 달려있다. (depend on, have, enough time)

→ ______________________________

Unit 02 부사절 종속접속사: as, while, once, if

as: ~할 때, ~ 때문에, ~함에 따라, ~처럼, ~대로

~할 때	**As** he entered the room, he smelled gas. 그가 방에 들어갔을 때, 가스 냄새가 났다.
~ 때문에	**As** it was rainy season, it was very humid. 장마철이라 매우 습했다.
~함에 따라	**As** he grew older, he became wiser. 그는 나이를 먹으면서, 더 현명해졌다.
~처럼, ~대로	Just do **as** I said. 내가 말한 대로 해라.

while: ~하는 동안, ~하는 사이에

He ate dinner **while** he was watching TV. 그는 TV를 보면서 저녁식사를 했다.

once: 일단 ~하면, ~하자마자, ~할 때

Once you have a look at it, you'll love it. 일단 그것을 보면 마음에 들 것이다.

if: 만약 ~라면

If you take a short cut, you'll get there in time. 지름길로 가면 제시간에 그곳에 도착할 거야.

You can't pass the exam **if** you **don't** study hard. 열심히 공부하지 않으면, 시험에 떨어질 거야.
(= **unless** you study hard)

Tips

1. 시간, 조건의 부사절에서는 현재시제가 미래시제를 대신한다.
Once you~~'ll~~ have a look at it, you'll love it. (X)

2. unless 자체에 부정의 의미가 있으므로 not을 쓰지 않는다.
You can't pass the exam unless you ~~don't~~ study hard. (X)

Answers - p.15

Check-up 1 다음 밑줄 친 as의 의미 중 알맞은 것을 보기에서 고르시오.

보기 ⓐ ~처럼, ~대로 ⓑ ~함에 따라 ⓒ ~ 때문에 ⓓ ~할 때

1 Peter likes to listen to music as he rests. ______________

2 As he was extremely thirsty, he drank a lot of water. ______________

3 As people get older, they get wiser. ______________

4 When in Rome, do as the Romans do. ______________

Voca
rest 쉬다
extremely 극도로
thirsty 목마른
Roman 로마인

Check-up 2 다음 우리말과 일치하도록 if 또는 unless를 골라 문장을 완성하시오.

1 내일 날씨가 좋으면, 우리는 여행을 갈 것이다.
→ ______________ it is fine tomorrow, we will go on a trip.

2 따뜻한 옷을 입지 않으면, 너는 추울 것이다.
→ ______________ you wear warm clothes, you'll feel cold.

STEP 1 다음 우리말과 일치하도록 보기에서 주어진 말을 골라 문장을 완성하시오. (단, 중복 사용 가능)

보기 as while once

1 나는 아파서 집에서 쉬었다.

→ __________ I was sick, I rested at home.

2 시간이 지남에 따라 그의 건강이 나아졌다.

→ __________ time went by, his health improved.

3 버스 정류장에서 기다리고 있을 때, 눈이 내리기 시작했다.

→ __________ I was waiting at the bus stop, it started to snow.

4 일단 당신이 그것을 읽기 시작하면 멈출 수 없다.

→ __________ you start to read it, you can't stop.

STEP 2 다음 빈칸에 if나 unless 중 알맞은 것을 써서 문장을 완성하시오.

1 __________ you have any problems, please raise your hand.

2 __________ she exercises regularly, she'll gain weight.

3 __________ you don't practice, your piano skills won't improve.

4 __________ you listen to my advice, you will fail.

Voca

raise 들어 올리다

regularly 규칙적으로

gain weight 체중이 늘다

practice 연습하다

STEP 3 다음 우리말과 같은 뜻이 되도록 괄호에 주어진 말을 이용하여 문장을 완성하시오.

1 우리는 계획대로 놀이공원에 갔다. (as, plan)

→ We went to the amusement park ______________________________.

2 내가 캐나다에 사는 동안 영어를 배웠다. (while, lived, Canada)

→ ______________________________, I learned English.

3 질문이 있으면 저에게 전화 주세요. (if, have any questions)

→ Give me a call ______________________________.

4 당신은 신분증이 없으면 도서관에 들어올 수 없습니다. (unless, your ID card)

→ ______________________________, you can't enter the library.

STEP 4 다음 우리말과 같은 뜻이 되도록 주어진 단어를 배열하여 문장을 완성하시오. (단, 부사절을 뒤에 쓸 것)

1 위층에 올라갈수록 소음은 더 커졌다. (as, went, the noise, became, louder, we, upstairs)

→ ______________________________

2 나는 해야 할 숙제가 있기 때문에 너와 낚시를 할 수 없다.
(as, go fishing, I, have, an assignment, to do, I can't, with you)

→ ______________________________

3 내가 자는 동안 Sam이 세 번 전화했다. (while, three times, Sam, called, I, was, sleeping)

→ ______________________________

4 당신이 일단 그것을 맛보면 마음에 들 것이다.(try, tasting, it, once, love, you, it, you'll)

→ ______________________________

5 만약 당신이 오전 5시까지 역에 도착한다면, 당신은 첫 기차를 탈 수 있을 것이다.
(if, catch, the first train, arrive, they, at the station, by 5 a.m., they, can)

→ ______________________________

6 비가 오지 않는다면, 우리는 내일 소풍을 갈 것이다. (go on a picnic, unless , we, will, it, rains, tomorrow)

→ ______________________________

STEP 5 다음 주어진 조건에 따라 우리말에 맞게 문장을 완성하시오.

조건	1. as, while, once, if를 적절히 쓸 것 2. 부사절을 앞에 쓸 것

1 내가 거리를 걸어갔을 때, 자동차 사고를 목격했다. (as, walked down, a car accident)

→ ______________________________

2 우리가 수업에 빨리 왔으니, 커피 한 잔 하자. (early, have, a cup of coffee)

→ ______________________________

3 내가 전화통화를 하고 있었을 때, 초인종이 울렸다. (while, talk on the phone, the doorbell, ring)

→ ______________________________

4 일단 나의 숙제를 끝내고 나면, 나는 TV를 볼 수 있다. (finish, watch)

→ ______________________________

5 너는 미리 표를 예매하지 않으면, 좌석을 구할 수 없을 것이다. (reserve, in advance, won't get a seat)

→ ______________________________

Unit 03 부사절 종속접속사: since, until, (al)though

since: ~한 이래로, ~ 때문에

- He has worked at the bank **since** he was 25. (~한 이래로)
  그는 25세부터 은행에서 근무하고 있다.
- She can't come **since** she is busy. (~ 때문에)
  그녀는 바빠서 올 수 없다.

Tips
since는 '~이래로'라는 의미로 쓰일 때 전치사로 쓰이기도 한다.
He has lived in Seoul **since** 2010.
그는 2010년 이래로 서울에서 살고 있다.

until: ~할 때까지

I'll wait here **until** the game is over. 경기가 끝날 때까지 여기서 기다릴게.

(al)though, even though: 비록 ~일지라도

Although they love each other, they can't get married. 그들은 서로 사랑하지만, 결혼할 수 없다.

Answers - p.16

Check-up 1 다음 괄호 안에서 가장 알맞은 것을 고르시오.

1 (Since / Although) you want to see him, why don't we visit him together?

2 She has lived in Seoul (until / since) she was ten.

3 Please wait (since / until) your name is called.

4 (Although / Since) he was very tired, he had to get up early.

5 (Even though / Since) she was hungry, she didn't eat anything.

Voca
visit 방문하다
get up 일어나다

Check-up 2 다음 빈칸에 since, until, although 중 알맞은 접속사를 쓰시오.

1 너무 위험하기 때문에 당신 혼자서 나가면 안 된다.
→ You can't go out alone ______________ it is too dangerous.

2 그들은 유치원 때부터 서로 알고 지내왔다.
→ They've known each other ______________ they were in kindergarten.

3 나는 엄마가 깨울 때까지 잤다.
→ I slept ______________ my mother woke me up.

4 비가 거세게 내렸지만 그들은 계속해서 축구를 했다.
→ ______________ it rained heavily, they kept playing soccer.

5 너는 숙제를 마칠 때까지 밖에 나가지 못한다.
→ You mustn't go out ______________ you finish your homework.

Voca
kindergarten 유치원
finish 마치다, 끝내다

STEP 1 다음 우리말과 같은 뜻이 되도록 주어진 단어를 배열하여 문장을 완성하시오.

Voca
novel
소설
set
(해 • 달이) 지다

1 그들이 나에게 사과할 때까지 나는 그들을 용서하지 않을 것이다.
(apologize to, them, I, forgive, won't, they, until, me)

→ ______________________________

2 그녀는 비록 어렸지만, 그녀는 생각이 깊었다. (she, thoughtful, even though, young, she, was, was)

→ ______________________________

3 표가 다 매진돼서 우리는 콘서트에 갈 수 없다.
(since, we, go, can't, have been, the tickets, sold out, to the concert)

→ ______________________________

4 그 소설은 중국어로 쓰였기 때문에 나는 그것을 읽을 수 없다.
(since, in Chinese, I, it is, written, this novel, can't read)

→ ______________________________

5 우리는 해가 질 때까지 계속 수영을 했다. (until, the Sun, we, swimming, kept, set)

→ ______________________________

STEP 2 다음 우리말과 같은 뜻이 되도록 괄호에 주어진 말을 이용하여 문장을 완성하시오.

Voca
count
(수를) 세다
fail
낙제하다

1 비가 거세게 내리고 있으니 나는 여기 있는 것이 좋겠다. (it, heavily, since)

→ ______________________________, I'd better stay here.

2 나는 우리가 어렸을 때부터 그를 알고 지냈다. (kid, since)

→ I've known him ______________________________.

3 내가 열을 셀 때까지 눈을 감고 있어. (count to ten, until)

→ Close your eyes ______________________________.

4 다른 멤버들이 도착할 때까지 기다리자. (the rest of the members, arrive, until)

→ Let's wait ______________________________.

5 그 일은 힘들었지만 시간에 맞춰 끝냈다. (the task, difficult, although)

→ ______________________________, we completed it on time.

6 그는 공부를 매우 열심히 했지만 시험에 떨어졌다. (hard, even though)

→ He failed the exam ______________________________.

Unit 04 시험에 꼭 나오는 전치사

원인	from (부상, 사고, 부주의 등 인위적인 것) ~에 의하여, ~ 때문에	Many people suffered **from** the flu. 많은 사람들이 독감으로 고생했다.
이유	of (질병, 노령, 기아 등 자연 발생적인 것) ~으로 인해	He died **of** cancer. 그는 암으로 사망했다.
수단 도구 착용	by ~을 타고 in ~로 in ~을 입은	He often travels **by** train. 그는 종종 기차를 타고 여행한다. The letter was written **in** English. 그 편지는 영어로 쓰여 있었다. She is with a man **in** white. 그녀는 흰색 옷을 입은 남자와 함께 있다.
주제	on ~에 관한	He wrote a book **on** crime. 그는 범죄에 관한 책을 썼다.
찬성 반대	for ~에 찬성하는 against ~에 반대하는	They voted **for** the candidate. 그들은 그 후보자에게 (찬성) 투표를 했다. I am **against** his idea. 나는 그의 의견에 반대한다.
역할 자격	as ~로서, ~라고	He is famous **as** a singer. 그는 가수로 유명하다. We regard him **as** a genius. 우리는 그를 천재라고 생각한다.

Answers - p.17

Check-up 1 다음 괄호 안에서 가장 알맞은 것을 고르시오.

1 They were weak (from / for) hunger.

2 His father died (by / of) a heart attack.

3 She was holding a note written (from / in) pencil.

4 Mark is the boy (in / as) the red jacket.

5 I am looking for a book (by / on) art history.

6 She is always (against / for) my opinion, and she never listens to me.

Voca
weak 약한
heart attack 심장마비
always 항상
opinion 의견

Check-up 2 다음 괄호에 주어진 말을 이용하여 빈칸을 완성하시오.

1 그들은 스트레스로 고생하고 있다. (stress)

They have been suffering ______________ ______________.

2 그들은 비행기를 타고 뉴욕으로 갔다. (air)

They travelled to New York ______________ ______________.

3 그는 검은 옷을 입은 여자를 바라보고 있었다. (black)

He was looking at a lady ______________ ______________.

STEP 1 다음 보기에서 주어진 말을 골라 문장을 완성하시오.

보기	for	as	of	by	on

1 She died ____________ cancer.

2 My father usually goes to work ____________ bus.

3 We had a discussion ____________ current events.

4 Are you ____________ or against me?

5 ____________ a parent, I'm very worried about school bullying.

Voco
cancer
암
have a discussion
토론하다
current
현재의
bullying
학교폭력, 괴롭히기

STEP 2 다음 우리말과 같은 뜻이 되도록 주어진 단어를 배열하여 문장을 완성하시오.

1 나는 밤에 잠을 못 자 지쳐있었다. (I, the sleepless nights, from, was, exhausted)

→ ____

2 제목은 대문자로 쓰여 있었다. (in, was, written, the title, capital letters)

→ ____

3 당신은 제복을 입으니까 멋져 보인다. (in, your uniform, look, you, handsome, very)

→ ____

STEP 3 다음 우리말과 같은 뜻이 되도록 주어진 말을 이용하여 문장을 완성하시오.

1 우리는 그들의 결정에 반대한다. (against, decision)

→ ____

2 빨간 옷을 입은 남자가 우리의 새 담임 선생님이다. (in red, homeroom teacher)

→ ____

3 어떤 사람들은 기차를 타고 출근한다. (go to work, train)

→ ____

4 나는 새에 관한 책을 샀다. (birds)

→ ____

Unit 05 주의해야 할 접속사 vs. 전치사

for vs. during / until vs. by

~동안	**during** + 특정 기간	I took guitar lessons **during** the vacation. 나는 방학 동안 기타 수업을 받았다.
	for + (숫자로 표현된) 구체적인 기간	I took guitar lessons **for** three months. 나는 3달 동안 기타 수업을 받았다.
~까지	**by** + 일회성 동작이나 상태가 완료되는 시점	They need to finish the task **by** 1:00. 그들은 1시까지 과제를 끝내야 한다.
	until + 계속되던 동작이나 상태가 완료되는 시점	Let's wait here **until** 6:00. 여기서 6시까지 기다리자.

because vs. because of / (al)though vs. despite / while vs. during

	접속사 + 주어 + 동사	전치사 + 명사(구)
~ 때문에	because	because of
~에도 불구하고	(al)though, even though	despite[in spite of]
~하는 동안	while	during

I can't go to school **because** I have the flu. (접속사)
I can't go to school **because of** the flu. (전치사) 나는 독감 때문에 학교에 갈 수 없다.

Though he is wealthy, he is unhappy. (접속사) 그는 부유하지만 행복하지 않다.
Despite[in spite of] his wealth, he is unhappy. (전치사)

Answers - p.18

Check-up 다음 괄호 안에서 가장 알맞은 것을 고르시오.

1 The soldier was wounded (for / during) the war.

2 I haven't seen him (for / during) a few months.

3 I have to leave (until / by) 2 at the latest.

4 The coupon is good (until / by) the end of March.

5 She couldn't come early (because / because of) she had to work overtime.

6 He didn't accept the job (because / because of) the low salary.

7 The bus arrived on time (despite / although) the traffic was heavy.

8 He never lost his hope (in spite of / even though) the difficulties.

9 My parents met (during / while) they were in college.

10 All the lights went off (while / during) the ceremony.

Voca
wounded 상처를 입은
at the latest 늦어도
work overtime 초과근무를 하다
ceremony 의식, 의례

STEP 1 다음 보기에서 주어진 말을 골라 문장을 완성하시오.

보기	for	during	until	by

1 My girlfriend waited for my call ____________ 1 a.m.

2 Please enter the concert hall ____________ noon.

3 They have been talking ____________ half an hour.

4 ____________ the summer, she worked as a lifeguard.

Voca
wait for ~을 기다리다
half 반, 절반
lifeguard 안전 요원

STEP 2 다음 우리말과 같은 뜻이 되도록 괄호에 알맞은 말을 넣어 문장을 완성하시오.

1 나는 열심히 공부했기 때문에 좋은 성적을 받았다.

I got good grades ____________ I studied very hard.

2 그녀는 사고 때문에 부상을 당했다.

She was injured ____________ the accident.

3 그는 초대를 받았지만 결혼식에 가지 않았다.

He didn't go to the wedding ____________ he was invited.

4 눈이 심하게 내렸지만 나는 쇼핑을 갔다.

I went shopping ____________ the heavy snow.

STEP 3 다음 두 문장이 같은 뜻이 되도록 밑줄 친 부분에 유의하여 문장을 완성하시오.

1 He got there in time <u>in spite of</u> getting up late.

= He got there in time, ____________ he got up late.

2 The flight was canceled <u>because of</u> the bad weather.

= The flight was canceled ____________ the weather was bad.

3 Nobody spoke <u>during</u> my presentation.

= Nobody spoke ____________ I was giving a presentation.

Voca
cancel 취소하다
presentation 발표

STEP 4 다음 우리말과 같은 뜻이 되도록 주어진 단어를 배열하여 문장을 완성하시오.

Voca
valid 유효한
do the laundry 빨래를 하다

1 그 표는 5월까지 유효하다. (until, valid, is, the ticket, May)

→ ______________________________

2 그 보고서는 다음 주 금요일까지 준비되어야 한다. (by, needs to, the report, be ready, next Friday)

→ ______________________________

3 40분 동안 케이크를 구우세요. (for, the cake, bake, 40 minutes)

→ ______________________________

4 나는 연극에서 주연을 맡아 신이 났다. (because, I, the lead role, excited, was, I, got, in the play)

→ ______________________________

5 비 때문에 현장학습을 갈 수 없었다. (because of, go on, the field trip, couldn't, rain, we)

→ ______________________________

6 나는 피곤했지만 빨래를 했다. (although, I, did, was, tired, I, the laundry)

→ ______________________________

STEP 5 다음 우리말과 같은 뜻이 되도록 보기와 괄호에 주어진 말을 이용하여 문장을 완성하시오.

Voca
aloud 큰 소리로
earthquake 지진

보기	despite	for	during	although	by	until

1 나는 정오까지 거기에 가야 한다. (should, there, noon)

→ ______________________________

2 그들은 30분 동안 기다리고 있었다. (have been waiting, 30 minutes)

→ ______________________________

3 우리 부모님은 다음 주까지 집에 안 계실 것이다. (will, out of town, next week)

→ ______________________________

4 그녀가 그를 크게 불렀지만, 그는 듣지 못했다. (call, aloud, hear)

→ ______________________________

5 인터뷰 동안 나는 내 가족에 대한 질문을 받았다. (the interview, got, a question)

→ ______________________________

6 그 집은 지진에도 불구하고 하나도 훼손되지 않았다. (be damaged, at all, the earthquake)

→ ______________________________

도전! 만점! 중등 내신

단답형 & 서술형

Answers - p.19

1 다음 빈칸 ⓐ, ⓑ에 들어갈 알맞은 접속사를 쓰시오.

- She wonders ⓐ ____________ or not the rumor is true.
- He said ⓑ ____________ he is getting married next month.

[2-4] 다음 문장의 빈칸에 공통으로 들어갈 말을 쓰시오.

2

- The letter was written ____________ English.
- That tall woman ____________ white is my aunt.

→ ____________

3

- He got wiser ____________ he got older.
- ____________ it is getting dark, I should go home.

→ ____________

4

- He has been staying in Seoul ____________ he graduated.
- ____________ you've finished your homework, you may go out and play.

→ ____________

[5-7] 다음 빈칸에 들어갈 알맞은 전치사를 쓰시오.

5 They traveled to Paris ____________ train.

6 Mr. Smith wrote a book ____________ Korean history.

7 She suffered ____________ poor health.

[8-10] 다음 주어진 문장과 같은 뜻의 문장을 괄호에 주어진 말을 이용하여 완성하시오.

8 You can't attend the lecture if you don't sign up in advance. (unless)

= You can't attend the lecture ____________
____________.

9 Despite being very old, he still lives an active life. (even though)

= ____________,
he still lives an active life.

10 The school closed because there was a snowstorm. (because of)

= The school closed ____________
____________.

[11-12] 다음 우리말과 같은 뜻이 되도록 괄호에 주어진 말을 배열하여 문장을 완성하시오.

11 그들은 그 법에 찬성도 반대하지도 않는다.
(against, they, nor, neither, are, for, the law)

→ ____________

12 당신은 일단 들어가면 다시 나올 수 없다.
(you, go in, can't, you, once, come out)

→ ____________

[13-17] 다음 우리말과 같은 뜻이 되도록 괄호에 주어진 말을 이용하여 문장을 완성하시오.

조건	1. 과거시제를 쓸 것 2. 주어와 동사를 갖춘 완전한 문장으로 쓸 것 3. 알맞은 전치사 또는 접속사를 쓸 것

13 우리는 대략 30분 동안 회의를 가졌다.
(have a meeting, about 30 minutes)

→ ____________________

14 수업 중에 휴대폰이 시끄럽게 울렸다.
(a cell phone, ring, loudly, the class)

→ ____________________

15 나는 5월까지 런던에 머물렀다.
(stay, London, May)

→ ____________________

16 그들은 그녀를 선생님으로서 존경했다.
(respect, a teacher)

→ ____________________

17 나는 버스를 놓쳐서 학교에 지각했다.
(late for, miss, the bus)

→ ____________________
____

[18-20] 다음 대화를 읽고 물음에 답하시오.

A I called you last night, but you didn't answer.
B Really? ⓐ<u>아마도 내가 잠을 자고 있을 때 네가 전화를 했나 봐.</u> Why did you call me?
A I have two tickets to a concert. I wonder ❶________ you'd like to join me.
B Great! When is the concert?
A It's tomorrow at 7 p.m. It is held near my house.
B We should eat before the show. When shall we meet?
A We should be at the concert ❷________ 6:30, so let's meet at 5 at the pizza place.

18 위에 밑줄 친 ⓐ와 일치하도록 주어진 단어를 배열하여 문장을 완성하시오.

was, you, while, maybe, me, called, I, sleeping

→ ____________________
____

19 위에 빈칸 ❶에 들어갈 알맞은 접속사를 쓰시오

→ ____________________

20 위에 빈칸 ❷에 들어갈 알맞은 전치사를 쓰시오

→ ____________________

Chapter 11

관계사

Unit 01 관계대명사 who / which / whose

관계대명사는 문장에서 「접속사 + 대명사」의 역할을 하며, 관계대명사가 이끄는 절은 앞에 있는 명사를 수식한다.
관계대명사절의 수식을 받는 명사를 선행사라고 한다.

❶ 주격 관계대명사 (+ 동사): 관계대명사절 안에서 주어 역할을 한다.
I have **a book**. + **It** is fun.
→ I have a book **which[that]** is fun. 나는 재미있는 책을 가지고 있다.

❷ 목적격 관계대명사 (+ 주어 + 동사): 관계대명사절 안에서 목적어 역할을 한다.
→ This is **the boy**. + Jane likes **him**.
→ This is the boy **who(m)[that]** Jane likes. 이 사람이 Jane이 좋아하는 소년이다.

❸ 소유격 관계대명사 (+ 명사): 관계대명사절 안에서 소유격 역할을 한다.
I met **a lady**. + **Her** son is an actor.
→ I met a lady **whose** son is an actor. 나는 아들이 배우인 한 여자를 만났다.

Tips

* 관계대명사의 격

선행사	주격	목적격	소유격
사람	who that	who(m) that	whose
사물, 동물 추상명사	which that	which that	whose

Answers - p.20

Check-up 1 다음 괄호 안에서 알맞은 것을 모두 고르시오.

1 Mrs. Jackson is a teacher (who / which / that) is strict.

2 I found a bag (which / who / that) contains an ID card.

3 She is the teacher (whom / who / that) I like most in my school.

4 This is the book (whom / who / that) I told you about.

5 Jason has a jacket (who / whom / whose) color is black.

Voca
strict 엄격한
contain 포함하다

Check-up 2 다음 빈칸에 알맞은 관계대명사를 넣어 두 문장을 연결하시오.

1 Where is the juice? + It was in the refrigerator.
→ Where is the juice ______________ was in the refrigerator?

2 The boy was very polite. + I spoke to him.
→ The boy ______________ I spoke to was very polite.

3 This is the gift. + I received it on my birthday.
→ This is the gift ______________ I received on my birthday.

4 I met a girl. Her dream is to become a singer.
→ I met a girl ______________ dream is to become a singer.

Voca
refrigerator 냉장고
receive 받다

STEP 1 다음 두 문장을 주격 관계대명사를 이용한 문장으로 완성하시오.

1 I see lots of people. + They are waiting outside.

→ I see lots of people ______________________________.

2 His mom read a book. + It was written by a famous writer.

→ His mom read a book ______________________________.

3 The woman is very kind. + She lives next door.

→ The woman ______________________________ is very kind.

4 Did you see the picture? + It was on the table.

→ Did you see the picture ______________________________?

STEP 2 다음 두 문장을 목적격 관계대명사를 이용한 문장으로 완성하시오.

Voca
invite 초대하다
bookshelf 책장

1 I like the cap. + He is wearing it.

→ I like the cap ______________________________.

2 That is the boy. + She invited him to the party.

→ That is the boy ______________________________.

3 This is the lady. + I talked about her yesterday.

→ This is the lady ______________________________.

4 The book is not on the bookshelf. + I wanted to read it.

→ The book ______________________________ is not on the bookshelf.

STEP 3 다음 두 문장을 소유격 관계대명사를 이용한 문장으로 완성하시오.

Voca
professor 교수
title 제목

1 I have a friend. + Her mother is a professor.

→ I have a friend ______________________________.

2 She wants to live in the house. + Its walls are green.

→ She wants to live in the house ______________________________.

3 The book is very fun. + Its title is *The Little Foxes*.

→ The book ______________________________ is very fun.

STEP 4 다음 우리말과 같은 뜻이 되도록 주어진 단어를 배열하여 문장을 완성하시오.

Voca
guide 안내하다
habit 습관

1 나는 프랑스 악센트가 있는 친구가 한 명 있다. (who, a friend, the French accent, has)

→ I have ________________________________.

2 그는 결말이 행복한 영화를 주로 본다. (have, which, movies, happy, endings)

→ He usually watches ________________________________.

3 우리에게 도시를 안내해 준 그 남자는 친절했다. (who, the man, guided, around the city, us)

→ ________________________________ was kind.

4 그녀는 이름이 Mike인 친구가 한 명 있다. (name, whose, a friend, is, Mike)

→ She has ________________________________.

5 이 책은 의미가 명확한 제목을 가지고 있다. (meaning, whose, is, a title, clear)

→ This book has ________________________________.

6 내 남동생은 아버지가 지닌 습관과 똑같은 습관을 지녔다. (that, habit, the same, has, my father)

→ My brother has ________________________________.

STEP 5 다음 우리말과 같은 뜻이 되도록 관계대명사와 주어진 말을 이용하여 문장을 완성하시오.

Voca
introduce 소개하다
gymnast 체조 선수

1 내가 찍은 사진은 우스꽝스러웠다. (the photo, take)

→ ________________________________ was funny.

2 이 사람이 그가 나에게 소개해 준 소녀이다. (the girl, introduce)

→ This is ________________________________.

3 가장 높은 점수를 받은 사람은 누구든 상을 받을 것이다. (anyone, get, high, score)

→ ________________________________ will receive a prize.

4 뒷마당에 있는 자전거는 엄마에게 받은 선물이다. (the bicycle, in the backyard)

→ ________________________________ is a gift from my mother.

5 그는 털이 눈처럼 하얀 개가 있다. (a dog, fur, as white as, snow)

→ He has ________________________________.

6 나는 아들이 유명한 체조 선수인 한 여성을 알고 있다. (a woman, son, a famous gymnast)

→ I know ________________________________.

Unit 02 관계대명사 that

관계대명사 that은 소유격을 제외한 모든 관계대명사를 대신해서 쓸 수 있다.

The girl is playing with the kids **that[who]** live next door.
그 소녀는 옆집에 사는 아이들과 놀고 있다.

He is the teacher **that[whom]** I like.
그는 내가 좋아하는 선생님이다.

선행사가 「사람 + 사물(동물)」인 경우, 관계대명사 that만 쓴다.

This movie is about a man and his dog **that** live on an island.
이 영화는 한 섬에 사는 남자와 그의 개에 관한 이야기이다.

다음과 같은 경우 관계대명사 that을 우선하여 쓴다.

❶ 선행사가 부정대명사(-thing / -one / -body)로 끝나는 경우
Is there anything **that** we can eat? 우리가 먹을 수 있는 것이 있나요?

❷ 선행사가 최상급, 서수, the only, the very, the same, every, all 등의 수식을 받는 경우
He is the greatest poet **that** I've ever known. 그는 내가 아는 가장 훌륭한 시인이다.

Tips

관계대명사 that은 뒤에 불완전한 절이 나오고 접속사 that은 뒤에 완전한 절이 나온다.

· I think **that** it is true. (접속사)
난 그것이 진실이라고 생각한다.

· I read the book **that** I bought yesterday. (관계대명사)
나는 내가 어제 산 책을 읽었다.

Answers - p.21

Check-up 1 다음 괄호 안에서 알맞은 것을 모두 고르시오.

1 I saw a girl (who / which / that) was walking a puppy.

2 The boy (who / which / that) I spoke to was very nice.

3 A kangaroo is an animal (who / which / that) lives in Australia.

4 Did you see a child and a dog (who / which / that) were playing in the backyard?

5 A fork is something (who / whose / that) you use to pick up food.

6 The movie is the longest movie (who / whose / that) I've ever seen.

Voca
walk 산책시키다
pick up 집어 올리다

Check-up 2 다음 빈칸에 들어갈 수 있는 관계대명사를 쓰시오.

1 A vet is a person ______________ treats sick animals.

2 The bus ______________ goes to Seoul runs every two hours.

3 He is the first man ______________ reached the top of Mt. Everest.

4 This is the very book ______________ I was looking for.

5 She has the same hat ______________ you have.

Voca
treat 치료하다
reach 도달하다, 도착하다

STEP 1 다음 빈칸에 알맞은 관계대명사를 쓰시오.

1 She has a book ______________ is difficult to understand.

2 The boy ______________ was carried to the hospital is my classmate.

3 He is the musician ______________ I wanted to see most.

4 They found the information ______________ they needed.

5 She has a friend ______________ sister is a movie star.

6 We have news ______________ you'll be surprised at.

STEP 2 다음 밑줄 친 선행사에 유의하여 알맞은 관계대명사를 쓰시오.

1 He was the fastest boy ______________ I've ever seen.

2 She was the third person ______________ crossed the finish line.

3 This is the only picture ______________ the painter ever sold when he was alive.

4 All the food ______________ was kept in the refrigerator has gone bad.

5 He did something ______________ really surprised all of us.

Voca
cross the finish line 결승선을 통과하다
alive 살아 있는
go bad 썩다, 상하다

STEP 3 다음 우리말과 같은 뜻이 되도록 주어진 단어를 배열하여 문장을 완성하시오.

1 저것은 내가 봤던 나무들 중 가장 키가 큰 나무이다. (ever, I've, that, seen)

→ That is the tallest tree ______________________________.

2 최초로 달 위를 걸은 사람은 누구인가? (on, walked, that, the moon)

→ Who is the first person ______________________________?

3 그는 내가 함께 일하고 싶은 바로 그 사람이다. (with, want, to, I, that, work)

→ He is the very person ______________________________.

4 그녀는 내가 라디오에서 들었던 노래와 똑같은 곡을 부르고 있다. (on the radio, that, heard, I)

→ She is singing the same song ______________________________.

5 제가 당신을 위해 할 수 있는 일이 있으면 알려주세요. (I, for, that, can, do, you)

→ If there is something ______________________________, please let me know.

STEP 4 다음 우리말과 같은 뜻이 되도록 주어진 단어를 배열하여 문장을 완성하시오.

Voca
record 기록하다
interesting 흥미로운

1 우리를 도와줬던 그 직원은 매우 친절했다. (that, was, the clerk, helped, us, very, nice)

→ ______________________________

2 이것이 지금 우리가 가지고 있는 유일한 사과이다. (is, have, this, that, the only, apple, we, now)

→ ______________________________

3 그가 말한 모든 것은 테이프에 녹음되었다. (was recorded, everything, he, on tape, said, that)

→ ______________________________

4 학교에 온 첫 번째 학생은 Peter이다. (Peter, came, that, the first student, to, the school, is)

→ ______________________________

5 그들은 우리가 가진 것과 똑같은 문제를 가지고 있다. (we, the same problem, have, they, that, have)

→ ______________________________

6 이것은 내가 읽은 것 중 가장 흥미로운 책이다. (I've, the most interesting book, ever, is, this, read, that)

→ ______________________________

STEP 5 다음 우리말과 같은 뜻이 되도록 관계대명사와 주어진 말을 이용하여 문장을 완성하시오.

Voca
warm-hearted 마음이 따뜻한
save 구하다

1 그녀는 마음이 따뜻한 사람이다. (a person, warm-hearted)

→ ______________________________

2 그 소설은 많은 사람들을 구한 한 여자와 개에 관한 것이다.
(the novel, about a woman and her dog, save, a lot of people)

→ ______________________________

3 저 사람이 내가 커피숍에서 봤던 바로 그 남자이다. (that, very, man, see, at the café)

→ ______________________________

4 당신은 당신의 인생을 바꿀 수 있는 유일한 사람이다. (only, person, can, change, your life)

→ ______________________________

5 이것은 그가 어제 잃어버렸던 똑같은 지갑이다. (the same, wallet, lose, yesterday)

→ ______________________________

6 우리가 그것에 대하여 할 수 있는 것은 아무것도 없었다. (there, nothing, do, about)

→ ______________________________

Unit 03 관계대명사 what / 관계대명사의 생략

관계대명사 what은 선행사를 포함하는 관계대명사로 the thing(s) which[that]으로 바꿔 쓸 수 있으며, '~ 하는 것'으로 해석한다. 관계대명사 what이 이끄는 절은 명사절로 주어, 목적어, 보어를 이룬다.

What[The thing which] just happened is surprising. (주어)
방금 일어난 일은 놀랍다.

This is **what[the thing that]** I bought yesterday. (보어)
이것이 내가 어제 산 것이다.

I don't understand **what[the thing that]** you mean. (목적어)
나는 네가 무엇을 의도하는지 모르겠어.

Tips

what vs. 다른 관계대명사 (who, which, that)
what은 선행사를 포함하므로 선행사가 따로 필요 없고, 다른 관계대명사는 앞에 선행사가 있어야 한다.

목적격 관계대명사와 「**주격 관계대명사＋be동사**」는 생략될 수 있다.

She is the teacher (**who(m)**) I met yesterday.
그녀는 내가 어제 만난 선생님이다.

Do you know the girl (**who(m)**) Tom is talking to?
Tom이 말하고 있는 소녀를 알고 있니?

The man (**who is**) playing the piano is a famous pianist.
피아노를 연주하는 남자는 유명한 피아니스트다.

「전치사＋관계대명사」 형식에서 관계대명사는 생략될 수 없다.

Do you know the girl to **whom** Tom is talking? (whom 생략 불가)

Do you know the girl **(who(m))** Tom is talking to? (whom 생략 가능)
Tom이 말하고 있는 소녀를 알고 있니?

Answers - p.23

Check-up 1 다음 두 문장이 같은 뜻이 되도록 빈칸을 채우시오.

Voca
look for
~을 찾다

1 The things that he said is true.

= ____________ he said is true.

2 This shirt is the thing that I was looking for.

= This shirt is ____________ I was looking for.

3 I know the things that you did last Sunday.

= I know ____________ you did last Sunday.

Check-up 2 다음 문장에서 생략 가능한 부분에 ( )표시 하시오.

Voca
cousin
사촌
injure
부상을 입히다
accident
사고

1 This is the watch that I want to buy.

2 She is the girl whom I talked about yesterday.

3 The man who is reading newspapers is my father.

4 The girl who is in blue jeans is my cousin.

5 The police officer who was injured in the accident is in the hospital.

STEP 1 다음 우리말과 같은 뜻이 되도록 주어진 단어를 배열하여 주어를 완성하시오.

1 내가 원하는 것은 숙면이다. (want, I, what)

→ ________________________ is good sleep.

2 당신에게 필요한 것은 휴가이다. (you, need, what)

→ ________________________ is a vacation.

3 그들이 믿는 것은 사실이 아니다. (they, what, believe)

→ ________________________ is not true.

4 그가 점심으로 원하는 것은 이탈리아 음식이다. (wants, he, what, for, lunch)

→ ________________________ is Italian food.

STEP 2 다음 우리말과 같은 뜻이 되도록 주어진 단어를 배열하여 보어를 완성하시오.

1 이 카메라가 그녀가 원하는 것이다. (she, what, wants)

→ This camera is ________________________.

2 저 소음이 우리를 성가시게 하는 것이다. (what, us, annoys)

→ That noise is ________________________.

3 이 책은 그녀가 요청했던 것이 아니다. (asked, she, what, for)

→ This book is not ________________________.

Voca
noise 소음
annoy 짜증나게 하다

STEP 3 다음 우리말과 같은 뜻이 되도록 주어진 단어를 배열하여 목적어를 완성하시오.

1 오늘 그가 한 말을 잊지 마라. (said, he, what, today)

→ Don't forget ________________________.

2 그녀는 이미 가지고 있는 것에 대해 감사하지 않는다. (already, she, what, has)

→ She doesn't appreciate ________________________.

3 네가 집에 오는 길에 본 것을 나에게 말해 줘. (saw, you, what, on your way home)

→ Please tell me ________________________.

4 너 어제 우리가 저녁으로 무엇을 먹었는지 맞춰 볼래? (had, we, yesterday, for dinner, what)

→ Can you guess ________________________?

Voca
appreciate 감사하다
on one's way home ~가 집에 가는 길에

STEP 4 다음 두 문장이 같은 뜻이 되도록 what을 이용하여 문장을 완성하시오.

Voca
surprise 놀라게 하다
fault 잘못

1 The thing that I'm going to say might surprise you.

= ______________________________ might surprise you.

2 The thing that you know is not everything.

= ______________________________ is not everything.

3 The thing that happened was not my fault.

= ______________________________ was not my fault.

4 This is the thing that you shouldn't forget.

= This is ______________________________.

5 It's often difficult to get the thing you want.

= It's often difficult to get ______________________________.

6 Tell me the thing I should do next.

= Tell me ______________________________.

STEP 5 다음 조건에 따라 우리말에 맞게 문장을 완성하시오.

Voca
impoliteness 무례함
kindness 친절, 호의

조건	관계대명사 what과 괄호 안의 말을 이용할 것

1 그것은 내가 의도한 것이 아니야. (mean)

→ That's not ______________________________.

2 당신이 먹는 것이 바로 당신이다. (eat)

→ You are ______________________________.

3 그녀는 그에게 어제 그녀가 구매한 것을 보여주었다. (buy, yesterday)

→ She showed him ______________________________.

4 우리들이 어제 한 일은 잘못된 것이다. (do, yesterday)

→ ______________________________ is wrong.

5 그녀를 화나게 한 것은 그들의 무례함이다. (make, angry)

→ ______________________________ was their impoliteness.

6 내가 그에 대해 가장 좋아하는 점은 그의 친절함이다. (like, most, about)

→ ______________________________ is his kindness.

Unit 04 관계대명사의 용법

제한적 용법: 제한적 용법의 관계대명사절은 선행사를 뒤에서 수식하여 선행사의 의미를 제한한다.

· He has two sons **who** became doctors. (제한적 용법)

그는 의사가 된 아들 두 명이 있다. (의사가 아닌 아들이 더 있을 수 있다.)

· He has two sons**, who** became doctors. (계속적 용법)

그는 아들이 두 명 있는데, 그들은 둘 다 의사가 되었다. (아들이 두 명 있다.)

계속적 용법: 계속적 용법의 관계대명사절은 선행사에 추가적인 정보를 제공하거나 보충 설명하는 역할을 하며 관계대명사 앞에 쉼표(,)가 온다.

❶ 계속적 용법의 관계사절이 문장의 중간에 위치할 경우, 앞뒤에 모두 쉼표(,)를 붙인다. (삽입절)

The Eiffel Tower, **which** is in Paris, was designed by Eiffel.

에펠탑은 파리에 있는데, 그것은 에펠에 의해 디자인되었다.

❷ 계속적 용법의 관계대명사 which는 절을 선행사로 받기도 한다.

I won first prize**, which** surprised my parents.

나는 일등을 했는데, 이것이 나의 부모님을 놀라게 했다. (선행사는 절 전체)

Tips

1. 선행사가 고유명사이거나 특정 인물인 경우, 관계대명사는 계속적 용법을 사용한다.

I met Ella, **who** is my friend.

나는 Ella를 만났는데, 그녀는 우리 반 친구이다.

2. 관계대명사 that은 계속적 용법으로 쓸 수 없다.

I met Ella, ~~**that**~~ is my friend. (X)

나는 Ella를 만났는데, 그녀는 우리 반 친구이다.

Answers - p.24

Check-up 다음 우리말에 유의하여 괄호 안에서 가장 알맞은 것을 고르시오.

Voca
similar to ~와 유사한
upset 화난

1 나는 내 여동생이 준 코트를 입고 있다.

→ I am wearing (a coat which / a coat, that) my sister gave me.

2 피아노를 연주 하고 있는 그 여자는 나의 사촌이다.

→ (The woman, that / The woman that) is playing the piano is my cousin.

3 그들은 소프트볼을 하고 있는데, 그것은 야구와 비슷한 운동이다.

→ They are playing (softball which / softball, which) is a sport similar to baseball.

4 나의 할아버지는 작년에 돌아가셨는데, 그는 경찰이었다.

→ (My grandfather who / My grandfather, who) passed away last year, was a police officer.

5 그녀는 마음을 바꿨는데, 그것은 우리 모두를 놀라게 했다.

→ She changed her mind (which / , which) surprised us all .

6 그녀는 어제 학교에 늦었는데, 그것은 그녀의 선생님을 화나게 만들었다.

→ She was late for school yesterday (which / , which) made her teacher upset.

STEP 1 다음 우리말과 같은 뜻이 되도록 주어진 단어를 배열하여 문장을 완성하시오.

조건	관계대명사의 계속적 용법으로 쓸 것

Voca
outgoing 외향적인
run into ~와 우연히 만나다
make fun of ~을 놀리다

1 Selena는 스페인에서 왔는데, 그녀는 외향적이다. (Spain, who, from, is)

→ Selena, ______________________________, is outgoing.

2 내 남동생은 꿈이 과학자인데, 그는 매우 똑똑하다. (dream, whose, to be, is, a scientist)

→ My brother, ______________________________, is very smart.

3 그는 에펠탑을 보았는데, 그것은 파리에서 가장 높은 건물이다. (the tallest building, which, is, in Paris)

→ He saw the Eiffel Tower, ______________________________.

4 나는 Ben과 우연히 마주쳤는데, 그는 내 옛날 친구 중 한 명이다. (an old friend, is, who, of mine)

→ I ran into Ben, ______________________________.

5 그들은 계속 그를 놀려댔고, 이것은 그를 화나게 했다. (angry, made, which, him)

→ They kept making fun of him, ______________________________.

STEP 2 다음 조건에 따라 우리말에 맞게 문장을 완성하시오.

조건	해석에 따라 관계대명사의 계속적 용법 또는 제한적 용법으로 쓸 것

Voca
capital 수도
miss 그리워하다

1 내가 어제 만난 소년은 매우 조용한 사람이었다. (boy, who, meet, yesterday, a very quiet person)

→ ______________________________

2 그들은 오타와에 사는데, 그곳은 캐나다의 수도이다. (live, Ottawa, the capital city of Canada)

→ ______________________________

3 나는 한국 음식이 그리운데, 그것은 내가 몇 년간 먹어보지 못했다. (miss, Korean food, not, for years)

→ ______________________________

4 오늘 아침 그는 Laura를 만났는데, 그녀는 영국에서 왔다. (this morning, meet, from England)

→ ______________________________

5 그 축구팀이 경기에서 이겼는데, 그것은 우리를 놀라게 했다. (the soccer team, win, the game, surprise)

→ ______________________________

Unit 05 관계부사

관계부사는 「접속사 + 부사」의 역할을 하고, 선행사를 수식한다. 관계부사는 「전치사 + which」로 바꿔 쓸 수 있다.

	선행사	관계부사	전치사 + 관계대명사
시간	time, day, year 등	when	in / at / on+which
장소	place, house 등	where	in / at / on+which
이유	the reason	why	for + which
방법	the way	how	in + which

Tips

관계부사 뒤에는 완전한 절이 오고, 관계대명사 뒤에는 불완전한 절이 온다.

This is the park **where** I take a walk. (완전한 절) 이곳은 내가 산책하는 공원이다.

This is the bike **that** I often ride. (불완전한 절) 이것은 내가 종종 타는 자전거이다.

❶ 시간 when

Can you tell me the date **when[on which]** you were born?
당신이 태어난 날을 저에게 말해 주시겠어요?

❷ 장소 where

This is the place **where[in which]** I lived. 이곳이 내가 살았던 곳이다.

❸ 이유 why

I know the reason **why[for which]** she came here. 나는 그녀가 이곳에 온 이유를 안다.

❹ 방법 how

This is **how** I solve the problem. 이것이 내가 문제를 해결하는 방식이다.
= This is **the way** (in which) I solve the problem.

Tips

선행사 the way는 관계부사 how와 함께 쓰이지 않고 둘 중 하나는 반드시 삭제되어야 한다.

This is ~~the way~~ **how** I solve the problem. (X)

Answers - p.25

Check-up 다음 우리말과 일치하도록 적절한 관계부사를 써서 문장을 완성하시오.

1 나는 내가 초등학교를 다녔던 때를 기억한다.

→ I remember the time ________ I was in elementary school.

2 이곳은 우리 할아버지가 낚시를 했던 곳이다.

→ This is the place ________ my grandfather used to fish.

3 그는 그의 아버지가 화가 난 이유를 알고 있다.

→ He knows the reason ________ his father is so upset.

4 나는 네가 옷을 입는 방식을 정말 좋아한다.

→ I really like ________ you dress.

Voca

remember 기억하다
used to ~하곤 했다
fish 낚시하다
dress 옷을 입다

STEP 1 다음 보기에서 주어진 말을 골라 문장을 완성하시오. (단, 필요 없는 경우 X)

보기	why	how	when	where

1 Do you know the year ____________ World War II broke out?

2 This is the house ____________ my mother was born.

3 He knows the reason ____________ they missed the airplane.

4 Can you show me ____________ I can start the machine?

5 Tell me the way ____________ I can solve the problem.

Voca
break out 발발[발생]하다
be born 태어나다
miss 놓치다
machine 기계

STEP 2 다음 우리말과 같은 뜻이 되도록 주어진 단어를 배열하여 문장을 완성하시오.

1 2월은 꽤 추운 달이다. (is, it, when, pretty cold)

→ February is a month ________________________________.

2 그 마을에는 당신이 먹을 수 있는 식당이 없다. (can, where, you, eat)

→ This village has no restaurants ________________________________.

3 나는 그가 떠난 이유를 알고 싶었다. (he, why, left)

→ I wanted to know the reason ________________________________.

4 그녀는 내가 생각을 바꾼 이유를 알지 못한다. (changed, I, my mind, why)

→ She doesn't know the reason ________________________________.

5 그것이 그녀가 기타 연주를 배운 방법이다. (to play, the way, she, learned, the guitar)

→ That's ________________________________.

6 내가 케이크를 만들 수 있는 방법을 알려 줘. (I, can, make, how, a cake)

→ Tell me ________________________________.

STEP 3 다음 우리말과 같은 뜻이 되도록 관계부사와 주어진 말을 이용하여 문장을 완성하시오.

1 우리가 숙박했던 호텔은 비쌌다. (stay)

→ The hotel ______________________________ was expensive.

2 나는 그가 그 일을 그만 둔 이유를 그에게 묻고 싶다. (quit, the job)

→ I want to ask him the reason ______________________________.

3 소프트웨어 사용법을 당신에게 알려 줄게요. (use, the software)

→ Let me show you ______________________________.

4 그녀는 그 기계가 어떻게 작동하는지 모른다. (the machine, work)

→ She doesn't know ______________________________.

5 물을 한 병 살 수 있는 곳을 알고 있니? (can, a bottle of water)

→ Do you know any place ______________________________?

6 제 수필을 제출해야 하는 날이 언제인가요? (have to, hand in, my essay)

→ What is the date ______________________________?

STEP 4 다음 주어진 문장을 「전치사+관계대명사」 또는 관계부사를 사용한 문장으로 바꿔 쓰시오.

Voca
exhibit 전시하다
wait in line 줄을 서서 기다리다

1 I remember the day. + He first came to my school on that day.

→ I remember the day ______________________________.

→ I remember the day ______________________________.

2 He went to an art museum. + Some of Picasso's paintings were exhibited in the museum.

→ He went to an art museum ______________________________.

→ He went to an art museum ______________________________.

3 Please tell me the way. + He passed the test in the way.

→ Please tell me the way ______________________________.

→ Please tell me ______________________________.

4 Do you know the reason? + Many people are waiting in line over there for the reason.

→ Do you know the reason ______________________________?

→ Do you know the reason ______________________________?

Unit 06 복합관계대명사

복합관계대명사는 선행사를 포함하며 「관계대명사+ever」의 형태로 부사절과 명사절을 이끈다.

복합관계대명사	양보부사절	명사절
whoever	no matter who 누가 ~해도	anyone who ~하는 사람은 누구든지
whomever	no matter whom 누구를 ~해도	anyone whom ~하는 사람은 누구든지
whatever	no matter what 무엇을 ~해도	anything that ~하는 것은 무엇이든지
whichever	no matter which 어느 것을 ~해도	anything which (제한된 범위 중에서) ~하는 어느 것이나 * 실제로는 anything that을 더 많이 사용한다.

Whatever I say, they will believe me. (양보부사절)
= **No matter what** I say, they will believe me. 내가 무슨 말을 하든 그들은 나를 믿을 것이다.

I will do **whatever** I can do for you. (명사절)
= I will do **anything that** I can do for you. 나는 당신을 위해 할 수 있는 일은 무엇이든지 할 것이다.

Answers - p.26

Check-up 다음 우리말과 같은 뜻이 되도록 적절한 복합관계대명사를 써서 문장을 완성하시오.

1 메두사의 얼굴을 본 사람은 누구든지 돌로 변했다.

→ ________________ saw Medusa's face turned into stone.

2 나는 내가 좋아하는 사람 누구에게나 이 노래를 불러 줄 것이다.

→ I'll sing this song to ________________ I like.

3 미다스가 만지는 건 무엇이든 금으로 변했다.

→ ________________ Midas touched turned into gold.

4 나는 몇 가지 선택이 있다. 나는 내가 선호하는 것 중 어떤 것이든 선택할 수 있다.

→ I have a few choices. I can choose ________________ I prefer.

5 그가 뭐라고 하든지 사람들은 그것을 믿지 않을 것이다.

→ ________________ he says, people won't believe it.

6 당신이 어느 것을 사든지 당신은 20% 할인을 받을 수 있다.

→ ________________ you buy, you can get a 20% discount.

7 네가 누구에게 물어봐도 대답은 같을 것이다.

→ ________________ you ask, the answer will be the same.

STEP 1 다음 두 문장이 같은 뜻이 되도록 문장을 완성하시오.

Voca
betray 배신하다
route 길, 경로
election 선거
solve 풀다, 해결하다

1 No matter who his parents are, he is an honest man.

= ________ his parents are, he is an honest man.

2 They won't betray me, no matter what happens.

= They won't betray me, ________ happens.

3 It takes about four hours, no matter which route you take.

= It takes about four hours, ________ route you take.

4 Whoever wins the election, it doesn't matter to me.

= ________ ________ ________ wins the election, it doesn't matter to me.

5 Whatever I suggest, my friends always disagree.

= ________ ________ ________ I suggest, my friends always disagree.

6 We welcome whoever wants to join our club.

= We welcome ________ ________ wants to join our club.

7 A prize will be given to anyone who solves the puzzle.

= A prize will be given to ________ solves the puzzle.

8 We are free to choose anyone whom we want.

= We are free to choose ________ we want.

9 They bought his son anything that he wanted.

= They bought his son ________ he wanted.

10 They will buy anything that is cheaper.

= They will buy ________ is cheaper.

STEP 2 다음 두 문장이 같은 뜻이 되도록 문장을 완성하시오.

Voca
project 계획
order 주문하다
choose 선택하다
genius 천재

1 No matter what happens, we will finish the project.

= ______________________________, we will finish the project.

2 I ordered anything that I wanted to eat.

= I ordered ______________________________.

3 You can invite anyone whom you want.

= You can invite ______________________________.

4 No matter which you choose, you'll be satisfied.

= ______________________________, you'll be satisfied.

5 Anyone who wants to participate in the event can come.

= ______________________________ can come.

6 No matter who solved this problem, he must be a genius.

= ______________________________, he must be a genius.

STEP 3 다음 우리말과 같은 뜻이 되도록 주어진 말을 이용하여 문장을 완성하시오.

1 그는 자신의 도움이 필요한 사람은 누구나 도와줄 것이다. (need, his help)

→ He'll help ______________________________.

2 누가 그들을 비판하든지, 그들은 포기하지 않을 것이다. (criticize)

→ ______________________________, they won't give up.

3 당신은 저것들 중 좋아하는 것은 무엇이든 고를 수 있다. (like, among, those)

→ You can choose ______________________________.

4 그가 어떤 방법을 선택하든 똑같은 결과를 얻었다. (whichever, method, use)

→ ______________________________, he got the same result.

5 그녀가 무엇을 하려고 결정하든지, 우리는 그녀를 지원할 것이다. (decide, do)

→ ______________________________, we will support her.

6 내가 마음속에 품고 있는 것이 무엇이든 네게 말해도 될까? (on my mind)

→ Can I tell you ______________________________?

Unit 07

복합관계부사

복합관계부사는 선행사를 포함하며 「관계부사+ever」의 형태로 부사절을 이끈다.

복합관계부사	양보의 부사절	시간, 장소의 부사절
whenever	no matter when 언제 ~해도	at any time when[that] ~할 때면 언제든지
wherever	no matter where 어디서 ~해도	at any place where[that] ~하는 곳은 어디든지
however	no matter how 아무리 ~해도	–

I will follow you **wherever[no matter where]** you go. 당신이 어디에 가더라도 나는 당신을 따라갈 것이다.
Whenever[at any time when] she comes, she brings a friend. 그녀는 올 때마다 친구를 데리고 온다.
However[no matter how] you see it, it's a huge problem. 네가 그것을 어떻게 바라보든, 그것은 큰 문제다.
However tired[no matter how tired] you are, you must do it. 네가 아무리 피곤해도 그것을 해야 한다.

Answers - p.27

Check-up 1 다음 괄호 안에서 가장 알맞은 것을 고르시오.

1 당신은 당신이 원하는 때면 언제든지 나를 찾아올 수 있다.
You can visit me (wherever / whenever) you want.

2 우리는 우리가 가고 싶은 곳이 어디든 여행할 수 있다.
We can travel (wherever / however) we want to go.

3 그가 어떻게든 설명하려고 해도 나는 그것을 이해할 수 없었다.
(However / Wherever) he tried to explain it, I couldn't understand it.

4 나는 그 노래를 들을 때마다, 내 마음이 따뜻해진다.
(Whenever / However) I hear the song, I feel so warm.

Check-up 2 다음 두 문장의 뜻이 같도록 밑줄 친 부분을 복합관계부사로 바꿔 쓰시오.

1 No matter when you visit us, we'll always welcome you.
= ______________ you visit us, we'll always welcome you.

2 She was followed by her fans no matter where she went.
= She was followed by her fans ______________ she went.

3 No matter how it is difficult, I'll finish the project.
= ______________ it is difficult, I'll finish the project.

Voca
welcome 환영하다
follow 따라가다

STEP 1 다음 우리말과 일치하도록 알맞은 복합관계부사를 이용하여 문장을 완성하시오.

1 그녀는 요리할 때면 늘 라디오를 듣는다.

→ ____________ she cooks, she listens to the radio.

2 그가 어디를 가든지 그는 많은 주목을 받았다.

→ ____________ he went, he attracted a lot of attention.

3 네가 그것을 어떻게 바라보아도, 그것은 쉬운 문제가 아니다.

→ ____________ you look at it, it's not an easy problem.

STEP 2 다음 우리말과 같은 뜻이 되도록 주어진 단어를 배열하여 문장을 완성하시오.

1 네가 원하는 때는 언제든 나갈 수 있다. (want, you, whenever, to)

→ You can leave ________________________.

2 우리는 원하는 곳이 어디에서건 식사를 할 수 있다. (like, we, wherever)

→ We can have meals ________________________.

3 그녀가 어디를 가든 많은 군중들이 그녀를 쫓아다닌다. (she, wherever, goes)

→ ________________________, she is followed by a large crowd of people.

4 나는 어떻게 노력을 해도 그들이 내 말을 듣게 할 수 없었다. (however, tried, I)

→ I couldn't make them listen to me, ________________________.

5 그는 자동차가 얼마나 비싸든 그것을 갖고 싶어 한다. (it, much, however, costs)

→ He really wants the car, ________________________.

STEP 3 다음 두 문장이 같은 뜻이 되도록 복합관계부사를 사용하여 문장을 다시 쓰시오.

1 At any time I have a problem, I talk about it with my mother.

= ________________________, I talk about it with my mother.

2 No matter how dark the moment, love and hope are always possible.

= ________________________, love and hope are always possible.

3 This plant grows well at any place where the climate is warm enough.

= This plant grows well ________________________.

Voca
problem 문제
dark 어두운
climate 기후

단답형 & 서술형

Answers - p.27

1 다음 짝지어진 두 문장에 공통으로 들어갈 관계대명사를 쓰시오.

- Where's the can of Coke ______ I bought yesterday?
- She stood me up last night, ______ really upsets me.

→ ______

[2-4] 다음 우리말과 같은 뜻이 되도록 문장을 완성하시오.

2 당신에게 필요한 것은 좋은 식사이다.

→ ______ you need is a good meal.

3 당신이 무엇을 하든, 우리는 늘 당신을 지지하겠습니다.

→ ______ you do, we'll always support you.

4 2012년은 그가 그의 아내와 결혼한 해이다.

→ 2012 is the year ______ he married his wife.

[5-6] 다음 두 문장이 같은 뜻이 되도록 복합관계사를 이용해서 문장을 완성하시오.

5 No matter how smart he is, he won't be able to solve the problem.

= ______, he won't be able to solve the problem.

6 No matter which she chooses, I'll buy it for her.

= ______, I'll buy it for her.

[7-10] 다음 문장에서 어법에 맞지 않는 부분을 고쳐 쓰시오.

7 I have a friend who brother is a famous singer.

______ → ______

8 Is there anything what you want me to know?

______ → ______

9 This company invented the first car, that can fly.

______ → ______

10 I'll show you the way how I fixed the computer.

______ → ______

[11-12] 다음 문장에서 생략할 수 있는 부분을 생략해서 다시 쓰시오.

11 What is the title of the book that Jane is reading?

→ ______

12 The girl who is standing over there is Tom's girlfriend.

→ ______

[13-16] 다음 우리말과 같은 뜻이 되도록 주어진 단어를 배열하여 문장을 완성하시오.

13 그는 그의 지원이 필요한 누구든 도울 것이다.
(his support, he, whoever, help, will, needs)

→

14 몇 명의 사람들이 그 가수가 가는 곳이 어디든 따라다녔다.
(wherever, some people, he, the singer, followed, went)

→

15 블랙홀로 들어가는 모든 것들은 다시 나올 수 없다.
(cannot, again, whatever, into the black hole, goes, come out)

→

16 내가 자란 도시는 공원이 있다.
(a park, where, the village, I, has, grew up)

→

[17-18] 다음 우리말과 같은 뜻이 되도록 괄호에 주어진 말을 이용하여 문장을 완성하시오.

조건 1. 시제는 현재형을 쓸 것
2. 주어와 동사를 갖춘 완전한 문장으로 쓸 것
3. 복합관계대명사 또는 복합관계부사를 쓸 것

17 네가 원하는 것은 무엇이든 골라라.
(pick, want)

→

18 그는 외출할 때면 늘 선글라스를 쓴다.
(go out, wear, sunglasses)

→

[19-20] 다음 주어진 문장을 괄호에 주어진 관계사를 사용하여 한 문장으로 쓰시오.

19 The people are friendly. They work at the bank.
(who)

→

20 I know the reason. The sky is blue for the reason. (why)

→

Chapter 12

가정법

Unit 01 가정법 과거

현재의 사실에 반대되는 것이나 실현 불가능한 일을 가정하며, **'만일 ~라면 …할 텐데'**라고 해석한다.

조건절	주절
If + 주어 + 동사의 과거	주어 + 조동사의 과거 + 동사원형

If I **were** rich, I **could buy** a car. 만약 내가 부자라면, 차를 살 수 있을 텐데.
= As I am not rich, I cannot buy a car. 나는 부자가 아니기 때문에, 차를 살 수 없다.

A What **would** you **do if** you **won** a lottery?
만일 네가 복권에 당첨되면 무엇을 할 거니?

B **If** I **won** a lottery, I **would travel** around the world.
만일 내가 복권에 당첨되면 세계 여행을 다닐 거야.

Tips
가정법 과거의 if 절에서 be동사는 인칭에 관계없이 were를 쓰는 것이 원칙이다.

Tips
단순 조건 vs. 가정법 과거
If I **find** your book, I **will bring** it to you. (단순 조건: 실현 가능성 높음)
만일 책을 찾게 되면 너에게 가져다줄게.
If I **found** your book, I **would bring** it to you. (가정법: 실현 가능성 낮음)
내가 네 책을 찾는다면, 너에게 가져다 줄 텐데.

Answers - p.29

Check-up 1 다음 문장의 의미 중 가장 알맞은 것을 고르시오.

1 If I'm free, I will join you. • • a. 내가 시간이 있으면 당신과 함께 하겠다.
If I were free, I would join you. • • b. 내가 시간이 없어 당신과 함께할 수 없다.

2 If he is not busy, he will come. • • a. 그가 바빠서 오지 않을 것이다.
If he were not busy, he would come. • • b. 그가 바쁘지 않다면 올 것이다.

3 If it rains, I cannot play tennis. • • a. 비가 안 와서 테니스를 칠 수 있다.
If it were raining, I couldn't play tennis. • • b. 비가 오면 테니스를 칠 수 없다.

Check-up 2 다음 괄호에 주어진 말을 이용하여 문장을 완성하시오.

1 If he ____________ to France, he will learn French. (go)

2 If she ____________ Chinese, she could travel alone in China. (speak)

3 If I ____________ enough time, I could help you. (have)

4 If we hurry up, we ____________ ____________ on time. (arrive)

5 If you were in my shoes, you ____________ ____________ for help. (ask)

6 If I were you, I ____________ ____________ those sneakers. (not, buy)

Voca
enough 충분한
on time 제시간에
ask for ~을 요청하다
sneaker 운동화

STEP 1 다음 우리말과 같은 뜻이 되도록 주어진 단어를 이용하여 문장을 완성하시오.

1 만일 내가 그녀라면, 그 제안을 받아들일 텐데. (be, will, accept)

→ If I ____________ her, I ____________ ____________ the offer.

2 만일 그가 날씬하다면, 이 셔츠는 그에게 맞았을 텐데. (be, will, fit)

→ If he ____________ slim, this shirt ____________ ____________ him.

3 그녀가 여기 있었다면, 그녀는 나에게 조언을 해 줄 텐데. (be, will, give)

→ If she ____________ here, she ____________ ____________ me advice.

4 내가 너의 입장에 있었으면, 그를 그 파티에 초대했을 텐데. (be, will, invite)

→ If I ____________ in your shoes, I ____________ ____________ him to the party.

5 만일 당신이 백만장자라면 무엇을 하시겠습니까? (will, do, be)

→ What ____________ you ____________ if you ____________ a millionaire?

STEP 2 다음 두 문장이 같은 뜻이 되도록 문장을 완성하시오.

Voca
go on a trip 여행을 가다
prepare 준비하다
by oneself 혼자서

1 As we are busy, we won't go on a trip.

= If we __________ __________ busy, we __________ __________ on a trip.

2 As he doesn't have the book, he can't lend it to me.

= If he __________ the book, he __________ __________ it to me.

3 If she were a good swimmer, she could join the swimming club.

= As she __________ __________ a good swimmer, she __________ __________ the swimming club.

4 If I were rich, I could buy a house on the beach.

= As I __________ __________ rich, I __________ __________ a house on the beach.

5 If I were good at cooking, I could prepare meals by myself.

= As I __________ __________ good at cooking, I __________ __________ meals by myself.

STEP 3 다음 우리말과 같은 뜻이 되도록 주어진 단어를 배열하여 문장을 완성하시오.

1 그가 휴대폰이 있다면, 그는 그녀에게 전화할 텐데. (could, had, if, he, her, he, a cell phone, call)

→ ______________________________

2 내가 너라면, 대회 준비를 할 텐데. (were, I, you, I, prepare for, would, if, the competition)

→ ______________________________

3 그들이 시간이 있다면, 콘서트에 갈 텐데. (go, to, would, had, they, they, time, the concert, if)

→ ______________________________

4 그녀가 돈이 충분히 있다면, 그녀는 그에게 돈을 좀 빌려줄 텐데.
(him, she, could, if, enough money, she, had, lend, some)

→ ______________________________

5 눈이 내리지 않으면, 그는 운전해서 출근할 텐데. (weren't, it, if, snowing, he, drive, would, to work)

→ ______________________________

6 내가 학교 근처에 산다면, 버스를 탈 필요가 없을 텐데.
(have to, I, lived, I wouldn't, take, near the school, if, the bus)

→ ______________________________

STEP 4 다음 우리말과 같은 뜻이 되도록 주어진 말을 이용하여 If로 시작하는 문장을 완성하시오.

Voca
go to the movies 영화 보러 가다
go for a walk 산책하러 가다

1 교통이 너무 혼잡하지 않으면, 우리는 역에 더 일찍 도착할 텐데.
(traffic, so heavy, arrive, at the station, earlier)

→ ______________________________

2 내가 피아노 수업이 있었으면 ,영화를 보러 가지 못했을 텐데. (if, a piano lesson, go, to the movies)

→ ______________________________

3 오늘이 일요일이었으면, 나는 학교에 가지 않을 텐데. (it, Sunday, go to school)

→ ______________________________

4 내가 할 일이 많지 않다면, 산책을 나갈 수 있을 텐데. (have, much work, to do, go, for a walk)

→ ______________________________

5 만일 당신이 대통령이라면, 우리나라를 위해 무엇을 하겠습니까? (the President, what, do, for our country)

→ ______________________________

Unit 02 가정법 과거완료

과거 사실과 반대되는 것을 가정하며, **'만일 ~했더라면 …했을 텐데'**라고 해석한다.

조건절	주절
If + 주어 + had + p.p.	주어 + 조동사의 과거형 + have + p.p.

If he **had worked** harder, he **could have succeeded.**

그가 만약 더 열심히 일했더라면, 성공할 수 있었을 텐데.

= As he didn't work hard, he could not succeed.

그는 열심히 일하지 않았기 때문에, 성공할 수 없었다.

If the weather **hadn't been** fine, we **couldn't have played** the game.

날씨가 안 좋았으면, 우리는 경기를 할 수 없었을 것이다.

= As the weather was fine, we could play the game. 날씨가 좋았기 때문에, 경기를 할 수 있었다.

Tips

* 혼합 가정법

과거에 실현되지 못한 일이 현재에 영향을 줄 때 사용한다. 이때 if절에는 과거완료를, 주절에는 과거를 쓴다.

If I **had saved** enough money, I **could buy** a bicycle now.

돈을 충분히 저금했다면, 나는 지금 자전거를 살 수 있을 텐데.

Answers - p.30

Check-up 1 다음 괄호 안에서 가장 알맞은 것을 고르시오.

1 If you (were / had been) more careful, you wouldn't have fallen on the ice.

2 If I had known the truth, I (would have told / had told) you.

3 If she (got up / had gotten up) earlier, she wouldn't have been late.

4 If he had been careful, he (didn't break / wouldn't have broken) the vase.

5 If she had studied hard, she (could have passed / had passed) the exam.

Voca

fall 넘어지다

truth 진실

vase 꽃병

Check-up 2 다음 괄호에 주어진 말을 이용하여 가정법 과거완료 문장을 완성하시오.

1 내가 시험에서 실수하지 않았으면 더 높은 점수를 땄을 텐데. (not, make)

If I ____________ ____________ a mistake in the exam, I would have gotten a higher score.

2 그가 충분한 돈을 모았다면 자동차를 살 수도 있었을 텐데. (may, buy)

If he had saved enough money, he ____________ ____________ ____________ a car.

3 우리가 지하철을 탔으면 거기에 더 빨리 도착할 수 있었을 텐데. (take)

If we ____________ ____________ the subway, we could have arrived there earlier.

4 비가 내리지 않았으면 수영하러 갔을 텐데. (not, rain)

If it ____________ ____________, I would have gone swimming.

STEP 1 다음 우리말과 같은 뜻이 되도록 괄호에 주어진 말을 이용하여 문장을 완성하시오.

1 내가 아버지의 신발을 닦았다면 나에게 돈을 좀 주셨을 텐데. (polish)

→ If I ________ ________ my father's shoes, he would have given me some money.

2 이 책이 한국어로 번역되지 않았다면, 나는 그것을 읽지 않았을 텐데. (translate)

→ If this book ________ ________ ________ into Korean, I wouldn't have read it.

3 내가 지갑을 가지고 오지 않았으면 식사 값을 지불하지 못했을 텐데. (pay)

→ If I hadn't brought my wallet, I ________ ________ ________ for the meal.

4 주장이 부상당하지 않았으면 그의 팀은 경기에서 이겼을 텐데. (win)

→ If the captain hadn't been injured, his team ________ ________ ________ the game.

5 그녀가 심한 감기에 걸리지 않았다면, 그녀는 학교에 갈 수 있었을 텐데. (go)

→ If she hadn't had a bad cold, she ________ ________ ________ to school.

6 그들이 거짓말을 하지 않았으면 곤란한 상황에 처하지 않았을 텐데. (not, be)

→ If they hadn't lied, they ________ ________ ________ in trouble.

STEP 2 다음 두 문장이 같은 뜻이 되도록 문장을 완성하시오.

1 As the jacket was expensive, I didn't buy it.

= If the jacket ________________ expensive, I ________________ it.

2 If they had been helpful, we could have finished the task earlier.

= As they ________________ helpful, we ________________ the task earlier.

3 As we didn't book the tickets earlier, we couldn't get good seats.

= If we ________________ the tickets earlier, we ________________ good seats.

4 If we had played good defense, we wouldn't have lost the game.

= As we ________________ good defense, we ________________ the game.

5 As you ignored my advice, you failed.

= If you ________________ my advice, you ________________.

Voca

book 예약하다

play defense 수비하다

ignore 무시하다

STEP 3 다음 우리말과 같은 뜻이 되도록 주어진 단어를 배열하여 문장을 완성하시오.

1 네가 따뜻하게 입었더라면, 감기에 걸리지 않았을 텐데. (caught, you, wouldn't, have, a cold)

→ If you had dressed warmly, ______________________________.

2 그들이 서울에 살았더라면, 나는 그들을 더 자주 만날 수 있었을 텐데. (lived in, they, Seoul, if, had)

→ ______________________________, I could have met them more often.

3 골키퍼가 골을 막았으면 우리는 경기에서 이길 수 있었을 텐데. (we, won, the game, could, have)

→ If the goalkeeper had defended the goals, ______________________________.

4 내가 일찍 잠자리에 들었으면 잠을 충분히 잘 수 있었을 텐데. (gone, to, bed, If, I, earlier, had)

→ ______________________________, I could have gotten enough sleep.

5 그녀가 음치가 아니었더라면, 그녀는 가수가 되었을 텐데. (a singer, she, become, would, have)

→ If she had not been tone-deaf, ______________________________.

6 내가 시간이 충분히 있었더라면 좀 더 많은 책을 읽었을 텐데. (had, enough, time, if, I, had)

→ ______________________________, I would have read more books.

STEP 4 다음 문장을 주어진 조건에 맞게 문장을 완성하시오.

조건	1~3번은 As로 시작하는 직설법으로 쓸 것, 4~6번은 If로 시작하는 가정법으로 쓸 것

1 If he had known the answer, he could have told her.

→ ______________________________ he couldn't tell her.

2 If she hadn't been sick, she would have been present at the meeting.

→ ______________________________ she wasn't present at the meeting.

3 If the DVD had been available, we could have rented it.

→ ______________________________ we couldn't rent it.

4 As we didn't keep our dog on a leash, we lost it.

→ ______________________________ we wouldn't have lost it.

5 As I didn't answer the question correctly, I didn't win the prize.

→ ______________________________ I would have won the prize.

6 As I lost your phone number, I couldn't call you.

→ ______________________________ I could have called you.

Voca

present
참석한
available
구할 수 있는
keep on a leash
~을 줄로 매어두다
correctly
바르게

Unit 03 I wish / as if[as though]

❶ I wish + 가정법 과거: (실현 불가능한 일에 대한 소망이나 현재 사실에 대한 유감) ~하면 좋을 텐데
I **wish** it **were** true. 그것이 사실이라면 좋을 텐데.
= I **am sorry** it **is not** true. 그것이 사실이 아니라 유감이다.

❷ I wish + 가정법 과거완료: (과거에 이루지 못한 일에 대한 유감) ~했다면 좋을 텐데
I **wish** I **hadn't been** late for school. 지각하지 않았다면 좋을 텐데.
= I **am sorry** I **was** late for school. 지각해서 유감이다.

❸ as if[as though] 가정법 과거: (현재 사실에 반대되는 내용을 가정) 마치 ~인 거처럼 ~한다(했다)
He talks **as if** he **knew** the fact. 그는 마치 사실을 아는 것처럼 말한다.
= In fact, he **doesn't know** the fact. 사실, 그는 사실을 모른다.

❹ as if[as though] 가정법 과거완료: (과거 사실에 반대되는 내용을 가정) 마치 ~였던 것처럼 ~한다(했다)
She acts **as if** she **had visited** Europe. 그녀는 유럽에 가본 것처럼 행동한다.
= In fact, she **didn't visit** [**hasn't visited**] Europe. 사실, 그녀는 유럽에 가본 적이 없다.

Answers - p.31

Check-up 1 다음 문장의 의미 중 가장 알맞은 것을 고르시오.

1 I wish I had a pet.
a. 나는 현재 애완동물이 없다.
b. 나는 애완동물이 있었다.

2 I wish I had won first prize.
a. 나는 1등 상을 타지 않았다.
b. 나는 1등 상을 탔다.

3 He acts as if he were rich.
a. 그는 과거에 부자였다.
b. 그는 현재 부자가 아니다.

4 She talks as if she had visited Australia.
a. 그녀는 호주에 간 적이 없다.
b. 그녀는 과거에 호주에 간 적이 있다.

Voca
win first prize
1등 상을 타다
Australia
호주

Check-up 2 다음 두 문장이 같은 뜻이 되도록 빈칸을 완성하시오.

1 I'm sorry I don't live in that house.
= I wish I ______________ in that house.

2 In fact, he is not a good singer.
= He acts as if he ______________ a good singer.

STEP 1 다음 우리말과 같은 뜻이 되도록 괄호에 주어진 말을 이용하여 문장을 완성하시오.

조건 가정법 과거를 쓸 것

1 내 목소리가 아름다우면 좋을 텐데. (have a beautiful voice)

→ I wish ______________________________.

2 나는 영어를 아주 잘 말할 수 있으면 좋을 텐데. (can speak English very well)

→ I wish ______________________________.

3 그는 마치 발진이 난 것처럼 보인다. (have a rash)

→ He looks as if ______________________________.

4 그녀는 나를 마치 그녀의 자매인 듯 대한다. (her sister)

→ She treats me as if ______________________________.

5 우리 선생님은 마치 화가 나신 것처럼 행동하신다. (angry)

→ My teacher acts as if ______________________________.

STEP 2 다음 우리말과 같은 뜻이 되도록 괄호에 주어진 말을 이용하여 문장을 완성하시오.

조건 가정법 과거완료를 쓸 것

1 내가 그들에게 사과했다면 좋을 텐데. (apologize to them)

→ I wish ______________________________.

2 네가 그 영화를 봤다면 좋을 텐데. (watch the movie)

→ I wish ______________________________.

3 우리가 좀 더 자주 만났다면 좋을 텐데. (meet more often)

→ I wish ______________________________.

4 그는 잠을 잘 못 잤던 것처럼 보인다. (not sleep very well)

→ He looks as if ______________________________.

5 그녀는 고등학교 때 매우 인기가 있었던 것처럼 이야기 한다. (very popular in high school)

→ She talks as if ______________________________.

STEP 3 다음 우리말과 같은 뜻이 되도록 주어진 단어를 배열하여 문장을 완성하시오.

1 나에게 자전거가 있으면 좋을 텐데. (wish, I, a bicycle, had, I)

→ ______________________________

2 오늘이 일요일이면 좋을 텐데. (were, I, today, wish, Sunday)

→ ______________________________

3 내가 기타를 칠 수 있으면 좋을 텐데. (I, play, wish, I, could, the guitar)

→ ______________________________

4 그가 수영을 할 수 있었다면 좋을 텐데. (able, been, he, I, had, wish, to, swim)

→ ______________________________

5 그는 비행기를 조종할 수 있는 것처럼 말한다. (if, he, as, talks, he, fly, could, an airplane)

→ ______________________________

STEP 4 다음 우리말과 같은 뜻이 되도록 주어진 말을 이용하여 문장을 완성하시오.

조건	1~3번은 가정법 과거를 쓸 것, 4~6번은 가정법 과거완료를 쓸 것

1 내가 축구를 잘하면 좋을 텐데. (be good at)

→ ______________________________

2 그는 관심이 없는 것처럼 보인다. (interested)

→ ______________________________

3 그녀는 기타 치는 법을 아는 것처럼 말한다. (how to play)

→ ______________________________

4 나는 너의 조언을 들었어야 했는데. (listen to, your advice)

→ ______________________________

5 그는 1등상을 탔던 것처럼 행동한다. (win first prize)

→ ______________________________

6 그들은 시험이 아주 어려웠던 것처럼 이야기한다. (the exam, very difficult)

→ ______________________________

Voca

be good at ~을 잘하다

interested 관심 있는

advice 충고

difficult 어려운

Unit 04 Without / But for / It's time

「Without[But for] ~, 주어 + 조동사의 과거형 + 동사원형」 ~이 없다면 ~할 텐데

Without[But for] air, we **couldn't breathe.** 공기가 없다면, 우리는 숨 쉴 수 없을 것이다.
= **If it were not for** air, we **couldn't breathe.**

「Without[But for] ~, 주어 + 조동사의 과거형 + have + p.p.」 ~이 없었다면 ~했을 텐데

Without[But for] her help, I **wouldn't have won.** 그녀의 도움이 없었으면 우리는 승리할 수 없었을 것이다.
= **If it had not been for** her help, I **wouldn't have won.**

「It's time 가정법 과거」 ~해야 할 시간이다

It's time you **went** to bed. 너는 잠을 자야 할 시간이다. (진작 잤어야 하는데 그러지 않았다)

Answers - p.32

Check-up 1 다음 괄호 안에서 가장 알맞은 것을 모두 고르시오.

1 (Without / But for) his help, I couldn't have found the post office.

2 (But for / If it were not for) my younger sister, I would be very lonely.

3 It's time we (leave / left) for Seoul.

4 If it were not for the Internet, we (couldn't do / couldn't have done) research.

5 If it had not been for the assignment, we (could have gone / could go) to the party.

6 (If it were not for / If it had not been for) his car, we would have been late for the meeting.

Voca
lonely 외로운
research 연구 조사를 하다
assignment 과제

Check-up 2 다음 우리말과 일치하도록 보기에서 주어진 말을 이용하여 문장을 완성하시오.

보기	finish the work	look for a job	go to school	arrive in Busan

1 네가 학교에 가야 할 시간이다. → It's time ______________________.

2 우리가 부산에 도착해야 할 시간이다. → It's time ______________________.

3 그들이 그 일을 끝내야 할 시간이다. → It's time ______________________.

4 그가 직장을 찾아야 할 시간이다. → It's time ______________________.

STEP 1 다음 보기와 같이 if 가정법 과거 문장을 완성하시오.

Voca
injury 부상
include 포함시키다

보기	Without air, we couldn't breathe. → If it were not for air, we couldn't breathe.

1 Without the computer, I couldn't finish my essay.

→ ______________________________, I couldn't finish my essay.

2 But for the map, we would be lost.

→ ______________________________, we would be lost.

3 Without the heater, we would feel very cold.

→ ______________________________, we would feel very cold.

4 But for his recent injury, he would be included on the team.

→ ______________________________, he would be included on the team.

5 Without my glasses, I couldn't see anything.

→ ______________________________, I couldn't see anything.

STEP 2 다음 보기와 같이 if 가정법 과거완료 문장을 완성하시오.

Voca
lifejacket 구명조끼
drown 익사하다

보기	But for your help, I wouldn't have won. → If it had not been for your help, I wouldn't have won.

1 But for my support, he could not have started his own business.

→ ____________________, he could not have started his own business.

2 Without your help, I would have failed the exam.

→ __________________________, I would have failed the exam.

3 But for the lifejackets, they would have drowned.

→ __________________________, they would have drowned.

4 Without the traffic jam, I would not have been late.

→ __________________________, I would not have been late.

5 But for you, I might never have gotten into the university.

→ ____________________, I might never have gotten into the university.

단답형 & 서술형

Answers - p.33

[1-2] 다음 밑줄 친 부분을 어법에 맞게 고치시오.

1 If I am rich, I could buy the house.

→ ______________

2 If he played the game, he would have won.

→ ______________

[3-6] 다음 우리말과 같은 뜻이 되도록 괄호 안에 주어진 말을 이용하여 문장을 완성하시오.

조건 3~4번은 가정법 과거를 쓸 것

3 너의 도움이 없었다면, 우리는 무엇을 해야 할지 모를 것이다. (if, your help)

→ ______________________________

we wouldn't know what to do.

4 그 소식이 사실이 아니라면 좋을 텐데. (the news, not true)

→ I wish ______________________.

조건 5~6번은 가정법 과거완료를 쓸 것

5 그녀는 마치 그가 자기의 가까운 친구였던 것처럼 말했다. (he, her close friend)

→ She spoke as if ______________.

6 그는 마치 아무 일도 일어나지 않았던 것처럼 행동했다. (nothing, happen)

→ He acted as if ______________.

[7-10] 다음 문장을 가정법 문장으로 바꿔 쓰시오.

7 As the copy machine is broken, we can't use it.

→ If the copy machine were not broken,

______________________________.

8 As I didn't finish the work, I couldn't go to the movies.

→ ______________________________

I could have gone to the movies.

9 I am sorry I am not able to play the piano.

→ I wish ______________________.

10 I'm sorry that I missed the chance.

→ I wish ______________________.

[11-13] 다음 우리말과 같은 뜻이 되도록 주어진 단어를 배열하여 문장을 완성하시오.

11 그들은 마치 돈이 충분히 있었던 것처럼 행동했다. (enough, had, they, as, acted, he, if, had, money)

→ ______________________________

____

12 비 오는 날씨만 아니었으면 우리는 재미있는 시간을 가질 수 있었을 것이다. (had, the rainy weather, for, would, but, we, have, a great time)

→ ______________________________

____

13 너의 경고가 없었으면, 우리는 위험에 처했을 것이다. (without, been, we, your warning, have, would, in danger)

→ ______________________________

____

[14-18] 다음 우리말과 같은 뜻이 되도록 괄호에 주어진 말을 이용하여 문장을 완성하시오.

14 그들이 식사를 끝내야 할 시간이다. (time, their meals)

→ ______________________________

15 그는 놀랍지 않다는 듯 미소 짓고 있다. (be smiling, not surprised)

→ ______________________________

16 인터넷이 없다면 우리는 신문을 읽어야 할 텐데. (without, the Internet, have to, newspapers)

→ ______________________________

17 내가 너처럼 운동을 잘하면 좋을 텐데. (be good at, sports)

→ ______________________________

18 네가 내 입장이라면 어떻게 하겠니? (if, in my shoes)

____

[19-20] 다음 글을 읽고 물음에 답하시오.

Last Sunday, a wildfire broke out in the forest. ⓐ As it was very dry on that day, the fire spread quickly. The firefighters tried very hard to put it out, but nothing remained after the fire. The news says that the fire was caused by a cigarette butt. Before the fire broke out, the forest had been always green. I wish I could see the beautiful forest again.

19 밑줄 친 ⓐ와 같은 뜻의 문장을 if를 이용해서 다시 쓰시오.

→ ______________________________

____

20 윗글을 읽고 괄호에 주어진 단어를 이용하여 본문의 내용과 일치하도록 문장을 완성하시오. (단, 가정법 과거완료로 쓸 것)

If it ________ ________ ________ for the smoker, the forest ________ ________ ________ ________.

(destroy)

Chapter 13

일치, 화법

Unit 01 수의 일치 1: 단수동사를 쓰는 경우

every[each] + 단수명사	Each student **has** a name tag. 각각의 학생들은 이름표가 있다.
-thing, -one, -body로 끝나는 부정대명사	Everyone **was** invited to the wedding. 모두 그 결혼식에 초대되었다.
one of + 한정사 + 복수명사	One of the most popular Korean foods **is** bulgogi. 가장 인기 있는 한국 음식 중 하나는 불고기이다.
동명사구, to부정사구	Collecting stamps **is** my hobby. = To collect stamps **is** my hobby. 우표 수집이 나의 취미이다.
the number of + 복수명사	The number of people **is** decreasing. 사람들의 수가 줄고 있다.
시간, 거리, 가격, 무게 등의 단위	Thirty years **is** a long time. 삼십 년은 긴 시간이다.
학문명, 국가명, 질병명	Mathematics **is** his favorite subject. 수학은 그가 좋아하는 과목이다.

Answers - p.35

Check-up 1 다음 괄호 안에서 가장 알맞은 것을 고르시오.

1 Each ticket (cost / costs) 5 dollars.

2 One of the boys (want / wants) to go home.

3 Taking too many vitamins (are / is) harmful.

4 The number of patients (are / is) increasing.

5 500 dollars (is / are) a lot of money.

6 The Netherlands (is / are) famous for its windmills.

Voca
harmful 해로운
patient 환자
increase 증가하다
windmill 풍차

Check-up 2 다음 괄호에 주어진 말을 이용하여 빈칸을 완성하시오.

1 아무도 그 답을 모른다. (know)
→ Nobody ____________ the answer.

2 창문들 중 하나가 열려있다. (be)
→ One of the windows ____________ open.

3 친구를 사귀는 것은 사회적 기술을 요구한다. (require)
→ Making friends ____________ social skills.

4 홍역은 열, 콧물, 그리고 발진과 같은 증상을 일으킨다. (cause)
→ Measles ____________ symptoms such as fever, runny nose, and rashes.

Voca
require 요구하다
measles 홍역
symptom 증상

STEP 1 다음 우리말과 같은 뜻이 되도록 괄호에 주어진 말을 이용하여 문장을 완성하시오.

Voca
flag 깃발

1 각 나라는 고유의 국기가 있다. (each nation, have)

→ ______ ______ ______ its own national flag.

2 컴퓨터 중 하나가 수리가 필요하다. (one of the computers, need)

→ ______ ______ ______ ______ ______ fixing.

3 사과를 먹는 것은 건강을 증진시킨다. (eat, apples, improve)

→ ______ ______ ______ your health.

4 30분은 기다리기에 긴 시간이다. (thirty minutes, be)

→ ______ ______ ______ a long time to wait.

STEP 2 다음 우리말과 같은 뜻이 되도록 주어진 단어를 배열하여 문장을 완성하시오.

Voca
distance 거리
calculator 계산기

1 2킬로미터는 뛰기에 먼 거리이다. (two, a long distance, is, kilometers, to run)

→ ______

2 관광객 수가 증가하고 있다. (tourists, the number of, increasing, is)

→ ______

3 이 계산기에 뭔가 문제가 있다. (with, wrong, is, something, this calculator)

→ ______

4 경제학은 내가 가장 싫어하는 과목이다. (least favorite, is, my, economics, subject)

→ ______

STEP 3 다음 우리말과 같은 뜻이 되도록 괄호에 주어진 말을 이용하여 문장을 완성하시오.

Voca
newborn 갓 난
decrease 감소하다

1 모든 학생들은 교과서를 가지고 있다. (every, a textbook)

→ ______

2 신생아 수가 줄고 있다. (the number of, newborn babies, be decreasing)

→ ______

3 볼링핀을 저글링하는 것은 연습이 필요하다. (juggling bowling pins, practice)

→ ______

4 필리핀은 아름다운 해변으로 유명하다. (the Philippines, be famous for, its beautiful beaches)

→ ______

Unit 02 수의 일치 2: 복수동사를 쓰는 경우

복수명사	There **are** ten students in the class. 그 학급에는 열 명의 학생이 있다.
A and B 형식	A black dog and a white cat **were** playing in the snow. 검은 개 한 마리와 흰 고양이 한 마리가 눈 속에서 놀고 있었다.
A number of+복수명사	A number of people **are** taking the train. 많은 사람들이 기차를 타고 있다.
the + 형용사 (= 형용사 + people)	The young **are** the future. 젊은이들은 미래다.

Tips

a number of vs. **the number of**
(많은) (~의 수)

❶ a number of + 복수명사 + 복수동사
A number of tourists **are** visiting Korea.
많은 관광객들이 한국을 방문하고 있다.

❷ the number of + 복수명사 + 단수동사
The number of trees in the city **is** decreasing.
도시에 있는 나무의 수가 줄고 있다.

Answers - p.35

Check-up 1 다음 괄호 안에서 가장 알맞은 것을 고르시오.

1 Cats (have / has) excellent night vision.

2 Jake and Tom (go / goes) to the same school.

3 There (is / are) 7 days in a week.

4 The number of students skipping breakfast (has / have) increased.

5 A number of people (was / were) protesting in the square.

Voca
have good night vision 밤눈이 밝다
protest 시위하다
square 광장

Check-up 2 다음 조건에 따라 괄호에 주어진 말을 이용하여 빈칸을 완성하시오.

조건	1. 「the + 형용사」를 쓸 것	2. 동사는 현재시제를 쓸 것

1 부자들은 안락한 삶을 누린다. (rich, enjoy)

__________ __________ __________ comfortable lives.

2 맹인들은 읽고 쓰기 위해 특별한 문자를 이용한다. (blind, use)

__________ __________ __________ a special writing system to read and write.

3 실직자들은 직장이 필요하다. (unemployed, need)

__________ __________ __________ jobs.

STEP 1 다음 주어진 동사를 어법에 맞게 바꿔 문장을 완성하시오. (단, 현재형으로 쓸 것)

Voca
turn 차례, 순서

1 The rich ______________ not always happy. (be)

2 The very young ______________ colds easily. (catch)

3 A number of people ______________ waiting for their turns. (be)

4 Sue and I ______________ a piano lesson today. (have)

5 The boys ______________ my classmates. (be)

STEP 2 다음 밑줄 친 부분을 어법에 맞게 고치시오.

Voca
forgetful 건망증이 있는
support 지지하다
physics 물리학

1 The old is usually forgetful. → ____________

2 A number of people supports the decision. → ____________

3 The number of students at the school have decreased. → ____________

4 Reading 20 books a month are not easy. → ____________

5 Physics are easy for him to study. → ____________

6 Each person have his or her favorite song. → ____________

7 There is over 190 countries in the world. → ____________

STEP 3 다음 우리말과 같은 뜻이 되도록 괄호에 주어진 말을 이용하여 문장을 완성하시오.

1 어떤 사람들은 특이한 애완동물을 키운다. (some, keep)

→ ______________________________ unusual pets.

2 많은 사람들이 물건을 사기 위해 온라인 쇼핑을 한다. (a lot of, shop)

→ ______________________________ online to buy things.

3 많은 소년들이 교실에 앉아있다. (a number of, be)

→ ______________________________ sitting in the classroom.

4 노인들은 삶의 지혜가 있다. (old, have)

→ ______________________________ wisdom of life.

5 10킬로미터는 내가 걷기에 너무 멀다. (kilometer, be)

→ ______________________________ too far for me to walk.

STEP 4 다음 우리말과 같은 뜻이 되도록 주어진 단어를 배열하여 문장을 완성하시오.

1 그 옷은 우리 언니 것이다. (belong to, the clothes, my sister)

→ ______________________________

2 부상자들은 병원으로 실려 갔다. (to, taken, the, were, injured, the hospital)

→ ______________________________

3 병자들은 자기 자신을 보살펴야 한다. (sick, themselves, the, to, take care of, need)

→ ______________________________

4 많은 사람들이 결승전을 보고 있다. (are, people, watching, a number of, the final game)

→ ______________________________

5 그 웹사이트 방문수가 4만이 넘었다. (forty thousand, visits, to the website, the number of, has exceeded)

→ ______________________________

6 몇몇 학생들이 독감에 걸렸다. (students, some, have caught, the flu)

→ ______________________________

Voca
belong to ~에 속하다
take care of ~을 돌보다

STEP 5 다음 우리말과 같은 뜻이 되도록 주어진 말을 이용하여 문장을 완성하시오.

1 많은 학생들이 그 답을 알고 있다. (many, the answer)

→ ______________________________

2 그 학교의 선생님들은 친절했다. (the teachers, at the school, kind)

→ ______________________________

3 어린 아이들은 외국어를 빨리 배운다. (young, foreign languages, quickly)

→ ______________________________

4 집 없는 사람들은 쉴 안전한 장소가 필요하다. (homeless, safe places, to rest)

→ ______________________________

5 많은 승객들이 사고에서 부상당했다. (number, passenger, injured, in the accidents)

→ ______________________________

6 어린이들의 수는 1000명이 넘는다. (number, the children, over a thousand)

→ ______________________________

Voca
passenger 승객
accident 사고

Unit 03 수의 일치 3: 수식어구 뒤의 명사 수

부분이나 전체를 나타내는 수식어구 뒤에 오는 명사에 동사의 수를 일치시킨다.

분수, most, half, the rest, all, any, some	+ of + 한정사	+ 단수명사 → 단수동사
		+ 복수명사 → 복수동사

Three quarters of the earth's surface **is** water.
지구 표면의 4분의 3은 물이다.

Most of my time **is** spent on studying.
나는 대부분의 시간을 공부하면서 보낸다.

One third of the students **are** from Britain.
학생들의 3분의 1이 영국에서 왔다.

Some of my books **are** novels.
내 책의 일부는 소설이다.

Tips

주어와 동사 사이에 삽입구(절)이 있는 경우, 주어와 동사의 수 일치에 주의한다.

The boy who is singing **is** Peter.
노래하는 소년은 Peter이다.

Eating candies **is** bad for your teeth.
사탕을 먹는 것은 치아에 좋지 않다.

Answers - p.37

Check-up 1 다음 괄호 안에서 가장 알맞은 것을 고르시오.

1 Most of her friends (is / are) from Canada.

2 All of the money (were / was) stolen.

3 The rest of the books (is / are) on the shelf.

4 Half of the students (studies / study) English after school.

5 Most of her life (were / was) spent working for the poor.

6 Two thirds of the building (have / has) been completed.

Voca

shelf
선반, 책장

spend
(시간 · 돈을) 쓰다

complete
완료하다

Check-up 2 다음 괄호에 주어진 말을 이용하여 빈칸을 완성하시오. (단, 동사는 현재형으로 쓸 것)

1 그 정보의 대부분은 틀렸다. (be)

→ Most of the information ____________ wrong.

2 그 학생들의 40%는 아파트에서 산다. (live)

→ 40% of the students ____________ in apartment buildings.

3 돈의 절반은 자선단체에 보내졌다. (have)

→ Half of the money ____________ been given to charities.

STEP 1 다음 빈칸에 is와 are 중 알맞은 것을 써 넣으시오.

1 One third of the students ____________ from other countries.

2 Some of the vegetables ____________ not fresh.

3 Most of the money ____________ used to help the poor.

4 The rest of the pie ____________ in the fridge.

5 70% of the human body ____________ water.

Voca
vegetable 채소
fresh 신선한
rest 나머지
fridge 냉장고

STEP 2 다음 우리말과 같은 뜻이 되도록 주어진 단어를 배열하여 문장을 완성하시오.

1 미국인의 7분의 3은 그 후보를 지지한다. (the candidate, of, three sevenths, support, Americans)

→ ____

2 그의 옷 중 몇 벌은 그에게 잘 맞지 않는다. (don't, very well, fit, some, him, of, his clothes)

→ ____

3 산의 모든 나무가 잘렸다. (on the mountain, of, the trees, all, cut down, were)

→ ____

4 그 석유의 나머지는 아스팔트를 만드는 데 쓰인다. (of, the rest, is, the oil, used, to make, asphalt)

→ ____

STEP 3 다음 우리말과 같은 뜻이 되도록 괄호에 주어진 말을 이용하여 문장을 완성하시오.

1 그 학생들 중 몇몇은 지루해 보인다. (some, the students, look, bored)

→ ____

2 그 사과의 5분의 1은 썩었다. (fifth, the apples, be, rotten)

→ ____

3 그 가구의 대부분은 중국에서 만들어졌다. (most, the furniture, be made)

→ ____

4 콜라를 너무 많이 마시는 것은 건강에 안 좋다. (drink, too much Coke)

→ ____

Unit 04 수의 일치 4: 상관접속사의 수

상관접속사의 수 일치

접속사	의미	동사의 수 일치
both A and B	A와 B 둘 다	항상 복수
either A or B	A와 B 둘 중 하나	B에 일치
neither A nor B	A와 B 둘 다 아닌	B에 일치
not only A but (also) B	A뿐만 아니라 B도	B에 일치
B as well as A	A뿐만 아니라 B도	B에 일치

Tips

neither A nor B는 이미 부정의 의미를 갖고 있으므로 not을 따로 쓰지 않도록 주의한다.

Neither he **nor** I am ~~**not**~~ interested in baseball. (X)

Both her mother **and** father **want** her to be a teacher. 그녀의 어머니와 아버지 둘 다 그녀가 선생님이 되기를 원한다.

Either she **or** I **have** to stay here. 그녀와 나 둘 중 한 명은 여기에 있어야 한다.

Neither her son **nor** her daughters **were** at home. 그녀의 아들과 딸들 모두 집에 없었다.

Not only his brothers **but also** he **is** good at swimming.

= He **as well as** his brothers **is** good at swimming. 그의 형제들뿐만 아니라 그도 수영을 잘 한다.

Answers - p.37

Check-up 1 다음 밑줄 친 부분이 어떤 (대)명사의 수에 일치시켰는지 빈칸에 쓰시오.

1 Either Tim or you have to make a presentation. → ______

2 Neither you nor I was unfriendly to him. → ______

3 Not only his sisters but also he is going to visit me. → ______

4 Not only the boy but also the girls were scolded. → ______

5 Her sisters as well as she live in New York City. → ______

Voca

make a presentation 발표하다

unfriendly 불친절한

visit 방문하다

scold 꾸짖다

Check-up 2 다음 괄호에 주어진 말을 이용하여 빈칸을 완성하시오.

1 우리 형과 나는 둘 다 해외여행을 좋아한다. (like)

→ Both my brother and I ______ traveling abroad.

2 당신이나 그 둘 중 하나는 방을 청소해야 한다. (have)

→ Either you or he ______ to clean the room.

3 그의 아들들과 딸 아무도 그 학교에 다니지 않는다. (go)

→ Neither his sons nor his daughter ______ to the school.

STEP 1 다음 밑줄 친 우리말과 같은 뜻이 되도록 문장을 완성하시오.

1 Peter와 나 둘 다 그 축구팀에 있다.

→ ________________________ are on the soccer team.

2 우리 언니 또는 내가 너에게 전화할 예정이야.

→ ________________________ am going to call you.

3 당신도 그녀도 그 일에 적합한 사람이 아니다.

→ ________________________ is the right person for the job.

4 그녀뿐만 아니라 그녀의 부모님도 집에 있다.

→ ________________________ are at home.

STEP 2 다음 우리말과 같은 뜻이 되도록 주어진 단어를 배열하여 문장을 완성하시오.

1 너나 나 둘 중 하나는 틀렸다. (am, you, either, I, or, wrong)

→ ________________________

2 그와 그의 아내 둘 다 테니스를 즐긴다. (enjoy, he, both, his wife, and, tennis)

→ ________________________

3 우리 부모님이나 나나 이사를 원하지 않는다. (want, I, neither, my parents, nor, to move out)

→ ________________________

4 그 팀원들은 물론 감독도 승리할 자신이 있다. (winning, the coach, as well as, is, the team members, confident of)

→ ________________________

STEP 3 다음 괄호에 주어진 말을 이용하여 주어진 문장과 같은 의미의 문장을 완성하시오.

1 She does not speak Korean. Her sons do not speak Korean, either. (neither)

→ ________________________

2 John is invited to the party. Mark is invited to the party, too. (both)

→ ________________________

3 The girl is able to swim. Her friends are able to swim, too. (not only ~ but also)

→ ________________________

4 Not only I but also Tom is going to visit the city. (as well as)

→ ________________________

Voca

invite
초대하다

be able to
~할 수 있다

be going to
~할 예정이다

city
도시

Unit 05 시제의 일치

주절의 시제에 따라 종속절의 시제가 달라진다. 주절의 시제가 현재이면 종속절에 거의 모든 시제가 올 수 있지만, 주절의 시제가 과거이면 주로 과거나 과거완료가 온다.

주절	종속절
현재 시제	모든 시제 사용 가능 (※ 과거완료는 제외)
과거 시제	과거 또는 과거완료 시제

I don't think that he **came** to the party last night. 내 생각에 그는 지난밤 파티에 오지 않았던 것 같다.

We believe that you**'ll succeed**. 우리는 네가 성공할 거라고 믿는다.

I thought that I **heard** something. 나는 무슨 소리를 들었다고 생각했다.

She realized that she **had been** here before. 그녀는 전에 여기에 와본 적이 있다는 것을 깨달았다.

Answers - p.38

Check-up 다음 괄호에 주어진 말을 이용하여 빈칸을 완성하시오.

1 그는 자신의 아들이 똑똑하다고 믿는다. (be)

→ He believes that his son ____________ smart.

2 곧 눈이 올 것 같다. (snow)

→ It seems that it ____________ ____________ soon.

3 그들은 그가 미국으로 간 이유를 이해하지 못한다. (go)

→ They don't understand why he ____________ to America.

4 나는 네가 그 영화를 좋아하지 않았다고 생각했다. (not, like)

→ I thought you ____________ ____________ the movie.

5 그녀는 그가 집에 일찍 돌아올 것이라고 생각했다. (will, come)

→ She thought he ____________ ____________ home early.

6 Tina는 자신이 집에 책을 놓고 왔다는 것을 깨달았다. (leave)

→ Tina realized that she ____________ ____________ her book at home.

STEP 1 다음 괄호에 주어진 말을 이용하여 빈칸을 완성하시오.

1 I know that he ______________ 16 next year. (be)

2 He said that he ______________ happy to see me yesterday. (be)

3 She says that she ______________ running when she was young. (enjoy)

4 They believed that the film ______________, but it didn't. (will, succeed)

5 My grandfather said that he ______________ the treasure map before. (see)

Voca
succeed 성공하다
treasure 보물

STEP 2 다음 우리말과 같은 뜻이 되도록 주어진 단어를 이용하여 문장을 완성하시오.

1 나는 그들이 이 시간에 왜 여기 있는지 궁금하다. (wonder, be)

→ I __________ why they __________ here at this time.

2 그녀는 그들이 제시간에 도착할 것이라고 생각한다. (think, will, arrive)

→ She __________ that they __________ __________ on time.

3 그는 그녀가 자신을 좋아한다고 생각했지만 아니었다. (believe, like)

→ He __________ that she __________ him, but she didn't.

4 그들은 그들이 초대될 지 궁금했다. (wonder, will, be)

→ They __________ if they __________ __________ invited.

5 그는 당신이 모든 쿠키를 다 먹었다고 생각했다. (think, eat)

→ He __________ that you __________ __________ all the cookies.

STEP 3 다음 문장의 밑줄 친 부분을 과거로 바꿔서 문장을 다시 쓰시오.

1 She <u>knows</u> that the couple got married.

→ ______________________________

2 They <u>don't know</u> where I am.

→ ______________________________

3 He <u>thinks</u> that she will call him.

→ ______________________________

4 I <u>believe</u> that I have been there once.

→ ______________________________

Voca
get married 결혼하다
once 한 번, 언젠가

Unit 06 시제 일치의 예외

❶ 일반적 진리, 격언, 속담: 현재 시제
We learned that the moon **moves** around the earth. 우리는 달이 지구 주위를 돈다는 것을 배웠다.

❷ 현재의 사실, 습관적 행위: 현재 시제
She said that she **takes** a walk after dinner. 그녀는 저녁 식사 후 산책을 한다고 말했다.

❸ 역사적 사실: 과거 시제
He knew that the Korean War **broke** out in 1950. 그는 한국전쟁이 1950년에 발발했다는 것을 알았다.

❹ 시간/조건의 부사절: 시간이나 조건 부사절에서는 현재 시제가 미래 시제를 대신하지만, 주절에서는 미래 시제를 사용한다.
If you **eat** less, you **will lose** weight. 만약 네가 덜 먹는다면 체중이 줄 것이다.

Answers - p.39

Check-up 1 다음 괄호 안에서 가장 알맞은 것을 고르시오.

1 She said the walls (had / have) ears.

2 They know that the earth (was / is) round.

3 He said that he often (had eaten / eats) at this restaurant.

4 Do you know that Galileo Galilei (invented / invent) telescopes?

5 If it (rains / will rain), we won't go to the park.

Voca
wall 벽
round 둥근
invent 발명하다
telescope 망원경

Check-up 2 다음 괄호에 주어진 말을 이용하여 빈칸을 완성하시오.

1 그는 삼각형은 세 면을 가지고 있다고 배웠다. (have)
→ He learned that a triangle ________________ three sides.

2 그녀는 일요일마다 하이킹을 간다고 말했다. (go)
→ She said she ________________ hiking every Sunday.

3 너는 Edison이 전구를 발명했다는 것을 알고 있니? (invent)
→ Do you know that Edison ________________ the light bulb?

4 네가 돈이 필요하면 내가 조금 빌려줄게. (need)
→ If you ________________ money, I will lend you some.

5 내가 집에 도착하면 너에게 전화할게. (get)
→ I'll call you when I ________________ home.

STEP 1 다음 밑줄 친 부분을 어법에 맞게 고치시오. (단, 어법에 맞으면 O표 할 것)

1 We learned that the Sun rose in the east. ______________

2 He said he goes jogging every morning. ______________

3 Do you know King Sejong invents Hangeul in 1443? ______________

4 If I will see him, I'll give him this note. ______________

5 Please wash your hands before you will eat. ______________

Voca
learn 배우다
rise 뜨다
east 동쪽
go jogging 조깅하러 가다

STEP 2 다음 우리말과 같은 뜻이 되도록 주어진 단어를 배열하여 문장을 완성하시오.

1 우리 선생님은 모든 사람이 실수를 한다고 말했다. (everyone, said, makes, my teacher, mistakes)

→ ______________

2 비가 그치면 나는 쇼핑을 갈 것이다. (stops, go, it, when, I'll, raining, shopping)

→ ______________

3 나는 라이트 형제가 비행기를 발명했다는 것을 알고 있다.
(I, invented, the Wright brothers, know, the airplane)

→ ______________

4 우리 엄마는 일찍 일어나는 새가 벌레를 잡는다고 말했다.
(the early bird, my mother, catches, that, said, the worm)

→ ______________

STEP 3 다음 우리말과 같은 뜻이 되도록 괄호에 주어진 말을 이용하여 문장을 완성하시오.

1 우리는 미켈란젤로가 '다비드'상을 만들었다는 것을 알고 있다. (Michelangelo, sculpt, *David*)

→ ______________

2 네가 쇼핑을 하는 동안 내가 아이들을 돌볼게. (look after the children, while, do the shopping)

→ ______________

3 나는 긴장할 때 손톱을 깨문다고 말했다. (say, bite my nails, when, nervous)

→ ______________

4 우리는 기름과 물은 섞이지 않는다고 배웠다. (learn, oil and water, mix)

→ ______________

Voca
sculpt 조각하다, 새기다
look after ~를 돌보다
bite 물다, 물어뜯다

Unit 07 화법 전환 1: 평서문

평서문의 화법 전환

❶ 전달동사를 say → say / say to → tell로 바꿈
❷ 쉼표(,)와 따옴표(" ")를 없애고 접속사 that으로 연결, 이때 접속사 that은 생략 가능
❸ 인칭대명사를 전달자의 입장에서 알맞게 바꿈
❹ 전달동사의 시제가 현재이면 that절의 시제는 그대로, 전달동사의 시제가 과거이면 that절의 시제는 과거나 과거완료로 씀
❺ 장소나 때를 나타내는 부사구를 알맞게 바꿈

She **said**, **"I am** going home **now."**
→ She **said that she was** going home **then**.
그녀는 그때 집에 가는 중이라고 말했다.

Tom **said to me, "I have** plans **tomorrow."**
→ Tom **told me that he had** plans **the next day**.
Tom은 나에게 다음날 약속이 있다고 말했다.

Tips

직접화법 부사구	간접화법 부사구
here	→ there
now	→ then
ago	→ before
this	→ that
these	→ those
today	→ that day
yesterday	→ the day before [the previous day]
tomorrow	→ the next day [the following day]
last week [last year]	→ the previous week [the previous year]
next week [next year]	→ the following week [the following year]

Answers - p.40

Check-up 다음 괄호 안에서 가장 알맞은 것을 고르시오.

1 She says, "I will watch the movie after school."
→ She says that (I / she) will watch the movie after school.

2 Tom says to her, "I have to prepare for the exam."
→ Tom (says / tells) her that he has to prepare for the exam.

3 We said, "We have to go home."
→ We said that we (has to / had to) go home.

4 Jessica said, "I came to Paris last month."
→ Jessica said that she (came / had come) to Paris the previous month.

5 He said, "I will move to Germany."
→ He said that he (will / would) move to Germany.

6 You said, "I am going to see my parents tomorrow."
→ You said that you were going to see your parents (the previous day / the next day).

7 He said to me, "I can't concentrate on my homework here."
→ He told me that he couldn't concentrate on his homework (here / there).

Voca
after school 방과 후에
prepare for ~을 대비하다
previous 이전의
concentrate on ~에 집중하다

STEP 1 다음 주어진 문장을 간접화법으로 바꿀 때 빈칸에 알맞은 말을 쓰시오.

Voca
book report 독후감
following 그 다음의

1 He said, "I am too tired to work."

→ He ________ that ________ ________ too tired to work.

2 She said to me, "I wrote this book report."

→ She ________ me ________ ________ ________ that book report.

3 Chris said, "I am reading a book now."

→ Chris said that ________ ________ ________ a book ________.

4 My parents said to me, "We will be back home next Sunday."

→ My parents ________ me that ________ ________ ________ back home ________ ________ ________.

STEP 2 다음 주어진 문장을 간접화법으로 고쳐 쓰시오.

Voca
heavily 아주 많이
basketball 농구

1 Jenny says, "I am going to take the history class."

→ ____

2 Mom said, "It is raining heavily now."

→ ____

3 He said to me, "I'll play basketball tomorrow."

→ ____

4 She said to me, "I met your sister yesterday."

→ ____

STEP 3 다음 주어진 문장을 직접화법으로 고쳐 쓰시오.

Voca
same 같은
room 방

1 He says that Peter and he went to the same school.

→ ____

2 She told me that she was so happy to see me.

→ ____

3 He told me that he had already cleaned my room.

→ ____

Unit 08 화법 전환 2: 의문문

의문사가 있는 의문문: 전달동사를 ask로 바꾸고, 의문문을 「의문사+주어+동사」의 순서로 쓰면서 주어, 동사, 부사를 알맞게 바꿔 준다.

She **said to** the boy, **"What are you** looking for?"

↓

She **asked** the boy **what he was** looking for. 그녀는 그 소년에게 무엇을 찾고 있냐고 물었다.

의문사가 없는 의문문: 전달동사를 ask로 바꾸고, 의문문을 「if/whether+주어+동사」의 순서로 쓰면서 주어, 동사, 부사를 알맞게 바꿔 준다.

He **said to** me, **"Are you** doing **your** homework?"

↓

He **asked** me **if[whether] I was** doing **my** homework. 그가 나에게 숙제를 하는 중이냐고 물었다.

Tips

직접의문문 → 간접의문문

❶ say(s) to → ask(s)
said to → asked

❷ 쉼표, 따옴표 삭제

❸ 의문사 있는 경우: 의문사+주어+동사
의문사 없는 경우: if[whether]+주어+동사

Answers - p.41

Check-up 1 다음 괄호 안에서 가장 알맞은 것을 고르시오.

1 She (said / asked) who bought the camera.

2 He asked her how (was she / she was) feeling then.

3 I asked him where he (is / was) going.

4 She asked me (if / that) I had watched the movie.

5 The lady asked him (that / whether) he needed something.

Voca
feeling 느낌, 기분
lady 숙녀, 교양 있는 여성

Check-up 2 다음 괄호에 주어진 말을 이용하여 문장을 완성하시오.

1 나는 그녀에게 취미가 무엇이냐고 물었다. (her hobby)
→ I asked her what ______ ______ ______.

2 그녀는 그에게 주말에 무슨 계획이 있는지 물었다. (have)
→ She asked him if ______ ______ any plans for the weekend.

3 그는 나에게 누구와 쇼핑을 갔냐고 물었다. (go)
→ He asked me who(m) ______ ______ ______ shopping with.

4 그는 나에게 내 펜을 써도 되는지 물었다. (can, use)
→ He asked me if ______ ______ ______ my pen.

5 Tim은 그녀에게 그 행사에 올 것인지 물었다. (will, come)
→ Tim asked her whether ______ ______ ______ to the event.

Voca
plan 계획
event 행사

STEP 1 다음 주어진 문장을 간접화법 문장으로 완성하시오.

1 He said to me, "What do you want to eat for lunch?"

→ He asked me ______________________ to eat for lunch.

2 They said to her, "Who bought you the jacket?"

→ They asked her ______________________ her the jacket.

3 I said to my daughter, "Will you go shopping with me?"

→ I asked my daughter ______________________ shopping with me.

4 She said to him, "Have you seen my cell phone?"

→ She asked him ______________________ her cell phone.

STEP 2 다음 주어진 문장을 간접화법으로 바꿔 쓰시오. (단, 전달동사는 ask를 쓸 것)

Voca
nearest
near (가까운)의 최상급
happen
발생하다, 일어나다

1 The lady said to me, "Where is the nearest bank?"

→ ______________________

2 I said to her, "Do you want something to eat?"

→ ______________________

3 Chris said to him, "Did you enjoy your trip?"

→ ______________________

4 She said to me, "What is happening now?"

→ ______________________

STEP 3 다음 문장을 직접화법으로 다시 쓰시오. (단, 전달동사는 say to를 쓸 것)

1 She asked him how she could help him.

→ ______________________

2 He asked her if she was coming to the concert.

→ ______________________

3 She asked me whether I took the subway to school.

→ ______________________

Unit 09 화법 전환 3: 명령문

명령문의 화법 전환 : 전달동사를 tell, ask, order, advise 등으로 알맞게 바꿔 주고, 명령문의 동사 앞에 to를 붙여 준다. 부정명령문은 not to를 붙여 준다.

He **said to** us, **"Be** kind to others."
→ He **told** us **to be** kind to others. 그는 우리에게 다른 사람을 친절히 대하라고 말했다.

My sister **said to** me, **"Buy** some milk on **your** way home."
→ My sister **asked** me **to buy** some milk on **my** way home. 내 여동생이 집에 오는 길에 우유를 사오라고 부탁했다.

He **said to** me, **"Don't be** selfish."
→ He **told** me **not to be** selfish. 그는 나에게 이기적으로 굴지 말하고 말했다.

The teacher **said to** them, **"Do not leave** the classroom."
→ The teacher **ordered** them **not to leave** the classroom. 그 선생님은 그들에게 교실을 나가지 말라고 명령했다.

Answers - p.42

Check-up 1 다음 괄호 안에서 가장 알맞은 것을 고르시오.

1 She told him (to watch / watch) out.

2 I advised him (to get / getting) enough sleep.

3 She told me (not worry / not to worry).

4 They ordered us (be quiet / to be quiet).

5 The teacher told me (not being late / not to be late).

Voca
watch out 조심하다
advise 충고하다
order 명령하다

Check-up 2 다음 괄호에 주어진 말을 이용하여 빈칸을 채우시오.

1 그는 나에게 창문을 열어달라고 부탁했다. (ask, open)

→ He ______ me ______ ______ the window.

2 의사는 그녀에게 물을 충분히 마시라고 충고했다. (advise, drink)

→ Her doctor ______ her ______ ______ enough water.

3 그는 아들에게 어린 여동생에게 잘 해주라고 말했다. (tell, be)

→ He ______ his son ______ ______ nice to his little sister.

4 그는 나에게 기분 상해하지 말라고 말했다. (tell, be)

→ He ______ me ______ ______ ______ upset.

STEP 1 다음 괄호에 주어진 전달동사를 사용하여 간접화법으로 고쳐 쓰시오.

Voca
polite 예의 바른
patient 인내심이 있는

1 He said to her, "Wait a second." (ask)

→ ____________________

2 She said to me, "Be polite" (tell)

→ ____________________

3 He said to us, "Be patient." (advise)

→ ____________________

4 The teacher said to them, "Do not use your cell phones during class hours." (order)

→ ____________________

STEP 2 다음 주어진 문장을 직접화법으로 고쳐 쓰시오. (단, 전달동사는 say to를 쓸 것)

Voca
honest 정직한
smoke 흡연하다
picky 까다로운

1 He told his daughter to wash her hands first.

→ ____________________

2 My grandfather told me to be honest.

→ ____________________

3 The doctor ordered him not to smoke.

→ ____________________

4 Mom advised me not to be picky with food.

→ ____________________

STEP 3 다음 우리말과 같은 뜻이 되도록 괄호에 주어진 말을 이용하여 문장을 완성하시오.

1 나는 그들에게 불을 꺼달라고 부탁했다. (ask, turn off the lights)

→ ____________________

2 그는 나에게 용기를 가지라고 말했다. (tell, brave)

→ ____________________

3 그녀는 나에게 긴장하지 말라고 말했다. (tell, not, nervous)

→ ____________________

4 Wilson 선생님은 학생들에게 교실에서 뛰어다니지 말라고 명령했다. (Mr. Wilson, order, run around, in the classroom)

→ ____________________

단답형 & 서술형

Answers - p.43

[1-2] 다음 빈칸에 알맞은 be동사를 써넣으시오.

조건 be동사의 현재형을 쓸 것

1 The number of homeless people in the city ______ increasing.

2 A number of people ______ waiting for the bus.

[3-4] 다음 괄호에 주어진 동사를 어법에 맞게 바꿔 문장을 완성하시오.

조건 동사의 현재형을 쓸 것

3 Twenty miles ______ a long way to walk. (be)

4 The old ______ more medicine than the young. (take)

[5-6] 다음 우리말과 같은 뜻이 되도록 괄호에 주어진 단어를 이용하여 문장을 완성하시오.

5 나는 빛이 소리보다 빠르다는 것을 배웠다.
I learned that light ______ faster than sound. (travel)

6 그는 나에게 바보처럼 굴지 말라고 말했다.
He told me ______. (not, silly)

[7-10] 다음 문장에서 어법에 맞지 않는 부분을 고쳐 쓰시오.

7 Half of the students takes English classes after school.

______ → ______

8 The rest of the bread have gone.

______ → ______

9 The markers in the drawer is dried out.

______ → ______

10 If we will miss the last bus, we'll have to walk home.

______ → ______

[11-12] 다음 문장을 괄호에 주어진 조건에 맞게 다시 쓰시오.

11 Not only his sisters but also he is good at swimming. (as well as 사용할 것)

= ______

______

12 He as well as you needs more exercise. (not only ~ but also 사용할 것)

= ______

______

[13-14] 다음 문장을 주어진 조건에 맞게 다시 쓰시오.

조건 1. 주절을 과거시제로 다시 쓸 것
2. 주어와 동사를 갖춘 완전한 문장으로 쓸 것

13 He is sad that the accident has happened.

→ ______________________________

14 I believe that he will get a high score on the test.

→ ______________________________

[15-17] 다음 우리말과 같은 뜻이 되도록 괄호에 주어진 말을 이용하여 문장을 완성하시오.

15 그와 나는 둘 다 밴드에 가입하는 것에 관심이 있다. (both, interested in, join the band)

→ ______________________________

16 우리 형이나 내가 그 고양이를 씻겨야 한다. (either, I, have to, bathe)

→ ______________________________

17 John이나 그의 친구들 아무도 그 대회에 참가하고 싶어하지 않는다. (neither, participate in, the competition)

→ ______________________________

____

18 다음 문장을 간접화법으로 다시 쓰시오.

조건 1. 전달동사는 ask를 쓸 것
2. 주어와 동사를 갖춘 완전한 문장으로 쓸 것

The teacher said to me, "Did you bring your homework?"

→ ______________________________

____

[19-20] 다음 대화를 읽고 물음에 답하시오.

A It's past 5 o'clock, and Mike hasn't arrived. Shall I call him and ask ❶ why is he late?

B Oh, I thought he ❷ had told you. ⓐ He said to me, "I won't be able to come because I have the flu."

A Did he call you?

B Yes, he called me last night. He asked me ❸ to tell you that he ❹ was sorry not to be able to come.

19 ❶ ~ ❹에서 어법상 틀린 부분을 골라 바르게 고치시오.

→ ______________________________

20 윗글의 밑줄 친 ⓐ를 간접화법으로 고치시오.

→ ______________________________

____

Chapter 14

특수 구문

Unit 01 병렬구조

문장 안에서 두 어구 이상이 접속사로 연결되어 나란히 쓰이는 형태를 병렬구조라고 한다. 병렬구조에 쓰인 어구는 대체로 서로 동일한 성분으로 이루어진다.

(대)명사 연결	Tom **and** Jane like music. Tom과 Jane은 음악을 좋아한다.
형용사 연결	He is kind, smart, **and** attractive. 그는 친절하고 똑똑하고 매력적이다.
동사 연결	They **neither** smoke **nor** drink. 그들은 담배도 안 피우고 술도 안 마신다.
to부정사 연결	I want to watch TV **or** to listen to music. 나는 TV를 보거나 음악을 듣고 싶다.
절을 연결	She worked hard, **but** she failed. 그녀는 열심히 일했으나 실패했다.

Tips

3개 이상의 항목을 연결할 때에는 마지막에 접속사를 쓰고, 나머지는 콤마(,)로 연결한다.

I had some eggs, bread, **and** milk.
나는 계란, 빵, 우유를 먹었다.

Tips

병렬구조에서 중복되는 부분은 생략되기도 한다.

I want to watch TV **or** (to) listen to music.

병렬구조를 이끄는 접속사

등위접속사	and, or, but 등	
상관접속사	both A and B A와 B 둘 다 either A or B A와 B 중 하나 not only A but (also) B A뿐만 아니라 B도	not A but B A가 아니라 B neither A nor B A와 B 둘 다 아닌 B as well as A A뿐만 아니라 B도

Answers - p.44

Check-up 다음 보기와 같이 병렬 관계에 있는 부분에 밑줄을 그으시오.

> 보기 Tom and Jane like music.

1 She entered the room slowly and silently.

2 Were you born in Seoul or Busan?

3 He is not a singer but a pianist.

4 I could find my wallet neither in my bag nor on my desk.

5 She is not only funny but also intelligent.

6 Jane as well as I is going to visit Greece.

7 He loves both hiking and swimming.

8 I went to the mart and bought some flour.

Voca
silently 조용히
wallet 지갑
intelligent 똑똑한

STEP 1 다음 괄호에 주어진 말을 어법에 맞게 고쳐 문장을 완성하시오.

1 I called not him but ______________ . (she)

2 The castle is not only large but also ______________ . (beauty)

3 They like not only dancing but also ______________ . (sing)

4 He might be sleeping or ______________ a shower. (take)

5 He explained to us kindly and ______________ . (clear)

Voca
castle 성
explain 설명하다

STEP 2 다음 괄호에 주어진 접속사를 이용하여 두 문장을 하나로 쓰시오.

1 They are handsome. They are impolite. (but)

→ They are ______________________________ .

2 You can watch TV. You can listen to the radio. (or)

→ You can ______________________________ .

3 I bought eggs. I bought butter. I bought sugar. (and)

→ I bought ______________________________ .

4 She studied hard. She failed the exam. (but)

→ She studied hard, ______________________________ .

Voca
impolite 무례한
fail 실패하다

STEP 3 다음 괄호에 주어진 상관접속사를 이용하여 두 문장을 하나로 쓰시오.

1 This car runs on land. This car runs on water. (both A and B)

→ ______________________________

2 They were excited about the game. I was excited about the game. (not only A but also B)

→ ______________________________

3 You can contact us by phone. You can contact us by email. (either A or B)

→ ______________________________

4 The house is not big. The house is not small. (neither A nor B)

→ ______________________________

5 She is not a student. She is a teacher. (not A but B)

→ ______________________________

Voca
run (차량을) 몰다
contact 연락하다

STEP 4 다음 우리말과 같은 뜻이 되도록 주어진 단어를 배열하여 문장을 완성하시오.

Voca
take a nap 낮잠을 자다
decide 결정하다

1 나는 집에서 먹고 싶었지만, 그녀는 외식을 하고 싶어 했다.
(wanted to, I, eat, at home, wanted to, she, but, eat out)

→ ______________________________

2 당신은 산책을 나가거나 낮잠을 잘 수 있다. (can, or, you, either, take, a nap, go, for a walk)

→ ______________________________

3 그들은 코미디와 공포영화 둘 다 좋아한다. (horror movies, both, like, and, comedies, they)

→ ______________________________

4 그녀는 노래를 할 뿐만 아니라 피아노도 연주한다. (but also, not only, she, sings, plays, the piano)

→ ______________________________

5 Brian도 나도 록음악을 즐기지 않는다. (Brian, rock music, neither, I, enjoy, nor)

→ ______________________________

6 그는 영화를 보거나 콘서트에 가기로 결정했다.
(or, to go, he, either, decided, a movie, to watch, to the concert)

→ ______________________________

STEP 5 다음 우리말과 같은 뜻이 되도록 주어진 말을 이용하여 문장을 완성하시오.

Voca
educational 교육적인
on vacation 휴가 중인

1 그는 돈과 명성 둘 다 원한다고 말했다. (say, want, both, money, fame)

→ ______________________________

2 그 TV 쇼는 재미있을 뿐만 아니라 교육적이기도 하다. (the TV show, not only, fun, educational)

→ ______________________________

3 당신은 '네' 또는 '아니요'로 대답해야 합니다. (have to, answer, either, "Yes", "No")

→ ______________________________

4 나뿐만 아니라 내 여동생도 클래식 음악을 좋아한다. (as well as, classical music)

→ ______________________________

5 그녀가 일본에 있는 것은 휴가 때문이 아니라 사업 때문이다. (not, on vacation, on business)

→ ______________________________

Unit 02 「It ~ that ...」 강조 구문

주어, 목적어, 부사구 등을 강조할 때 「It ~ that …」 구문을 이용한다. 강조하고자 하는 말을 that 앞에 놓고, '…한 것은 (바로) ~이다'라고 해석한다. It is[was]와 that 사이에 주어, 목적어, 부사구를 넣어 강조할 수 있다.

기본 문장	Mike met Evan at the party. 주어 목적어 부사구
주어 강조	**It** was Mike **that[who]** met Evan at the party. 그 파티에서 Evan을 만난 사람은 바로 Mike였다.
목적어 강조	**It** was Evan **that[who(m)]** Mike met at the party. Mike가 그 파티에서 만난 사람은 바로 Evan이었다.
부사구 강조	**It** was at the party **that[where]** Mike met Evan. Mike가 Evan을 만난 곳은 바로 그 파티였다.

Tips
강조하는 대상에 따라 that은 who/whom(사람), which(물건), where(장소), when(때)으로 바꿔 쓸 수 있다.

Answers - p.46

Check-up 1 다음 괄호 안에서 알맞은 것을 모두 고르시오.

1 It was Paul (that / who / where) won the competition.

2 It was a history book (that / which / whom) I bought yesterday.

3 It was Mindy (that / whom / which) he shared his book with.

4 It was last month (that / when / which) Carol visited me.

5 It was in the theater (that / where / when) he lost his ID card.

Voca
competition 대회
share A with B A를 B와 공유하다
lose 잃어버리다
ID card 신분증

Check-up 2 다음 보기의 문장을 보고, 각 괄호에 주어진 말을 강조하는 문장을 완성하시오.

보기 Peggy saw Gary at the bank yesterday.

1 (Peggy)
_____ _____ _____ _____ saw Gary at the bank yesterday.

2 (Gary)
_____ _____ _____ _____ Peggy saw at the bank yesterday.

3 (at a bank)
_____ _____ _____ _____ _____ _____ Peggy saw Gary yesterday.

4 (yesterday)
_____ _____ _____ _____ Peggy saw Gary at the bank.

STEP 1 다음 밑줄 친 주어를 강조하는 문장으로 바꿔 쓰시오.

1 Rachel studied Russian literature in college.

→ ____________________

2 My uncle fixed the refrigerator.

→ ____________________

3 The vase was broken yesterday.

→ ____________________

4 Portuguese is spoken in Brazil.

→ ____________________

Voca
literature 문학
Portuguese 포르투갈어

STEP 2 다음 밑줄 친 목적어를 강조하는 문장으로 바꿔 쓰시오.

1 I wanted a new tablet PC.

→ ____________________

2 They saw *The Phantom of the Opera* last night.

→ ____________________

3 I called my younger sister this morning.

→ ____________________

4 She ran into me on her way from school.

→ ____________________

STEP 3 다음 밑줄 친 부사구를 강조하는 문장으로 바꿔 쓰시오.

1 He left for Korea two weeks ago.

→ ____________________

2 She is supposed to be here by six o'clock.

→ ____________________

3 They found this dog in the garage last night.

→ ____________________

4 I found the photo under the bed.

→ ____________________

Voca
leave for ~로 떠나다
be supposed to ~하기로 되어 있다
garage 차고

STEP 4 다음 우리말과 같은 뜻이 되도록 주어진 단어를 배열하여 문장을 완성하시오.

Voca
break
깨다
water
물을 주다

1 유리잔을 깨뜨린 것은 그 고양이였다. (it, broke, the cat, was, that, the glass)

→ ____________________

2 물을 줘야 하는 것은 이 꽃들이다. (it, need, which, these flowers, watering, is)

→ ____________________

3 내가 지난주에 잃어버린 것은 내 우산이다. (lost, last week, my umbrella, was, it, that, I)

→ ____________________

4 그들이 하기 좋아하는 것은 농구이다. (it, like to, basketball, is, they, which, play)

→ ____________________

5 우리가 호주를 방문한 것은 2달 전이다. (visited, it, two months ago, was, we, when, Australia)

→ ____________________

6 그가 자신의 아내를 만난 곳은 밴쿠버였다. (met, it, in Vancouver, was, he, that, his wife)

→ ____________________

STEP 5 다음 우리말과 같은 뜻이 되도록 주어진 말을 이용하여 문장을 완성하시오.

Voca
cause
초래하다, 일으키다
discuss
토론하다
matter
문제

1 사고를 유발한 것은 바로 그 빙판길이었다. (the icy road, cause, the accident)

→ ____________________

2 지난 일요일 도서관에서 내가 만난 사람은 Tim이었다. (Tim, meet, in the library, last Sunday)

→ ____________________

3 그녀가 작년에 올림픽에서 획득한 것은 동메달이었다. (the bronze medal, win, at the Olympics last year)

→ ____________________

4 우리 언니가 대학을 졸업한 것은 3년 전이었다. (three years ago, my sister, graduate from university)

→ ____________________

5 그들이 그 문제를 논의한 곳은 회의실이었다. (the meeting room, discuss, the matter)

→ ____________________

6 내가 슈퍼마켓에서 산 것은 주스 한 병이었다. (a bottle of juice, buy, at the supermarket)

→ ____________________

Unit 03 부정어 도치

부정어 도치: never[hardly, seldom, little, rarely]+조동사+주어+동사원형

Never did I see him again. 나는 다시는 그를 만나지 않았다.

Hardly could I focus on my homework. 나는 도저히 숙제에 집중할 수가 없었다.

「no sooner had+주어+p.p.+than …」 ~하자마자 …했다

No sooner had I emailed him **than** I regretted it.

= I **had no sooner emailed** him **than** I regretted it.

= **As soon as** I sent the email, I regretted it. 나는 그에게 이메일을 보내자마자, 후회했다.

「not until ~+조동사+주어+동사원형」 ~가 되어서야 비로소 …하다

Not until midnight **did** the meeting **end**. 그 회의는 자정이 되어서야 끝났다.

= The meeting **didn't end until** midnight.

Tips

hardly, seldom, rarely, little 등과 같은 표현은 부정의 의미가 포함되어 있으므로 not과 함께 쓰지 않는다.

Answers - p.47

Check-up 1 다음 괄호 안에서 가장 알맞은 것을 고르시오.

1 Never (have they / they have) been to Europe.

2 Hardly (could she / couldn't she) believe what he was saying.

3 No sooner (had I gone / I had gone) out than it began to rain.

4 Not until at noon (did they arrive / they arrived).

5 Seldom (does she see / she sees) musicals.

6 Little (did he know / did he not know) what was happening.

Check-up 2 다음 밑줄 친 부분을 강조하는 문장으로 쓸 때 빈칸에 알맞은 말을 쓰시오.

1 I have heard little about the company.

→ Little ________ ________ ________ about the company.

2 He had no sooner arrived home than the phone rang.

→ No sooner ________ ________ ________ home than the phone rang.

3 The store didn't open until 10.

→ Not until 10 ________ ________ ________ ________.

4 She hardly makes a mistake.

→ Hardly ________ ________ ________ a mistake.

Voca

ring (종・벨 등이) 울리다

make a mistake 실수하다

STEP 1 다음 밑줄 친 부분을 강조하는 문장을 완성하시오.

Voca
strange 이상한
regret 후회하다
fit (크기・모양이) 꼭 맞다, 잘 어울리다

1 We have never seen such a strange animal.

→ ______________________________ such a strange animal.

2 He hardly regrets what he's already done.

→ ______________________________ what he's already done.

3 They know little about the country.

→ ______________________________ about the country.

4 I can rarely find clothes that fit me perfectly.

→ ______________________________ clothes that fit me perfectly.

STEP 2 다음 밑줄 친 부분을 강조하는 문장을 완성하시오.

Voca
go off (불, 전기가) 나가다
run away (~에서) 달아나다

1 The class had no sooner started than the lights went off.

→ ______________________________ than the lights went off.

2 The man had no sooner seen a police officer than he ran away.

→ ______________________________ than he ran away.

3 She had no sooner seen her mother than she started to cry.

→ ______________________________ than she started to cry.

4 The phone had no sooner rung than he answered it.

→ ______________________________ than he answered it.

STEP 3 다음 밑줄 친 부분에 유의하여 뜻이 같은 문장을 완성하시오.

1 I didn't hear from him until today.

→ Not until today ______________________________.

2 They didn't let us go until 6.

→ Not until 6 ______________________________.

3 I didn't realize I made a big mistake until it was too late.

→ Not until it was too late ______________________________.

STEP 4 다음 밑줄 친 부분을 강조하는 문장으로 바꿔 쓰시오.

1 I <u>never</u> imagined I could win a gold medal.

→ ______________________________

2 They <u>hardly</u> eat out on weekends.

→ ______________________________

3 He <u>rarely</u> has breakfast.

→ ______________________________

4 They <u>seldom</u> keep their promises.

→ ______________________________

5 She knew <u>little</u> about the city.

→ ______________________________

6 The speaker had <u>no sooner</u> finished his speech than the audience clapped.

→ ______________________________

Voca
imagine 상상하다
keep one's promise ~의 약속을 지키다
speech 연설
clap 손뼉 치다

STEP 5 다음 우리말과 같은 뜻이 되도록 주어진 단어를 배열하여 문장을 완성하시오.

조건 부정어를 도치하는 문장으로 쓸 것

1 그는 거의 숨을 쉴 수 없었다. (he, breathe, could, hardly)

→ ______________________________

2 나는 그렇게 큰 보름달을 본 적이 없다. (such, never, seen, I, a large full moon, have)

→ ______________________________

3 여기서는 맑은 날씨를 좀처럼 보기 힘들다. (do, sunny weather, rarely, have, we, here)

→ ______________________________

4 나는 그 사고에 대해 거의 듣지 못했다. (hear, did, little, about the accident, I)

→ ______________________________

5 그녀는 사진을 보자마자 웃음을 터뜨렸다. (laughed, had, no sooner, seen, the picture, she, she, than)

→ ______________________________

6 작년에서야 그들은 탑을 짓기 시작했다. (they, not, last year, until, start, did, building, the tower)

→ ______________________________

Unit 04 부분 부정 / 전체 부정

부분 부정: not + all[every / both / always]

not all 모두 ~한 것은 아니다	not every 모두 ~한 것은 아니다
not both 둘 다 ~한 것은 아니다	not always 언제나 ~한 것은 아니다

I **didn't** break **all** of them. 나는 그것들 모두 깨뜨린 것은 아니다.

Not everyone likes his idea. 모두가 그의 아이디어를 좋아하는 것은 아니다.

Tips

전체부정을 나타내는 none / no one / neither / never는 자체에 부정의 의미가 있으므로 not을 따로 쓰지 않는다.

전체 부정: none / no one / neither / never

none 아무(것)도 ~하지 않다	no one 아무도 ~하지 않다
neither 둘 중 아무(것)도 ~하지 않다	never 결코 ~하지 않다

He invited **none** of us. 그는 우리들 중 아무도 초대하지 않았다.

Neither of them came to his party. 그들 둘 다 그의 파티에 오지 않았다.

Tips

no one / neither이 주어로 쓰인 경우 단수 동사가 쓰인다.

no = not any

I have **no** time. (= I do**n't** have **any** time.) 나는 시간이 전혀 없다.

There are **no** students in the classroom. 교실에는 학생이 한 명도 없다.

= There are **not any** students in the classroom.

Tips

no[not any] 뒤에는 가산 · 불가산명사 둘 다 온다.

Answers - p.49

Check-up 다음 문장의 밑줄 친 부분에 유의하여 가장 알맞은 의미를 고르시오.

1 Not everyone likes him. • • a. 그를 좋아하는 사람은 아무도 없다.
  No one likes him. • • b. 일부는 그를 좋아하지 않는다.

2 I didn't watch both of the movies. • • a. 나는 두 영화 중 하나는 안 봤다.
  I watched neither of the movies. • • b. 나는 두 영화 중 본 것이 아무 것도 없다.

3 I don't always listen to his advice. • • a. 나는 그의 조언을 전혀 듣지 않는다.
  I never listen to his advice. • • b. 나는 그의 조언을 듣지 않을 때도 있다.

4 Not all of the books are fun. • • a. 그 책들은 전부 재미있는 것은 아니다.
  None of the books are fun. • • b. 그 책들 중 재미있는 것은 하나도 없다.

5 I didn't read any of the books. • • a. 그 책들 중 일부는 읽지 않았다.
  I didn't read all of the books. • • b. 그 책들 중 내가 읽은 것은 하나도 없다.

Voca
listen to ~을 듣다
advice 충고

STEP 1 다음 우리말과 일치하도록 괄호에 주어진 말을 골라 문장을 완성하시오.

1 (no / not all)

a. 이곳의 모든 학생들이 공부하고 싶어 하는 것은 아니다.
→ ____________ the students here want to study.

b. 이곳의 학생들 중 아무도 공부하고 싶어 하지 않는다.
→ ____________ students here want to study.

2 (both / neither)

a. 나는 그 책을 둘 다 가지고 있는 것은 아니다.
→ I don't have ____________ of the books.

b. 나는 그 책 둘 다 없다.
→ I have ____________ of the books.

3 (always / never)

a. 나는 자유시간에 독서를 하지 않을 때도 있다.
→ I don't ____________ read books in my free time.

b. 나는 자유시간에 독서를 전혀 하지 않는다.
→ I ____________ read books in my free time.

4 (none / all)

a. 그 영화들 모두가 다 좋은 것은 아니었다.
→ Not ____________ of the movies were good.

b. 그 영화들 중 좋은 것은 하나도 없다.
→ ____________ of the movies was good.

STEP 2 다음 우리말과 일치하도록 괄호에 주어진 말을 이용하여 문장을 완성하시오.

1 그들 중 모두 그 의견에 찬성하는 것은 아니다. (all, agree)
→ ____________ ____________ of them ____________ with the idea.

2 내 친구들 중 공포영화를 좋아하는 사람은 하나도 없다. (like)
→ ____________ of my friends ____________ horror movies.

3 그녀는 그 두 개의 외투를 다 좋아하는 것은 아니다.
→ She ____________ like ____________ of the jackets.

4 나는 그들 둘 다 관심이 없다.
→ I ____________ interested in ____________ of them.

5 열차가 항상 제시간에 도착하는 것은 아니다.
→ The train ____________ ____________ arrive on time.

Voca
agree with ~와 동의하다
horror movie 공포영화
be interested in ~에 관심 있다

STEP 3 다음 우리말과 같은 뜻이 되도록 주어진 단어를 배열하여 문장을 완성하시오.

Voco
correctly
정확하게
complain about
~에 대해 불평하다

1 나는 항상 늦게 일어나는 것은 아니다. (get up, I, always, don't, late)

→ ______________________

2 우리 중 아무도 이집트에 가 본 적이 없다. (been, none, has, of us, to Egypt)

→ ______________________

3 나는 어떤 문제도 정확하게 대답하지 않았다. (any, I, correctly, answer, didn't, questions)

→ ______________________

4 모든 학생들이 만점을 받은 것은 아니었다. (all of, got, the students, not, a perfect score)

→ ______________________

5 아무도 그들이 한 일에 대해 불평하지 않았다. (what, complained about, no one, they, did)

→ ______________________

6 나는 책장에 있는 책을 한 권도 읽지 않았다. (any, I, read, on the shelf, didn't, books)

→ ______________________

STEP 4 다음 우리말과 같은 뜻이 되도록 주어진 단어를 이용하여 문장을 완성하시오.

Voco
walk a dog
개를 산책시키다
spicy
매운

조건 현재 시제를 쓸 것

1 Mike는 항상 아침에 그의 개를 산책시키는 것은 아니다. (always, walk, in the morning)

→ ______________________

2 그는 노인들에게 결코 무례하게 대하지 않는다. (never, rude, to the old)

→ ______________________

3 모든 가난한 사람들이 불행한 것은 아니다. (all, poor people, unhappy)

→ ______________________

4 우리 둘 중 아무도 매운 음식을 좋아하지 않는다. (neither of, like, spicy food)

→ ______________________

5 냉장고에 음식이 전혀 없다. (there, food, in the refrigerator)

→ ______________________

6 아무도 그 뉴스가 사실이라고 믿지 않는다. (no one, believe, the news, true)

→ ______________________

Unit 05 기타 (강조, 생략, 도치)

강조

❶ 동사의 강조

do[does/did]+동사원형 '정말 ~하다'	You **do look** nice in that suit! 당신은 그 정장을 입으니 정말 멋져 보인다! I **did tell** them the truth. 나는 정말로 그들에게 진실을 말했다.

❷ 비교급, 최상급 강조

비교급 강조: much, still, even, far, a lot	This problem is **much** more difficult than that one. 이 문제는 저것보다 훨씬 더 어렵다.
최상급 강조: much, by far, the very	He is **by far** the smartest student in this school. 그는 이 학교에서 단연 가장 똑똑한 학생이다.

생략

❶ 중복을 피하기 위한 생략

He went to Spain and his friend (**went**) to Greece. 그는 스페인에 갔고, 그의 친구는 그리스에 갔다.

She has a dog but I don't (**have a dog**). 그녀에게는 개가 있지만, 나는 그렇지 않다.

❷ 「관계대명사+be동사」의 생략

The girl (**who is**) playing the piano is my sister. 피아노를 치는 소녀는 내 여동생이다.

Have you read the book (**which is**) written by Mr. Smith? 당신은 Smith 씨가 쓴 책을 읽어 봤나요?

❸ 감탄문의 「주어+동사」 생략

What a tall girl (**she is**)! 그녀는 정말 키가 큰 소녀구나!

How smart (**you are**)! 당신은 정말 영리하네요!

부사구, so[neither] 도치문

부사(구)의 도치	**Under the couch** was a pair of socks. 소파 밑에 양말 한 켤레가 있었다. **There** goes the school bus! 저기 학교 버스가 가고 있어요!
so, neither 도치문	A I'm so tired. 나는 매우 피곤하다. B **So am I.** (= I am tired, too.) 나도 그렇다. A I can't swim. 나는 수영을 못한다. B **Neither can I.** (= I can't swim, either.) 나도 그렇다.

Tips

부사 there, here가 도치될 때 주어가 인칭대명사이면 주어와 동사는 도치되지 않는다.

Here she comes.
그녀가 이리로 온다.

Here comes ~~she~~. (X)

Answers - p.50

Check-up 1 다음 문장에서 강조를 위해 사용된 말에 밑줄을 그으시오.

1 I do love you.

2 She does sing very well.

3 We did have fun with them.

4 Cheetahs can run much faster than humans.

5 This sofa is even more comfortable than I thought.

Voca
cheetah 치타
comfortable 편안한

Check-up 2 다음 문장에서 생략해도 되는 부분에 ( )표시 하시오.

1 The Sun rises in the east and it sets in the west.

2 He wanted to play soccer but I didn't want to play soccer.

3 What a beautiful day it is!

4 Do you know that old lady who is sitting on the bench?

5 The novels which were written by Ms. Anderson are very fun.

6 I tried to lose weight but I couldn't lose weight.

Voca
west 서쪽
lose weight 살을 빼다

Check-up 3 다음 괄호 안에서 가장 알맞은 것을 고르시오.

1 Here (they come / come they).

2 Here (my mother comes / comes my mother).

3 On the hill (a windmill stood / stood a windmill).

4 Under the sofa (the puppy was / was the puppy).

5 There (your science teacher goes / goes your science teacher).

Voca
windmill 풍차

Check-up 4 다음 괄호 안에서 가장 알맞은 것을 골라 대화문을 완성하시오.

1 A I love reading books.
B So (I do / do I).

2 A Helen is good at math.
B So (Harry is / is Harry).

3 A Jamie has caught the flu.
B So (Jane has / has Jane).

4 A I'm not hungry.
B Neither (I am / am I).

Voca
flu 독감

STEP 1 다음 우리말과 같은 뜻이 되도록 주어진 단어를 배열하여 문장을 완성하시오.

1 당신은 나이에 비해 정말로 어려 보인다. (do, for your age, you, young, look)

→ ______________________________

2 Tom은 나보다 훨씬 빨리 달릴 수 있다. (faster, can, Tom, even, run, than, me)

→ ______________________________

3 이곳은 그 마을에서 단연 가장 좋은 식당이다. (restaurant, is, this, best, the very, in the village)

→ ______________________________

4 청바지를 입은 소년은 내 친구다. (wearing, my friend, the boy, is, blue jeans)

→ ______________________________

5 첫 열차는 오전 5시 20분에 출발하고, 막차는 오후 11시 30분에 출발한다.
(leaves, and, the first train, the last train, at 5:20 a.m., at 11:30 p.m.)

→ ______________________________

STEP 2 다음 괄호에 주어진 말을 이용하여 대화문을 완성하시오.

1 A I enjoy reading detective novels.

B ______________________ (so, I)

2 A I don't remember her name.

B ______________________ (neither, I)

3 A I have been to Spain once.

B ______________________ (so, I)

4 A I didn't enjoy the food.

B ______________________ (neither, I)

5 A I had a good time yesterday.

B ______________________ (so, Tim)

6 A James doesn't like science fiction movies.

B ______________________ (neither, Mindy)

7 A Peter can play the guitar.

B ______________________ (so, Maggie)

Voca
detective novel 추리 소설
have been to ~에 가본 적이 있다
have a good time 즐거운 시간을 보내다
science fiction 공상 과학

Answers - p.51

[1-4] 다음 문장을 어법에 맞게 고쳐 쓰시오.

1 I want to speak English correctly and fluent.

______ → ______

2 Not until 6 o'clock I got the information I needed.

______ → ______

3 Here comes she.

______ → ______

4 There the bus goes.

______ → ______

[5-8] 다음 우리말과 일치하도록 보기에서 주어진 말을 골라 문장을 완성하시오.

보기	neither	both
	never	not always

5 그는 약속을 절대로 어기지 않는다.

→ He ______ breaks his promises.

6 그들이 항상 규칙을 지키는 것은 아니다.

→ They do ______ follow the rules.

7 그들 둘 다 틀렸다.

→ ______ of them was correct.

8 나는 두 곳을 다 방문한 것은 아니다.

→ I didn't visit ______ of the places.

[9-10] 다음 밑줄 친 부분을 강조할 때 빈칸에 알맞은 말을 쓰시오.

9 She looks beautiful in that dress.

→ She ______ ______ beautiful in that dress.

10 We hardly see this kind of weather in this region.

→ ______ ______ ______ ______ this kind of weather in this region.

[11-13] 다음 밑줄 친 부분을 강조하는 문장으로 다시 쓰시오.

조건 it ~ that을 쓸 것

11 Paul gave her those flowers.

→ ______

12 I ran into Edward in the park.

→ ______

13 I lost my cell phone in the library.

→ ______

[14-17] 다음 글을 읽고, 물음에 답하시오.

I really love baseball. I enjoy not only watching but also ❶ ________(play) baseball games. My school has a baseball club, so I wanted to join it. ⓐ 하지만 그 동아리는 가입하고 싶은 모든 사람들을 받아들이지는 않는다. They have to pass a test to join the club. Unfortunately, I failed the test because there were many other people who were ❷ by far better than me. I had never thought I would fail, and ⓑ 나의 친구들도 그랬다.

14 윗글의 괄호에 주어진 말을 적절히 변형하여 빈칸 ❶을 완성하시오.

→ ________________

15 윗글의 밑줄 친 ⓐ를 괄호에 주어진 말을 배열하여 바르게 영작하시오.

But ________________________________

________________________________.

(doesn't, join it, the club, everyone, accept, wants to, that)

16 윗글의 밑줄 친 ❷를 어법에 맞게 고치시오.

by far → ________________

17 윗글의 밑줄 친 ⓑ를 바르게 영작하시오.

조건 괄호에 주어진 말을 활용할 것

____

(neither, my friends)

[18-20] 다음 밑줄 친 부분을 강조하는 문장으로 다시 쓰시오.

18 I had no sooner lain down to sleep than the phone rang.

→ ________________________________

19 A small village lies among the mountains.

→ ________________________________

20 다음 두 문장이 같은 뜻이 되도록 괄호에 주어진 조건에 맞게 빈칸을 완성하시오.

조건 1. 7단어로 쓸 것
2. 주어와 동사를 갖춘 완전한 문장으로 쓸 것

There aren't any eggs in the refrigerator. (no)

→ ________ ________ ________ ________ ________ ________ ________.

통문장
암기 훈련
워크북

Chapter 8

Unit 01 재귀대명사

※ 다음 우리말을 주어진 말을 이용하여 조건에 맞춰 영어로 옮기시오.

조건	1. 적절한 재귀대명사를 쓸 것	2. 시제에 유의하여 동사를 알맞게 변형할 것

1 나는 요리를 하다가 베었다. (cut, while, cook)

→ ______________________________

2 그는 자기 자신이 실망스러웠다. (disappoint)

→ ______________________________

3 그녀는 커피를 만들다가 데었다. (burn, while, make)

→ ______________________________

4 우리는 우리 스스로를 지켜야 한다. (must, protect)

→ ______________________________

5 그들은 자신들을 '천재 팀'이라고 부른다. (call, Team Genius)

→ ______________________________

6 그는 자신이 직접 그 이야기를 썼다. (write)

→ ______________________________

7 나는 내가 직접 그 컴퓨터를 고쳤다. (fix)

→ ______________________________

8 그들은 벽을 직접 페인트칠했다. (paint)

→ ______________________________

9 Josh가 직접 아침을 준비했다. (prepare)

→ ______________________________

10 너는 그 그림을 직접 그렸니? (draw, picture)

→ ______________________________

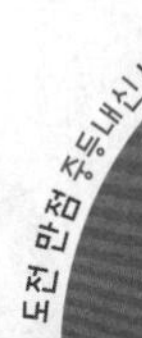

재귀대명사의 관용 표현

※ 다음 우리말을 주어진 말을 이용하여 조건에 맞춰 영어로 옮기시오.

조건	1. 재귀대명사를 쓸 것	2. 시제에 유의하여 동사를 알맞게 변형할 것
	3. 축약이 가능한 경우, 축약형으로 쓸 것	

1 그녀는 혼자서 일본을 여행했다. (travel, Japan)

→ ______________________________

2 저를 소개할게요. (let, introduce)

→ ______________________________

3 Hamilton 씨는 한국어를 독학했다. (Mr. Hamilton, teach, Korean)

→ ______________________________

4 나는 때때로 혼잣말을 한다. (talk)

→ ______________________________

5 들어와서 편히 계세요. (come, make, home)

→ ______________________________

6 음식과 음료를 마음껏 드세요. (help)

→ ______________________________

7 그 계획 자체는 나쁘지 않았다. (plan, bad)

→ ______________________________

8 우리는 걱정으로 제정신이 아니었다. (worry)

→ ______________________________

9 그녀는 수영장에서 즐거운 시간을 보냈다. (enjoy, swimming pool)

→ ______________________________

10 이것은 우리들 사이의 비밀이다. (be, secret)

→ ______________________________

Chapter 8

Unit 03 one, another

※ 다음 우리말을 주어진 말을 이용하여 조건에 맞춰 영어로 옮기시오.

조건	1. one이나 another나 it을 쓸 것	2. 시제에 유의하여 동사를 알맞게 변형할 것

1 이 수건은 더러워. 나에게 새것을 갖다 줄래? (be, bring)

→ ______________________________

2 너는 갈색 부츠가 좋아 아니면 검은색이 좋아? (prefer, boots)

→ ______________________________

3 나는 어제 팔찌를 하나 샀는데, 오늘 아침에 그것을 잃어버렸다. (buy, bracelet, lose)

→ ______________________________

4 펜이 필요하면, 내가 너에게 하나 빌려줄게. (need, lend)

→ ______________________________

5 너는 어떤 것을 원하니, 빨간 사과 아니면 초록 사과? (want)

→ ______________________________

6 너에게 또 다른 질문을 하겠다. (let, ask)

→ ______________________________

7 이 오렌지는 너무 시다. 내게 다른 것을 줄래? (be, sour, give)

→ ______________________________

8 나에게 또 다른 기회를 줄래? (give, chance)

→ ______________________________

9 나는 내 숟가락을 떨어뜨렸어. 나에게 다른 것을 갖다 줘. (drop, bring)

→ ______________________________

10 차를 한 잔 더 드시겠어요? (would, like)

→ ______________________________

Unit 04 부정대명사의 표현

※ 다음 우리말을 주어진 말을 이용하여 조건에 맞춰 영어로 옮기시오.

조건	1. 적절한 부정대명사를 쓸 것	2. 시제에 유의하여 동사를 알맞게 변형할 것

1 Grace와 Ross는 서로를 보며 미소 짓고 있다. (smile)

→ ______________________________

2 우리 가족은 네 명이다. 우리는 서로를 매우 사랑한다. (there, be, love)

→ ______________________________

3 그 소녀는 두 개의 풍선을 들고 있다. 하나는 파란색이고, 나머지 하나는 빨간색이다. (hold, balloon, be)

→ ______________________________

4 나는 머핀 두 개를 샀다. 하나는 내 것이고, 나머지 하나는 나의 엄마의 것이다. (buy, muffin, be)

→ ______________________________

5 나는 세 명의 여자형제가 있다. 한 명은 열다섯 살, 또 다른 한 명은 열 살, 나머지 한 명은 여섯 살이다. (have, be)

→ ______________________________

6 Chris는 3개 국어를 할 수 있다. 하나는 영어, 또 다른 하나는 프랑스어, 나머지 하나는 스페인어이다. (speak, language, French, Spanish)

→ ______________________________

7 나는 아이가 네 명이 있다. 하나는 딸이고 나머지는 아들들이다. (have, be)

→ ______________________________

8 어떤 사람들은 소설을 읽고 또 다른 사람들은 시를 읽는다. (read, novel, poem)

→ ______________________________

9 어떤 아이들은 농구를 했고, 또 다른 어떤 아이들은 야구를 했다. (play, basketball, baseball)

→ ______________________________

10 반에는 이십 명의 학생이 있었다. 어떤 학생은 그 시험에 통과했고, 나머지 모두는 그렇지 않았다. (there, be, pass)

→ ______________________________

Chapter 8

Unit 05 all, both, each, every

※ 다음 우리말을 주어진 말을 이용하여 조건에 맞춰 영어로 옮기시오.

조건	1. all, both, each, every 중 하나를 반드시 쓸 것 3. 시제에 유의하여 동사를 알맞게 변형할 것	2. 동사의 수에 유의할 것

1 그 소식에 모든 사람이 행복했다. (be)

→ ______________________________

2 네가 냉장고에 있는 우유를 모두 마셨니? (drink)

→ ______________________________

3 모든 손님들이 도착했다. (guest, arrive)

→ ______________________________

4 그 건물에 있던 모든 사람들은 안전하게 탈출했다. (escape, safely)

→ ______________________________

5 나는 내 모든 돈을 새 컴퓨터를 사는 데 썼다. (spend, buy)

→ ______________________________

6 두 선수 모두 경기를 잘하고 있다. (do, well)

→ ______________________________

7 각각의 아이는 자신만의 능력을 가진다. (have, own, talent)

→ ______________________________

8 그들은 각각 다른 언어를 썼다. (speak, language)

→ ______________________________

9 그는 모든 질문에 신중하게 답했다. (answer, carefully)

→ ______________________________

10 Sue와 나는 2주마다 만난다. (meet)

→ ______________________________

원급 / 비교급 / 최상급

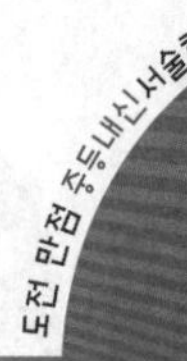

※ 다음 우리말을 주어진 말을 이용하여 조건에 맞춰 영어로 옮기시오.

조건	1. 형용사, 부사의 원급, 비교급, 최상급을 활용할 것	2. 시제에 유의하여 동사를 알맞게 변형할 것

1 첫 질문은 두 번째 질문보다 덜 어려웠다. (difficult)

→ ______________________________

2 어떤 스포츠는 다른 스포츠에 비해 더 위험하다. (dangerous)

→ ______________________________

3 쓰기가 읽기보다 더 어렵다. (writing, difficult, reading)

→ ______________________________

4 그는 나만큼 독서를 많이 한다. (read)

→ ______________________________

5 내 차는 그의 것만큼 저렴하다. (cheap)

→ ______________________________

6 Julia는 나만큼 예민하지 않다. (sensitive)

→ ______________________________

7 그는 모든 소년들 중 가장 인기가 많다. (popular)

→ ______________________________

8 이것이 모든 TV 쇼 중 제일 재미있다. (funny)

→ ______________________________

9 그것은 그 가게에서 가장 비싸다. (expensive)

→ ______________________________

10 Lisa는 우리 가족 중 제일 어리다. (young)

→ ______________________________

Unit 02 원급을 이용한 표현 / 비교급 강조

※ 다음 우리말을 주어진 말을 이용하여 조건에 맞춰 영어로 옮기시오.

조건	1. 1~2는 as 원급 as possible을 쓸 것 3. 시제에 유의하여 동사를 알맞게 변형할 것	2. 3~4는 as 원급 as 주어 can[could]를 쓸 것

1 가능한 한 빨리 시험 결과를 알려 줘. (let, know, test result)

→ ____________________

2 나는 되도록 많이 읽으려고 노력한다. (try, read)

→ ____________________

3 가능한 한 빨리 집에 오세요. (come, early)

→ ____________________

4 그녀는 되도록 그것을 간단히 설명했다. (explain, briefly)

→ ____________________

5 그는 나보다 두 배 더 무겁다. (be, as, heavy)

→ ____________________

6 그의 방은 내 방보다 네 배 크다. (be, as, large)

→ ____________________

7 녹색 건물은 하얀색 건물에 비해 다섯 배 높다. (be, tall, than)

→ ____________________

8 이 테이블은 저 의자에 비해서 열 배 더 비싸다. (be, expensive, than)

→ ____________________

9 이 모자가 저 모자보다 훨씬 더 크다. (be, much, big)

→ ____________________

10 중국어는 한국어보다 훨씬 더 어렵다. (be, a lot, difficult)

→ ____________________

Unit 03 비교급을 이용한 표현

※ 다음 우리말을 주어진 말을 이용하여 조건에 맞춰 영어로 옮기시오.

조건	1. 비교급의 변화에 유의할 것 3. 7~10번은 「the 비교급 ~, the 비교급 ~」을 쓸 것	2. 시제에 유의하여 동사를 알맞게 변형할 것

1 그녀는 두 사람 중 손위이다. (be, old)

→ ______________________________

2 저 컴퓨터는 둘 중 더 빠르다. (be, fast)

→ ______________________________

3 상황이 점점 더 나아지고 있다. (get, good)

→ ______________________________

4 그 사자는 점점 더 가까이 다가오고 있다. (approach, close)

→ ______________________________

5 나는 점점 과학에 흥미가 생겼다. (become, interested)

→ ______________________________

6 그 시험은 점점 더 어려워지고 있다. (get, difficult)

→ ______________________________

7 더 많이 웃을수록 점점 더 행복해진다. (smile, happy, become)

→ ______________________________

8 그녀는 나이가 들수록 점점 더 어머니를 닮아간다. (old, look like)

→ ______________________________

9 당신은 더 많이 배울수록, 더 현명해질 것이다. (learn, wise, become)

→ ______________________________

10 태양이 높이 떠오를수록 더 밝아졌다. (high, rise, bright)

→ ______________________________

Chapter 9

Unit 04 기타 비교급 표현

※ 다음 우리말을 주어진 말을 이용하여 조건에 맞춰 영어로 옮기시오.

조건	1. 형용사와 함께 쓰이는 전치사에 유의할 것	2. 시제에 유의하여 동사를 알맞게 변형할 것

1 나의 아버지께서는 차보다 커피를 더 좋아하신다. (prefer)

→ ______________________________

2 그들의 기술은 우리의 것보다 못하다. (be, inferior)

→ ______________________________

3 그는 자신의 형제들보다 우월하다고 느낀다. (feel, superior)

→ ______________________________

4 우리 부모님은 졸업 전에 결혼하셨다. (get married, prior)

→ ______________________________

5 그녀는 나보다 3살 많다. (be, senior)

→ ______________________________

6 그녀는 그보다 4살 어리다. (be, junior)

→ ______________________________

7 그의 선글라스는 내 것과 똑같다. (sunglasses, be, same)

→ ______________________________

8 나는 그와 같은 학교에 다녔다. (go, same)

→ ______________________________

9 이 두 사진은 서로 매우 비슷하다. (be, similar)

→ ______________________________

10 개는 늑대와 다르다. (be, different, wolf)

→ ______________________________

Unit 05 기타 최상급 표현

※ 다음 우리말을 주어진 말을 이용하여 조건에 맞춰 영어로 옮기시오.

조건	1~4번은 최상급을 활용할 것	5~10번은 원급, 비교급을 써서 최상급 의미를 갖는 문장으로 쓸 것

1 그는 전 세계에서 가장 위대한 축구 선수 중 한 명이다. (great, soccer player)

→ ______________________________

2 모나리자는 세계에서 가장 비싼 그림 중 하나이다. (the *Mona Lisa*, expensive)

→ ______________________________

3 이것은 내가 지금까지 본 것 중 가장 감동적인 영화이다. (touching, see)

→ ______________________________

4 이것은 내가 읽었던 책 중 가장 지루하다. (boring, read)

→ ______________________________

5 이 가게에서 이것보다 더 저렴한 카메라는 없다. (no, cheap)

→ ______________________________

6 태양계에서 목성보다 더 큰 행성은 없다. (no, solar system, large, Jupiter)

→ ______________________________

7 나의 동네에서 그녀만큼 어린 소녀는 없다. (no, neighborhood, as, young)

→ ______________________________

8 이 세상의 어떤 강도 나일 강만큼 길지 않다. (no, as, long, Nile)

→ ______________________________

9 바티칸 시국은 세계에서 다른 어떤 나라들보다도 작다. (Vatican City, small, any)

→ ______________________________

10 뉴욕은 미국에 다른 어떤 도시보다 크다. (large, any, city)

→ ______________________________

Unit 01 명사절 종속접속사: whether/if, that

※ 다음 우리말을 주어진 말을 이용하여 조건에 맞춰 영어로 옮기시오.

조건	1. 명사절 접속사 if, whether, that을 쓸 것	2. 시제에 유의하여 동사를 알맞게 변형할 것

1 우리가 그 경기를 할지 안 할지는 날씨에 달려있다. (play, depend on)

→ ______________________________

2 나는 네가 나를 도와줄 수 있는지 궁금하다. (wonder, help)

→ ______________________________

3 문제는 우리가 자동차를 빌려야 하느냐 택시를 타야 하느냐이다. (be, rent, take)

→ ______________________________

4 당신의 잘못에 대해 남을 탓하는 것은 옳지 않다. (it, true, blame)

→ ______________________________

5 기술이 우리의 삶을 편하게 만든다는 것은 사실이다. (it, true, make, convenient)

→ ______________________________

6 나는 Julie와 그녀의 여동생이 닮았다고 생각한다. (think, look, alike)

→ ______________________________

7 그가 11번가에서 사는 것이 확실하니? (be, live)

→ ______________________________

8 나는 그녀가 돼지고기에 알레르기가 있다고 들었다. (hear, be)

→ ______________________________

9 문제는 우리가 공연을 위한 시간이 충분하지 않다는 것이다. (be, have)

→ ______________________________

10 요점은 그들이 사고를 막을 수 있었다는 것이다. (be, could, prevent)

→ ______________________________

Unit 02 부사절 종속접속사: as, while, once, if

※ 다음 우리말을 주어진 말을 이용하여 조건에 맞춰 영어로 옮기시오.

조건	1. as, while, once, if, unless 중 적절한 접속사를 쓸 것	2. 시제에 유의하여 동사를 알맞게 변형할 것

1 Peter는 쉬면서 음악 듣는 것을 좋아한다. (as, like, listen, rest)

→ ______________________________

2 그는 너무 목이 말라서 많은 물을 마셨다. (be, extremely, drink)

→ ______________________________

3 사람들은 나이가 들수록 더 현명해진다. (get, old, wise)

→ ______________________________

4 로마에 가면 로마법을 따라라. (Rome, do)

→ ______________________________

5 버스 정류장에서 기다리고 있을 때, 눈이 내리기 시작했다. (while, wait, start, snow)

→ ______________________________

6 일단 당신이 그것을 읽기 시작하면 멈출 수 없다. (start, read, stop)

→ ______________________________

7 내일 날씨가 좋으면, 우리는 여행을 갈 것이다. (be, go on a trip)

→ ______________________________

8 질문이 있으면 저에게 전화 주세요. (give, call, have)

→ ______________________________

9 따뜻한 옷을 입지 않으면, 너는 추울 것이다. (unless, wear, feel)

→ ______________________________

10 당신은 신분증이 없으면 도서관에 들어올 수 없습니다. (unless, have, enter)

→ ______________________________

부사절 종속접속사: since, until, (al)though

※ 다음 우리말을 주어진 말을 이용하여 조건에 맞춰 영어로 옮기시오.

조건	1. since, until, although 중 하나를 반드시 쓸 것 2. 동사의 태와 시제에 유의하여 동사를 알맞게 변형할 것

1 나는 우리가 어렸을 때부터 그를 알고 지냈다. (know, be)

→ ______________________________

2 그녀는 10살부터 계속 서울에 살았다. (live, be)

→ ______________________________

3 표가 다 매진돼서 우리는 콘서트에 갈 수 없다. (sell, go)

→ ______________________________

4 그 소설은 중국어로 쓰였기 때문에 나는 그것을 읽을 수 없다. (read, write, Chinese)

→ ______________________________

5 그들이 나에게 사과할 때까지 나는 그들을 용서하지 않을 것이다. (forgive, apologize)

→ ______________________________

6 우리는 해가 질 때까지 계속 수영을 했다. (keep, swim, set)

→ ______________________________

7 그 일은 힘들었지만 시간에 맞춰 끝냈다. (task, be, complete)

→ ______________________________

8 비가 거세게 내렸지만 그들은 계속해서 축구를 했다. (rain, keep, play)

→ ______________________________

9 그녀는 비록 어렸지만 그녀는 생각이 깊었다. (be, thoughtful)

→ ______________________________

10 그는 공부를 매우 열심히 했지만 시험에 떨어졌다. (fail, study)

→ ______________________________

시험에 꼭 나오는 전치사

※ 다음 우리말을 주어진 말을 이용하여 조건에 맞춰 영어로 옮기시오.

조건	1. 적절한 전치사를 쓸 것	2. 한정사의 쓰임에 유의할 것
	3. 동사의 태와 시제에 유의하여 동사를 알맞게 변형할 것	

1 그의 아버지는 심장마비로 사망했다. (die, heart attack)

→ ______________________________

2 나는 밤에 잠을 못 자서 지쳐 있었다. (be, exhausted, sleepless)

→ ______________________________

3 어떤 사람들은 기차를 타고 출근한다. (go)

→ ______________________________

4 제목은 대문자로 쓰여 있었다. (write)

→ ______________________________

5 당신은 제복을 입으니까 멋져 보인다. (look)

→ ______________________________

6 빨간 옷을 입은 남자가 우리의 새 담임 선생님이다. (be, homeroom teacher)

→ ______________________________

7 나는 새에 관한 책을 샀다. (buy)

→ ______________________________

8 그들은 그 후보자에게 (찬성) 투표를 했다. (vote, candidate)

→ ______________________________

9 우리는 그들의 결정에 반대한다. (be, against, decision)

→ ______________________________

10 그는 가수로 유명하다. (be)

→ ______________________________

주의해야 할 접속사 vs. 전치사

※ 다음 우리말을 주어진 말을 이용하여 조건에 맞춰 영어로 옮기시오.

조건	1. 적절한 전치사나 접속사를 쓸 것 3. 축약이 가능한 경우, 축약형으로 쓸 것	2. 동사의 태와 시제에 유의하여 동사를 알맞게 변형할 것

1 여름 동안 그녀는 안전요원으로 일했다. (work, lifeguard)

→ ____________________

2 나는 그를 몇 달간 못 봤다. (see, month)

→ ____________________

3 그 쿠폰은 3월 말까지 유효하다. (be good)

→ ____________________

4 나는 정오까지 거기에 가야 한다. (should, be, noon)

→ ____________________

5 나는 연극에서 주연을 맡아 신이 났다. (be, get)

→ ____________________

6 비 때문에 현장학습을 갈 수 없었다. (go on the field trip)

→ ____________________

7 그녀가 그를 크게 불렀지만, 그는 듣지 못했다. (call, aloud, hear)

→ ____________________

8 그 집은 지진에도 불구하고 하나도 훼손되지 않았다. (damage, earthquake)

→ ____________________

9 그는 그 어려움에도 불구하고 절대로 희망을 잃지 않았다. (lose, difficulty)

→ ____________________

10 내가 발표를 할 때 아무도 말하지 않았다. (nobody, speak, give)

→ ____________________

관계대명사 who / which / whose

※ 다음 우리말을 주어진 말을 이용하여 조건에 맞춰 영어로 옮기시오.

조건	1. who, which, whose 중 알맞은 관계대명사를 쓸 것 2. 동사의 태와 시제에 유의하여 동사를 알맞게 변형할 것

1 그의 어머니는 유명한 작가에 의해 쓰인 책을 읽었다. (read, write)

→ ______________________________

2 그는 결말이 행복한 영화를 주로 본다. (watch, have)

→ ______________________________

3 뒷마당에 있는 자전거는 엄마에게 받은 선물이다. (be, backyard, gift)

→ ______________________________

4 나는 밖에서 기다리고 있는 많은 사람들이 보인다. (see, wait)

→ ______________________________

5 옆집에 사는 그 여자는 매우 친절하다. (live, be)

→ ______________________________

6 나는 그가 쓰고 있는 모자가 마음에 든다. (like, wear)

→ ______________________________

7 내가 읽고 싶었던 책이 책장에 없다. (want, be, bookshelf)

→ ______________________________

8 이 사람이 그가 나에게 소개해 준 소녀이다. (be, introduce)

→ ______________________________

9 그녀는 벽이 초록색인 집에서 살기를 원한다. (want, live, be)

→ ______________________________

10 그녀는 이름이 Mike인 친구가 한 명 있다. (have, be)

→ ______________________________

Unit 02 관계대명사 that

※ 다음 우리말을 주어진 말을 이용하여 조건에 맞춰 영어로 옮기시오.

조건	1. 관계대명사 that을 쓸 것	2. 동사의 태와 시제에 유의하여 동사를 알맞게 변형할 것

1 내가 어제 말을 했던 소년은 매우 친절했다. (speak to, be)

→ ______

2 서울로 가는 그 버스는 두 시간마다 운행된다. (go, Seoul, run)

→ ______

3 뒷마당에서 놀고 있던 한 어린이와 개 한 마리를 보았니? (see, play, backyard)

→ ______

4 그 영화는 내가 본 것 중 제일 긴 영화이다. (ever, see)

→ ______

5 그가 말한 모든 것은 테이프에 녹음되었다. (everything, say, record)

→ ______

6 저 사람이 내가 카페에서 봤던 바로 그 남자이다. (very, see)

→ ______

7 그녀는 당신이 가지고 있는 것과 똑같은 모자를 가지고 있다. (have, same)

→ ______

8 그녀는 결승선을 통과한 세 번째 사람이었다. (be, cross, finish line)

→ ______

9 냉장고에 보관되었던 모든 음식이 상했다. (keep, refrigerator, go, bad)

→ ______

10 당신은 당신의 인생을 바꿀 수 있는 유일한 사람이다. (be, only, change)

→ ______

관계대명사 what / 관계대명사의 생략

※ 다음 우리말을 주어진 말을 이용하여 조건에 맞춰 영어로 옮기시오.

조건	1. 1~6까지 관계사 what을 활용해서 쓸 것, 7~10까지 관계대명사절에서 생략할 수 있는 부분은 생략할 것 2. 시제에 유의하여 동사를 알맞게 변형할 것

1 내가 원하는 것은 숙면이다. (want, be, good sleep)

→ ______________________________

2 그들이 믿는 것은 사실이 아니다. (believe, be)

→ ______________________________

3 그녀는 이미 가지고 있는 것에 대해 감사하지 않는다. (appreciate, have)

→ ______________________________

4 오늘 그가 한 말을 잊지 말아라. (forget, say)

→ ______________________________

5 이 카메라는 그녀가 원하는 것이다. (be, want)

→ ______________________________

6 그것은 내가 의도한 것이 아니야. (be, mean)

→ ______________________________

7 이것은 내가 사고 싶은 손목시계이다. (be, want, buy)

→ ______________________________

8 그녀는 내가 어제 이야기했던 소녀이다. (be, talk about)

→ ______________________________

9 피아노를 치고 있는 그 남자는 유명한 피아니스트이다. (play, be)

→ ______________________________

10 청바지를 입고 있는 그 소녀는 나의 사촌이다. (in blue jeans, be, cousin)

→ ______________________________

Chapter 11

Unit 04 관계대명사의 용법

※ 다음 우리말을 주어진 말을 이용하여 조건에 맞춰 영어로 옮기시오.

조건	1. 관계대명사가 계속적 용법인 경우, 쉼표를 반드시 쓸 것 2. 시제에 유의하여 동사를 알맞게 변형할 것

1 피아노를 치는 여자는 나의 사촌이다. (play, be) –제한

→ ____________________

2 나의 할아버지는 작년에 돌아가셨는데, 그는 경찰이셨다. (pass away, be) – 삽입

→ ____________________

3 나의 남동생은 꿈이 과학자인데, 그는 매우 똑똑하다. (dream, be) – 삽입

→ ____________________

4 그는 에펠탑을 보았는데, 그것은 파리에서 가장 높은 건물이다. (saw, the Eiffel Tower, be) – 계속

→ ____________________

5 나는 Ben과 우연히 마주쳤는데, 그는 내 옛날 친구 중 한 명이다. (run into, be) – 계속

→ ____________________

6 그들은 오타와에 사는데, 그곳은 캐나다의 수도이다. (live, Ottawa, capital city) – 계속

→ ____________________

7 그들은 소프트볼을 하고 있는데, 그것은 야구와 비슷한 운동이다. (play, be, sport, similar) –계속

→ ____________________

8 그녀는 마음을 바꿨는데, 그것은 우리 모두를 놀라게 했다. (change, surprise) – 계속

→ ____________________

9 그들은 계속 그를 놀려댔고, 이것은 그를 화나게 했다. (keep, make fun of, make, angry) – 계속

→ ____________________

10 그녀는 어제 학교에 늦었는데, 그것은 그녀의 선생님을 화나게 만들었다. (be late for, make, upset) –계속

→ ____________________

Unit 05 관계부사

※ 다음 우리말을 주어진 말을 이용하여 조건에 맞춰 영어로 옮기시오.

조건	1. 1~3은 when, 4~5는 where, 6~7은 why, 8~9는 how, 10은 the way를 활용하여 쓸 것 2. 관계부사 how의 쓰임에 유의할 것 3. 시제에 유의하여 동사를 알맞게 변형할 것

1 2월은 꽤 추운 달이다. (February, month, be, pretty)

→ ______________________________

2 나는 그가 우리 학교에 처음으로 온 날을 기억한다. (remember, come to)

→ ______________________________

3 제 수필을 제출해야 하는 날이 언제인가요? (be, have to, hand in)

→ ______________________________

4 우리가 숙박했던 호텔은 비쌌다. (stay, be)

→ ______________________________

5 그 마을에는 당신이 먹을 수 있는 식당이 없다. (village, have, no, eat)

→ ______________________________

6 나는 그가 떠난 이유를 알고 싶었다. (want, know, leave)

→ ______________________________

7 그녀는 내가 생각을 바꾼 이유를 알지 못한다. (know, change)

→ ______________________________

8 내가 케이크를 만들 수 있는 방법을 알려 줘. (tell, make)

→ ______________________________

9 소프트웨어 사용법을 당신에게 알려 줄게요. (let, show, use)

→ ______________________________

10 이것이 내가 그 문제를 푼 방법이다. (solve, problem)

→ ______________________________

Chapter 11

Unit 06 복합관계대명사

※ 다음 우리말을 주어진 말을 이용하여 조건에 맞춰 영어로 옮기시오.

조건	1. 1~6은 반드시 복합관계대명사를 쓸 것	2. 시제에 유의하여 동사를 알맞게 변형할 것

1 메두사의 얼굴을 본 사람은 누구든지 돌로 변했다. (see, Medusa, turn into, stone)

→ ______

2 나는 내가 좋아하는 사람 누구에게나 이 노래를 불러 줄 것이다. (sing, like)

→ ______

3 네가 누구에게 물어봐도 대답은 같을 것이다. (ask, be, same)

→ ______

4 내가 마음속에 품고 있는 것이 무엇이든 네게 말해도 될까? (tell, be, on my mind)

→ ______

5 당신이 어떤 길을 택하든 약 4시간이 걸릴 것입니다. (take, route, take)

→ ______

6 당신이 어느 것을 사든지 당신은 20% 할인을 받을 수 있다. (buy, get, discount)

→ ______

7 그의 부모님이 누구이든 그는 정직한 사람이다. (matter, be)

→ ______

8 당신은 원하는 사람이 누구든 초대할 수 있다. (invite, whom, want)

→ ______

9 내가 무엇을 제안하든, 내 친구들은 반대했다. (matter, suggest, disagree)

→ ______

10 당신이 무엇을 고르든, 당신은 만족할 것입니다. (matter, choose, be, satisfied)

→ ______

Unit 07 복합관계부사

※ 다음 우리말을 주어진 말을 이용하여 조건에 맞춰 영어로 옮기시오.

조건	1. 1~7은 반드시 복합관계부사를 쓸 것	2. 시제에 유의하여 동사를 알맞게 변형할 것

1 나는 그 노래를 들을 때마다, 내 마음이 따뜻해진다. (hear, feel)

→ ______________________________

2 나에게 문제가 생기면 언제든, 그것을 엄마와 상의한다. (have, talk about)

→ ______________________________

3 그가 어디를 가든지 그는 많은 주목을 받았다. (go, attract, attention)

→ ______________________________

4 우리는 우리가 가고 싶은 곳이 어디든 여행할 수 있다. (travel, want, go)

→ ______________________________

5 이 식물은 기후가 충분히 따뜻한 곳이면 어디든 잘 자란다. (grow, climate, be)

→ ______________________________

6 그가 어떻게든 설명하려고 해도 나는 그것을 이해할 수 없었다. (try, explain, understand)

→ ______________________________

7 그는 자동차가 얼마나 비싸든 그것을 갖고 싶어 한다. (want, much, cost)

→ ______________________________

8 당신이 언제 우리를 찾아오든, 우리는 당신을 환영할 것입니다. (matter, visit, welcome)

→ ______________________________

9 그녀는 어디를 가든 그녀의 팬들이 쫓아다녔다. (follow, matter, go)

→ ______________________________

10 아무리 어렵다 해도, 나는 그 프로젝트를 끝낼 것이다. (matter, be, finish)

→ ______________________________

Unit 01 가정법 과거

※ 다음 우리말을 주어진 말을 이용하여 조건에 맞춰 영어로 옮기시오.

조건	가정법 과거(If + 주어 + 동사의 과거, 주어 + 조동사의 과거 + 동사원형) 문장을 쓸 것

1 그녀가 여기 있었다면, 그녀는 나에게 조언을 해 줄 텐데. (here, will, give)

→ ______________________________

2 내가 너의 입장에 있었으면, 그를 그 파티에 초대했을 텐데. (shoes, will, invite)

→ ______________________________

3 만일 당신이 백만장자라면 무엇을 하시겠습니까? (will, do, millionaire)

→ ______________________________

4 그가 휴대폰이 있다면, 그는 그녀에게 전화할 수 있을 텐데. (have, can, call)

→ ______________________________

5 내가 학교 근처에 산다면, 버스를 탈 필요가 없을 텐데. (live, would, have to)

→ ______________________________

6 내가 피아노 수업이 있었으면, 영화를 보러 가지 못할 텐데. (have, can, go)

→ ______________________________

7 내가 할 일이 많지 않다면, 산책을 나갈 수 있을 텐데. (have, can, go)

→ ______________________________

8 만일 당신이 대통령이라면, 우리나라를 위해 무엇을 하겠습니까? (the President, will, do)

→ ______________________________

9 오늘이 일요일이었으면, 나는 학교에 가지 않을 텐데. (it, will, go)

→ ______________________________

10 그녀가 중국어를 말한다면, 중국에 혼자 여행 다닐 수 있을 텐데. (speak, Chinese, travel alone)

→ ______________________________

가정법 과거완료

※ 다음 우리말을 주어진 말을 이용하여 조건에 맞춰 영어로 옮기시오.

조건	가정법 과거 완료(If + 주어 + had + p.p., 주어 + 조동사의 과거형 + have + p.p.)문장을 쓸 것

1 내가 시험에서 실수하지 않았으면 더 높은 점수를 땄을 텐데. (make, will, get, high)

→ ____________________

2 그가 충분한 돈을 모았다면 자동차를 샀을지도 모를 텐데. (save, may, buy)

→ ____________________

3 이 책이 한국어로 번역되지 않았다면, 나는 그것을 읽지 않았을 텐데. (translate into, will, read)

→ ____________________

4 내가 지갑을 가지고 오지 않았으면 식사 값을 지불하지 못했을 텐데. (bring, wallet, can, pay, meal)

→ ____________________

5 그들이 거짓말을 하지 않았으면 곤란한 상황에 처하지 않았을 텐데. (lie, would, be in trouble)

→ ____________________

6 그들이 서울에 살았더라면, 나는 그들을 더 자주 만날 수 있었을 텐데. (live, can, meet)

→ ____________________

7 내가 일찍 잠자리에 들었으면 잠을 충분히 잘 수 있었을 텐데. (go to bed, can, get)

→ ____________________

8 내가 그 질문을 대답했으면, 내가 그 상을 타는 건데. (answer, will, win)

→ ____________________

9 내가 표를 더 빨리 예약했었으면, 우리는 좋은 좌석을 얻을 수 있었을 텐데. (book, can, get, good)

→ ____________________

10 당신이 내 조언을 무시하지 않았으면, 당신은 실패하지 않았을 텐데. (ignore, will, fail)

→ ____________________

Chapter 12

Unit 03 I wish / as if[as though]

※ 다음 우리말을 주어진 말을 이용하여 조건에 맞춰 영어로 옮기시오.

조건	1. 1~5는 가정법 과거를 쓸 것	2. 6~10은 가정법 과거완료를 쓸 것
	3. 시제에 유의하여 동사를 알맞게 변형할 것	

1 나에게 애완동물이 있으면 좋을 텐데. (have)

→ ______________________________

2 오늘이 일요일이면 좋을 텐데. (be)

→ ______________________________

3 내가 기타를 칠 수 있으면 좋을 텐데. (play)

→ ______________________________

4 그는 마치 부자인 것처럼 행동한다. (act, be)

→ ______________________________

5 그녀는 내가 그녀의 여동생인 듯이 대한다. (treat, be)

→ ______________________________

6 네가 그 영화를 봤다면 좋을 텐데. (watch)

→ ______________________________

7 나는 너의 조언을 들었어야 했는데. (listen to)

→ ______________________________

8 그가 수영을 할 수 있었다면 좋을 텐데. (be able to)

→ ______________________________

9 그녀는 마치 호주에 방문한 적이 있는 것처럼 말한다. (talk, visit, Australia)

→ ______________________________

10 그는 잠을 잘 못 잤던 것처럼 보인다. (look, sleep)

→ ______________________________

Unit 04 Without / But for / It's time ~

※ 다음 우리말을 주어진 말을 이용하여 조건에 맞춰 영어로 옮기시오.

조건 1. 1~4은 가정법 과거를 쓸 것 2. 5~8은 가정법 과거완료를 쓸 것
2. 시제에 유의하여 동사를 알맞게 변형할 것

1 컴퓨터 없었다면, 나는 내 에세이를 끝낼 수 없을 텐데. (without, finish)

→ ______________________________

2 지도가 없었다면, 우리는 길을 잃어버렸을 것이다. (but for, be lost)

→ ______________________________

3 그 난방기가 없었다면, 우리는 매우 추웠을 것이다. (without, heater, feel)

→ ______________________________

4 내 안경이 없었으면, 나는 아무것도 볼 수 없었을 것이다. (if, see)

→ ______________________________

5 내 지원이 없었다면, 그는 자신의 사업을 시작할 수 없었다. (but for, support, business)

→ ______________________________

6 너의 도움이 없었다면, 나는 시험에서 떨어졌을 거야. (without, fail)

→ ______________________________

7 구명조끼기 없었으면, 그들은 익사했을 거야. (but for, lifejacket, drown)

→ ______________________________

8 교통체증이 없었으면, 나는 늦지 않았을 거야. (if, traffic jam, be late)

→ ______________________________

9 너는 잠을 자야 할 시간이다. (go to bed)

→ ______________________________

10 네가 학교에 가야 할 시간이다. (go to school)

→ ______________________________

수의 일치 1: 단수동사를 쓰는 경우

※ 다음 우리말을 주어진 말을 이용하여 조건에 맞춰 영어로 옮기시오.

조건	1. 동사의 수의 일치에 유의할 것	2. 시제에 유의하여 동사를 알맞게 변형할 것

1 각 나라는 고유의 국기가 있다. (each, have, national flag)

→ ______________________________

2 이 계산기에 뭔가 문제가 있다. (something, be, calculator)

→ ______________________________

3 사과를 먹는 것은 건강을 증진시킨다. (eat, improve)

→ ______________________________

4 컴퓨터 중 하나가 수리가 필요하다. (one, need, fix)

→ ______________________________

5 신생아 수가 줄고 있다. (newborn baby, be, decrease)

→ ______________________________

6 필리핀은 아름다운 해변으로 유명하다. (the Philippines, be, beach)

→ ______________________________

7 2킬로미터는 뛰기에 먼 거리이다. (kilometer, be, distance, run)

→ ______________________________

8 30분은 기다리기에 긴 시간이다. (minute, be, wait)

→ ______________________________

9 홍역은 열, 콧물, 발진등과 같은 증상을 일으킨다. (measles, cause, symptom, rash)

→ ______________________________

10 우표 수집은 내 취미이다. (collect, be)

→ ______________________________

수의 일치 2: 복수동사를 쓰는 경우

※ 다음 우리말을 주어진 말을 이용하여 조건에 맞춰 영어로 옮기시오.

조건	1. 동사의 수의 일치에 유의할 것	2. 동사의 태와 시제에 유의하여 동사를 알맞게 변형할 것

1 세계에는 190개가 넘는 국가가 있다. (there, be)

→ ____________________

2 어떤 사람들은 특이한 애완동물을 키운다. (some, keep, unusual)

→ ____________________

3 그 옷은 우리 언니 것이다. (belong to)

→ ____________________

4 많은 학생들이 그 답을 알고 있다. (many, know)

→ ____________________

5 Sue와 나는 오늘 피아노 교습이 있다. (have, lesson)

→ ____________________

6 많은 사람들이 자신들의 차례를 기다리고 있다. (number, wait, turn)

→ ____________________

7 많은 소년들이 교실에 앉아있다. (number, sit)

→ ____________________

8 부자들은 늘 행복한 것은 아니다. (rich, be)

→ ____________________

9 어린 아이들은 외국어를 빨리 배운다. (young, learn, foreign language)

→ ____________________

10 부상자들은 병원으로 실려 갔다. (injured, take)

→ ____________________

Chapter 13

Unit 03 수의 일치 3: 수식어구 뒤의 명사 수

※ 다음 우리말을 주어진 말을 이용하여 조건에 맞춰 영어로 옮기시오.

조건	1. 동사의 수의 일치에 유의할 것	2. 동사의 태와 시제에 유의하여 동사를 알맞게 변형할 것

1 신체의 70%는 물이다. (human body, be)

→ ______________________________

2 미국인의 7분의 3은 그 후보를 지지한다. (seventh, support, candidate)

→ ______________________________

3 그녀의 친구의 대부분은 캐나다 출신이다. (most, be)

→ ______________________________

4 그 정보의 대부분은 틀렸다. (most, be)

→ ______________________________

5 파이의 나머지는 냉장고에 있다. (rest, be, fridge)

→ ______________________________

6 그 책들의 나머지는 선반에 있다. (rest, be, shelf)

→ ______________________________

7 그 돈의 전부가 도난되었다. (all, be, steal)

→ ______________________________

8 산의 모든 나무가 잘렸다. (all, be)

→ ______________________________

9 그 학생들 중 몇몇은 지루해 보인다. (some, look)

→ ______________________________

10 돈의 절반은 자선단체에 보내졌다. (half, have, give, charity)

→ ______________________________

Unit 04 수의 일치 4: 상관접속사의 수

※ 다음 우리말을 주어진 말을 이용하여 조건에 맞춰 영어로 옮기시오.

조건	1. 적절한 상관 접속사를 쓸 것 3. 시제에 유의하여 동사를 알맞게 변형할 것	2. 동사의 수의 일치에 유의할 것

1 Tim이나 당신 둘 중 하나는 발표를 해야 한다. (either, have to)

→ ______________________________

2 당신이나 그 둘 중 하나는 방을 청소해야 한다. (either, have to)

→ ______________________________

3 당신도 나도 그에게 쌀쌀맞게 굴지 않았다. (neither, be, unfriendly)

→ ______________________________

4 그녀도 그녀의 아들들도 한국어를 말하지 않는다. (neither, speak)

→ ______________________________

5 그의 누나들뿐만 아니라 그도 나를 방문할 예정이다. (not only, be going to)

→ ______________________________

6 그 소년은 물론, 그 소녀들도 꾸중을 들었다. (not only, be scolded)

→ ______________________________

7 그녀뿐만 아니라 그녀의 언니들도 뉴욕시에 살고 있다. (well, live, New York City)

→ ______________________________

8 나뿐만 아니라 Tom도 그 도시를 방문할 예정이다. (well, be going to)

→ ______________________________

9 우리 형과 나는 둘 다 해외여행을 좋아한다. (both, like, travel abroad)

→ ______________________________

10 그와 그의 아내 둘 다 테니스를 즐긴다. (both, enjoy)

→ ______________________________

Chapter 13

Unit 05 시제의 일치

※ 다음 우리말을 주어진 말을 이용하여 조건에 맞춰 영어로 옮기시오.

조건	1. 명사절이 포함된 문장으로 쓸 것	2. 시제에 유의하여 동사를 알맞게 변형할 것

1 곧 눈이 올 것 같다. (seem, snow)

→ ______________________________

2 나는 그가 내년에 16살이 될 것이라는 것을 알고 있다. (know, be)

→ ______________________________

3 그는 자신의 아들이 똑똑하다고 믿는다. (believe, be)

→ ______________________________

4 나는 그들이 이 시간에 왜 여기 있는지 궁금하다. (wonder, be, at this time)

→ ______________________________

5 그들은 그가 미국으로 간 이유를 이해하지 못한다. (understand, go, America)

→ ______________________________

6 그녀는 그 커플이 결혼했다는 것을 알고 있다. (know, get married)

→ ______________________________

7 나는 네가 그 영화를 좋아하지 않았다고 생각했다. (think, like)

→ ______________________________

8 그녀는 그가 집에 일찍 돌아올 것이라고 생각했다. (think, come)

→ ______________________________

9 Tina는 자신이 집에 책을 놓고 왔다는 것을 깨달았다. (realize, leave)

→ ______________________________

10 그는 당신이 모든 쿠키를 다 먹었다고 생각했다. (think, eat)

→ ______________________________

시제 일치의 예외

※ 다음 우리말을 주어진 말을 이용하여 조건에 맞춰 영어로 옮기시오.

조건	1. 시간, 조건 부사절의 시제에 유의할 것	2. 시제 일치의 예외 상황에 유의하여 동사를 알맞게 변형할 것

1 그녀는 일요일마다 하이킹을 간다고 말했다. (say, go) – 습관

→ ______________________________

2 나는 긴장할 때 손톱을 깨문다고 말했다. (say, bite, nail, nervous) – 습관

→ ______________________________

3 먹기 전에 손을 씻어라. (wash, before, eat) – 현재가 미래를 대신하는 시간 부사절

→ ______________________________

4 비가 오면 우리는 공원에 가지 않을 것이다. (if, rain, go) – 현재가 미래를 대신하는 시간 부사절

→ ______________________________

5 나의 선생님은 모든 사람이 실수를 할 수 있다고 말했다. (say, make) – 일반적 진리

→ ______________________________

6 우리는 기름과 물은 섞이지 않는다고 배웠다. (learn, mix) – 일반적 진리

→ ______________________________

7 나는 라이트 형제가 비행기를 발명했다는 것을 알고 있다. (know, Wright brothers, invent) – 역사적 사실

→ ______________________________

8 당신은 Galileo가 망원경을 개발했다는 것을 알고 있나요? (know, invent, telescope) – 역사적 사실

→ ______________________________

9 나의 엄마는 일찍 일어나는 새가 벌레를 잡는다고 말했다. (say, early bird, catch, worm) – 속담

→ ______________________________

10 그녀는 낮말은 새가 듣고 밤말은 쥐가 듣는다고 말했다. (say, have) – 속담

→ ______________________________

화법 전환 1: 평서문

※ 다음 우리말을 주어진 말을 이용하여 조건에 맞춰 영어로 옮기시오.

조건	1. 1~5는 직접화법으로 쓸 것 2. 시제에 유의하여 동사를 알맞게 변형할 것	2. 6~10은 간접화법으로 쓸 것

1 그는 나에게 "나는 이미 네 방을 청소했어"라고 말했다. (say, already, clean)

→ ______________________________

2 그녀는 나에게 "나는 너를 만나서 기뻐"라고 말했다. (say, happy)

→ ______________________________

3 그는 "Peter와 나는 같은 학교에 다녔어"라고 말한다. (say, go, the same)

→ ______________________________

4 그는 "나는 독일로 이사 갈 거야"라고 말했다. (say, move, Germany)

→ ______________________________

5 그는 나에게 "나는 여기서 숙제에 집중할 수 없어"라고 말했다. (say, can't, concentrate)

→ ______________________________

6 Tom은 그녀에게 시험 준비를 해야 한다고 말한다. (tell, have to, prepare for)

→ ______________________________

7 Chris는 그때 책을 읽고 있는 중이었다고 말했다. (say, read, then)

→ ______________________________

8 Jessica는 이전 달에 파리에 왔다고 말했다. (say, come, Paris, previous)

→ ______________________________

9 나의 부모님은 다음 일요일에 집에 돌아오겠다고 나에게 말했다. (tell, be back, following)

→ ______________________________

10 엄마는 그때 비가 세차게 내리고 있었다고 말했다. (say, rain, heavily)

→ ______________________________

Unit 08 화법 전환 2: 의문문

※ 다음 우리말을 주어진 말을 이용하여 조건에 맞춰 영어로 옮기시오.

조건	1. 1~5는 직접화법으로 쓸 것	2. 6~10은 간접화법으로 쓸 것
	3. 시제에 유의하여 동사를 알맞게 변형할 것	

1 그는 나에게 "점심으로 뭘 먹고 싶니?"라고 말했다. (say, want)

→ ______________________________

2 그녀는 그에게 "어떻게 도와드릴까요?"라고 말했다. (say, can, help)

→ ______________________________

3 Chris는 그에게 "여행은 즐거우셨나요?"라고 말했다. (say, enjoy)

→ ______________________________

4 나는 그녀에게 "먹을 것을 원하시나요?"라고 말했다. (say, want)

→ ______________________________

5 그녀는 그에게 "제 휴대폰을 봤어요?"라고 말했다. (say, have, see)

→ ______________________________

6 나는 그에게 어디로 가는 중이냐고 물었다. (ask, go)

→ ______________________________

7 그는 나에게 누구와 쇼핑을 갔냐고 물었다. (ask, go shopping)

→ ______________________________

8 그는 그녀에게 그때 기분이 어떠냐고 물었다. (ask, how, feel)

→ ______________________________

9 그녀는 나에게 그 영화를 봤는지 물었다. (ask, watch)

→ ______________________________

10 Tim은 그녀에게 그 행사에 올 것인지 물었다. (ask, come)

→ ______________________________

Chapter 13

Unit 09 화법 전환 3: 명령문

※ 다음 우리말을 주어진 말을 이용하여 조건에 맞춰 영어로 옮기시오.

조건	1. 각 문장에 to부정사를 반드시 쓸 것	2. 시제에 유의하여 동사를 알맞게 변형할 것

1 Jackson 부인은 그녀의 아들에게 어린 여동생에게 잘해 주라고 말했다. (tell, nice, little)

→ ______________________________

2 그는 그의 딸에게 먼저 손을 씻으라고 말했다. (tell, wash)

→ ______________________________

3 그는 나에게 기분 상해하지 말라고 말했다. (tell, upset)

→ ______________________________

4 그는 우리에게 참으라고 권고했다. (advise, patient)

→ ______________________________

5 나는 그에게 충분한 수면을 취하라고 권고했다. (advise, get)

→ ______________________________

6 그녀의 의사는 그녀에게 물을 충분히 마시라고 충고했다. (advise, drink)

→ ______________________________

7 엄마는 나에게 음식 갖고 까다롭게 굴지 말하고 조언했다. (advise, picky)

→ ______________________________

8 그들은 우리에게 조용히 하라고 지시했다. (order, quiet)

→ ______________________________

9 선생님은 그들에게 수업 시간에 휴대폰을 사용하지 말라고 지시했다. (order, use)

→ ______________________________

10 그는 나에게 창문을 열어달라고 부탁했다. (ask, open)

→ ______________________________

Unit 01 병렬구조

※ 다음 우리말을 주어진 말을 이용하여 조건에 맞춰 영어로 옮기시오.

조건	1. 적절한 등위접속사나 상관 접속사를 쓸 것	2. 시제에 유의하여 동사를 알맞게 변형할 것

1 나는 계란, 버터, 설탕을 샀다. (buy)

→ ______________________________

2 당신은 서울에서 태어났나요, 부산에서 태어났나요? (be, born)

→ ______________________________

3 그들은 잘생겼지만 무례하다. (be, impolite)

→ ______________________________

4 그는 하이킹과 수영 둘 다 좋아한다. (love)

→ ______________________________

5 그녀는 노래를 할 뿐만 아니라 피아노도 연주한다. (not only, sing, play)

→ ______________________________

6 나는 가방 속에서도 책상 위에서도 내 지갑을 찾을 수 없었다. (can, find, neither, wallet)

→ ______________________________

7 그는 영화를 보거나 콘서트에 가기로 결정했다. (decide, either, watch, go)

→ ______________________________

8 나는 집에서 먹고 싶었지만, 그녀는 외식을 하고 싶어 했다. (want, eat)

→ ______________________________

9 그는 가수가 아니라 피아니스트이다. (be)

→ ______________________________

10 나뿐만 아니라 내 여동생도 클래식 음악을 좋아한다. (well, like)

→ ______________________________

Chapter 14

Unit 02 「It ~ that...」 강조 구문

※ 다음 우리말을 주어진 말을 이용하여 조건에 맞춰 영어로 옮기시오.

조건	1. It ~ that 강조구문을 쓸 것	2. 동사의 태와 시제에 유의하여 동사를 알맞게 변형할 것

1 냉장고를 고친 사람은 바로 나의 삼촌이다. (fix, refrigerator)

→ ______________________________

2 브라질에서 쓰이는 언어는 바로 포르투갈어이다. (Portuguese, speak, Brazil)

→ ______________________________

3 유리잔을 깨뜨린 것은 바로 그 고양이였다. (break, glass)

→ ______________________________

4 사고를 유발한 것은 바로 그 빙판길이었다. (icy road, cause)

→ ______________________________

5 내가 원했던 것은 바로 새 태블릿 PC였다. (tablet PC, want)

→ ______________________________

6 그녀가 학교에서 돌아오는 길에 마주친 사람은 바로 나였다. (run into)

→ ______________________________

7 내가 지난주에 잃어버린 것은 바로 내 우산이다. (umbrella, lose)

→ ______________________________

8 그가 한국으로 떠난 것은 바로 2주 전이었다. (leave)

→ ______________________________

9 내가 그 사진을 발견한 것은 바로 침대 밑이었다. (find)

→ ______________________________

10 그가 자신의 아내를 만난 곳은 바로 밴쿠버였다. (Vancouver, meet)

→ ______________________________

Unit 03 부정어 도치

※ 다음 우리말을 주어진 말을 이용하여 조건에 맞춰 영어로 옮기시오.

조건	1. 부정어를 문장 앞으로 도치시킬 것	2. 시제에 유의하여 동사를 알맞게 변형할 것

1 우리는 그렇게 이상한 동물을 본 적이 한 번도 없다. (never, see, such)

→ ______________________________

2 나는 그렇게 큰 보름달을 본 적이 없다. (never, see, full moon)

→ ______________________________

3 그들은 주말에 좀처럼 외식을 하지 않는다. (hardly, eat)

→ ______________________________

4 그들은 거의 약속을 지키지 않는다. (seldom, keep)

→ ______________________________

5 그녀는 그 도시에 대해 아는 것이 거의 없다. (little, know)

→ ______________________________

6 여기서는 맑은 날씨를 좀처럼 보기 힘들다. (rarely, have)

→ ______________________________

7 수업이 시작되자마자 불이 나갔다. (sooner, start, go off)

→ ______________________________

8 그녀는 사진을 보자마자 웃음을 터뜨렸다. (sooner, see, laugh)

→ ______________________________

9 오늘이 되어서야 그에게서 연락을 받았다. (until, hear)

→ ______________________________

10 6시가 되어서야 그들은 우리를 보내주었다. (until, let, go)

→ ______________________________

Chapter 14

Unit 04 부분 부정 / 전체 부정

※ 다음 우리말을 주어진 말을 이용하여 조건에 맞춰 영어로 옮기시오.

조건	1. 부분 부정, 전체 부정의 의미에 유의할 것	2. 시제에 유의하여 동사를 알맞게 변형할 것

1 모두가 그를 좋아하는 것은 아니다. (everyone, like)

→ ______________________________

2 나는 그 두 영화 모두를 본 것은 아니다. (watch, both)

→ ______________________________

3 그들 중 모두 그 의견에 찬성하는 것은 아니다. (all, agree)

→ ______________________________

4 열차가 항상 제시간에 도착하는 것은 아니다. (always, arrive)

→ ______________________________

5 우리 중 아무도 이집트에 가 본 적이 없다. (us, have been to, Egypt)

→ ______________________________

6 나는 한 문제도 정확하게 대답하지 않았다. (not, answer, correctly)

→ ______________________________

7 아무도 그 뉴스가 사실이라고 믿지 않는다. (believe, be)

→ ______________________________

8 우리 둘 중 아무도 매운 음식을 좋아하지 않는다. (us, like, spicy)

→ ______________________________

9 그는 노인들에게 결코 무례하게 대하지 않는다. (be, rude)

→ ______________________________

10 냉장고에 음식이 전혀 없다. (there, be, refrigerator)

→ ______________________________

기타 (강조, 생략, 도치)

※ 다음 우리말을 주어진 말을 이용하여 조건에 맞춰 영어로 옮기시오.

조건	1. 1~3번은 동사 강조, 4번은 최상급 강조, 5번은 비교급을 강조할 것 2. 6~9번은 생략할 수 있는 부분은 생략해서 쓸 것 3. 10번은 부사구를 도치시킬 것

1 당신은 나이에 비해 정말로 어려 보인다. (look)

→ ____________________

2 그녀는 노래를 정말 잘 한다. (sing)

→ ____________________

3 우리는 그들과 정말 즐겁게 놀았다. (have fun)

→ ____________________

4 이곳은 그 마을에서 단연 가장 좋은 식당이다. (very, good, village)

→ ____________________

5 이 소파는 내가 생각했던 것 보다 훨씬 편하다. (even, comfortable)

→ ____________________

6 Anderson 씨에 의해 쓰였던 소설들은 매우 재미있다. (Ms. Anderson, write)

→ ____________________

7 나는 체중을 감량하려고 했지만, 할 수 없었다. (try, lose)

→ ____________________

8 참 아름다운 날이구나! (beautiful)

→ ____________________

9 당신은 정말 영리하네요! (smart)

→ ____________________

10 소파 밑에 양말 한 켤레가 있었다. (under, couch, sock)

→ ____________________

MEMO

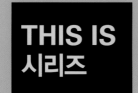

NEXUS Edu

LEVEL CHART

구분	초1	초2	초3	초4	초5	초6	중1	중2	중3	고1	고2	고3
VOCA	초등필수 영단어 1-2 · 3-4 · 5-6학년용											
VOCA					The VOCA + (플러스) 1~7							
VOCA			THIS IS VOCABULARY 입문 · 초급 · 중급					고급 · 어원 · 수능 완성 · 뉴텝스				
VOCA							WORD FOCUS 중등 종합 5000 · 고등 필수 5000 · 고등 종합 9500					
Grammar			초등필수 영문법 + 쓰기 1~2									
Grammar			OK Grammar 1~4									
Grammar			This Is Grammar Starter 1~3									
Grammar					This Is Grammar 초급~고급 (각 2권: 총 6권)							
Grammar						Grammar 공감 1~3						
Grammar						Grammar 101 1~3						
Grammar						Grammar Bridge 1~3						
Grammar						중학영문법 뽀개기 1~3						
Grammar						The Grammar Starter, 1~3						
Grammar									구사일생 (구문독해 Basic) 1~2			
Grammar									구문독해 204 1~2			
Grammar								그래머 캡처 1~2				
Grammar									[특급 단기 특강] 어법어휘 모의고사			

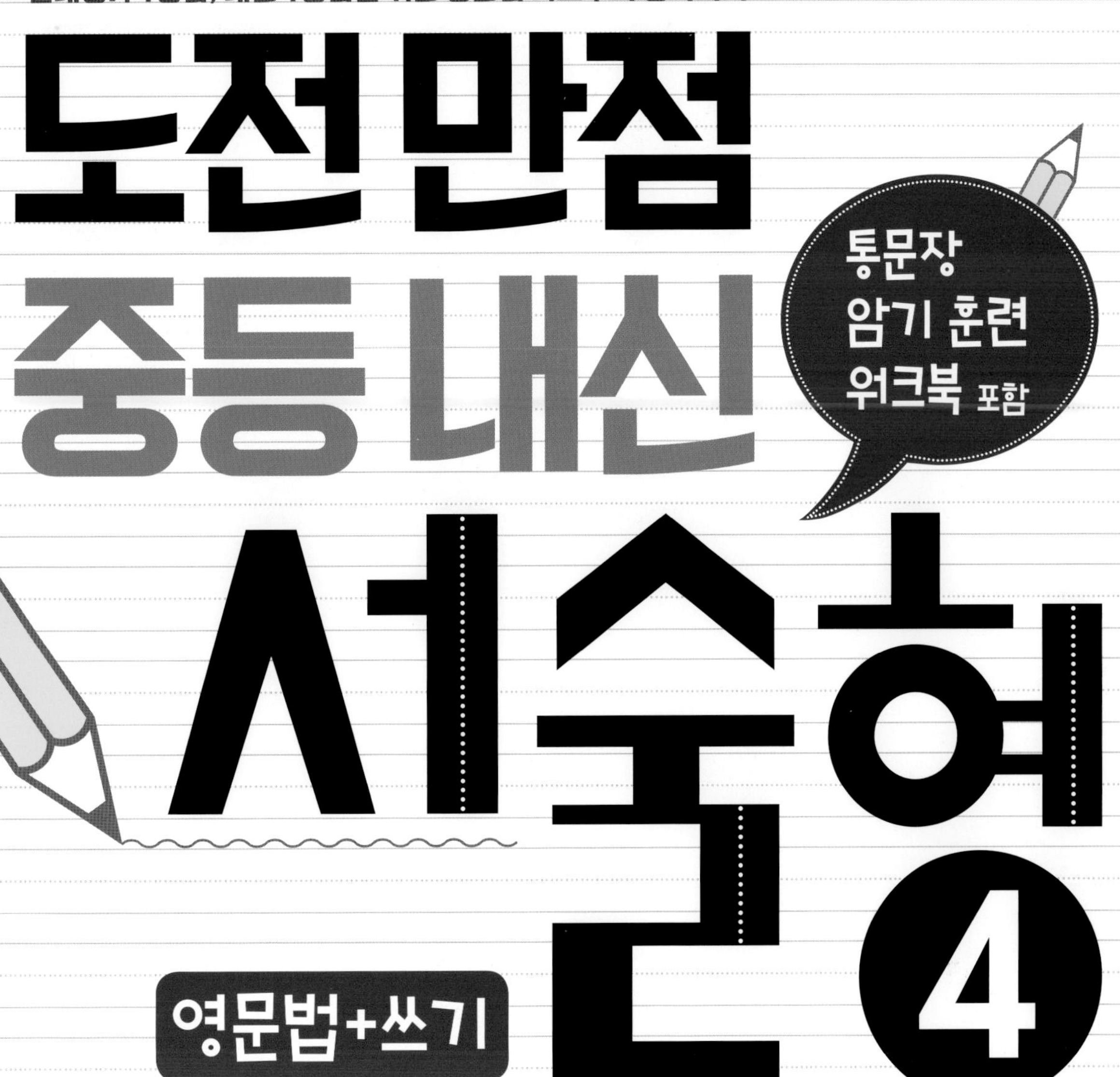

넥서스영어교육연구소 지음

정답 및 해설

6가지 학습자료 무료 제공 www.nexusbook.com

NEXUS Edu

도전 만점 중등 내신 서술형 4

통문장 암기 훈련 워크북 포함

영문법+쓰기

NEXUS Edu

Chapter 8 대명사

Unit 1 재귀대명사 p.010

Check-up

1	itself	2	himself
3	myself	4	themselves
5	herself	6	ourselves
7	yourself	8	yourselves
9	themselves	10	itself

해석

1 그것은 갑자기 스스로 멈췄다.
2 그는 직접 그 이야기를 썼다.
3 나는 직접 그 컴퓨터를 수리했다.
4 그들은 직접 벽을 칠했다.
5 그녀는 뜨거운 커피에 화상을 입었다.
6 우리는 직접 집 전체를 청소했다.
7 그것은 너의 숙제야. 네가 직접 그것을 해야 해.
8 너희들은 좋은 학생이야. 너희 자신들을 자랑스러워 해야 해.
9 그 자매는 거울 속 자신들을 쳐다보았다.
10 패션은 반복된다.

해설

1 it → itself
2 he → himself
3 I → myself
4 they → themselves
5 she → herself
6 we → ourselves
7 you → yourself
8 you(= students) → yourselves
9 sisters → themselves
10 fashion → itself

STEP 1

1	X	2	X
3	O	4	O

해석

1 나는 내 자신을 좋아하지 않는다.
2 너는 너 자신을 돌봐야 한다.
3 나의 할아버지께서는 직접 이 집을 지으셨다.
4 그녀의 아이들은 직접 그 케이크를 구웠다.

해설

1 동사의 목적어로 쓰인 재귀용법 → 생략 불가
2 전치사의 목적어로 쓰인 재귀용법 → 생략 불가
3 주어를 강조하는 강조용법 → 생략 가능
4 주어를 강조하는 강조용법 → 생략 가능

STEP 2

1 I cut myself while I was cooking.
2 They call themselves Team Genius.
3 Josh himself prepared breakfast.
[Josh prepared breakfast himself.]
4 Did you draw the picture yourself?
[Did you yourself draw the picture?]
5 He was disappointed with himself.

해설

1 동사의 목적어로 쓰인 재귀용법의 myself
2 동사의 목적어로 쓰인 재귀용법의 themselves
3 주어를 강조하는 강조용법의 himself
4 주어를 강조하는 강조용법의 yourself
5 전치사의 목적어로 쓰인 재귀용법의 himself

STEP 3

1 burned herself
2 thinks only of himself
3 must protect ourselves
4 make a decision yourself

해설

1 she → herself(동사의 목적어)
2 Ken → himself(전치사의 목적어)
3 we → ourselves(동사의 목적어)
4 you → yourself(주어 강조)

Unit 2 재귀대명사의 관용 표현 p.012

Check-up

1	ourselves	2	itself
3	herself	4	itself
5	ourselves	6	themselves
7	myself	8	herself
9	themselves	10	himself
11	yourself	12	herself

해석

1 우리는 이것을 우리 힘으로 끝내야 한다.
2 그 문은 저절로 닫혔다.
3 그녀는 혼자서 일본으로 여행을 갔다.
4 비단은 본래 매끄럽다.
5 이것은 우리끼리의 비밀이다.
6 그들은 흥분해서 제정신이 아니었다.
7 제 자신을 소개하겠습니다.
8 그녀는 수영장에서 즐거운 시간을 보냈다.
9 그들은 그 도넛을 마음껏 먹었다.
10 Hamilton 씨는 한국어를 독학했다.
11 너는 긴장할 때 혼잣말을 한다.
12 내 여동생은 농구를 하다가 다쳤다.

해설

1 for oneself: 혼자 힘으로, 스스로
2 of itself: 저절로
3 by oneself: 혼자서
4 in itself: 본래, 그 자체로
5 between ourselves: 우리끼리의 (이야기이지만)
6 beside oneself: 제정신이 아닌
7 introduce oneself: 자기소개를 하다
8 enjoy oneself: 즐거운 시간을 보내다
9 help oneself to: ~을 마음껏 먹다
10 teach oneself: 독학하다
11 talk to oneself: 혼잣말하다
12 hurt oneself: 다치다

STEP 1

1 talk to myself
2 teaching himself
3 introduced themselves
4 helped ourselves

해설

1 talk to oneself: 혼잣말하다, I → myself
2 teach oneself: 독학하다, he → himself
3 introduce oneself: 자기소개를 하다, they → themselves
4 help oneself to: ~을 마음껏 먹다, we → ourselves

STEP 2

1 make yourself at home
2 help yourselves to food and drinks
3 I enjoyed myself during my vacation.
4 Mrs. Green raised four children by herself.

해설

1 make oneself at home: 편하게 하다
2 help oneself to: ~을 마음껏 먹다
3 enjoy oneself: 즐거운 시간을 보내다
4 by oneself: 혼자서

STEP 3

1 The plan was not[wasn't] bad in itself.
2 I am[I'm] teaching myself to cook
3 The boy fell off the tree and hurt himself.
4 We were beside ourselves with worry.

해설

1 in itself: 본래, 그 자체로
2 teach oneself: 독학하다, I → myself
3 hurt oneself: 다치다, the boy → himself
4 beside oneself: 제정신이 아닌, we → ourselves

Unit 3 one, another p.014

Check-up 1

1 one
2 another
3 ones
4 it

해설

1 선행하는 명사와 같은 종류의 불특정한 것, towel = one
2 선행하는 명사와 같은 종류의 또 다른 하나, coat = another
3 선행하는 명사와 같은 종류의 불특정한 것, boots = ones (복수)
4 선행하는 명사와 동일한 것, bracelet = it

Check-up 2

1 it
2 another
3 ones
4 one

해석

1 Kelly는 가죽 소파가 있다. 그녀는 그것을 매우 좋아한다.
2 나는 이 세탁기가 마음에 들지 않아요. 다른 것을 보여주시겠어요?
3 나의 안경은 너무 낡았다. 나는 새로운 것을 사고 싶다.
4 A 근처에 은행이 있나요? B 네, 모퉁이에 하나 있습니다.

해설

1 선행하는 명사와 동일한 것, couch = it
2 선행하는 명사와 같은 종류의 또 다른 하나, washing machine = another
3 선행하는 명사와 같은 종류의 불특정한 것, glasses = ones (복수)
4 선행하는 명사와 같은 종류의 하나, bank = one

STEP 1

1 another	2 it	3 new ones
4 another	5 one	

해석

1 이것은 너무 비싸요. 다른 것 하나 보여주세요.
2 여기 그 택시가 온다. 그것을 타자.
3 나의 운동화는 닳아서 못 신는다. 나는 새로운 것을 사기 원한다.
4 나는 여전히 목말라. 내가 또 한 잔의 물을 마실 수 있을까?
5 나는 나의 옛 목도리를 잃어버렸다. 이것은 새로운 것이다.

해설

1 선행하는 명사와 같은 종류의 또 다른 하나, this = another
2 선행하는 명사와 동일한 것, taxi = it
3 선행하는 명사와 같은 종류의 불특정한 것, sneakers = ones (복수)
4 '목이 여전히 마르다'라는 것은 이미 물을 마셨다는 것을 의미하므로 문맥상 '또 한 잔의 물'을 요구해야 자연스러움
5 선행하는 명사와 같은 종류의 불특정한 것, scarf = one

STEP 2

1 Let me ask you another question.
2 I will lend you one.
3 Will you give me another?
4 Do you have smaller ones?

해설

1 '또 다른 하나의' 질문 → another question
2 선행하는 명사와 같은 종류의 하나, pen = one
3 선행하는 명사와 같은 종류의 또 다른 하나, orange = another
4 선행하는 명사와 같은 종류의 불특정한 것, shoes = ones (복수)

STEP 3

1 Will you give me another chance?
2 She has to buy one.
3 I dropped my spoon. Please bring me another.
4 Which do you want, red apples or green ones?

해설

1 '또 다른 하나의' 기회 → another chance
2 선행하는 명사와 같은 종류의 하나, purse = one
3 선행하는 명사와 같은 종류의 또 다른 하나, spoon = another
4 선행하는 명사와 같은 종류의 불특정한 것, apples = ones (복수)

Unit 4 부정대명사의 표현

p.016

Check-up

1 each other	2 others	3 the other
4 one another	5 another	6 the others

해설

1 each other: 서로
2 some ~, others … 어떤 것[사람]들은 ~, 또 다른 어떤 것[사람]들은 …
3 one ~, the other …: (둘 중) 하나는 ~, 나머지 하나는 …
4 one another: 서로
5 one ~, another~, the other …: (셋 중) 하나는 ~, 또 다른 하나는 ~, 나머지 하나는 …
6 some ~, the others …: 어떤 것[사람]들은 ~, 나머지 모두는 …

STEP 1

1 the others	2 Some
3 the other	4 another

해석

1 나는 네 명의 아이가 있다. 한 명은 여자아이고 나머지는 남자아이다.
2 장미는 다양한 색을 갖고 있다. 어떤 것들은 빨간색이고 또 다른 것들은 노란색이다.
3 Carrie는 오늘 시험이 두 개이다. 하나는 영어이고 나머지 하나는 역사이다.
4 나는 세 종류의 채소를 키운다. 하나는 토마토이고, 또 다른 하나는 당근이고, 나머지 하나는 오이다.

해설

1 one ~, the others …: (여러 중) 하나는, 나머지 모두는 …
2 some ~, others … 어떤 것[사람]들은 ~, 또 다른 어떤 것[사람]들은 …
3 one ~, the other …: (둘 중) 하나는 ~, 나머지 하나는 …
4 one ~, another~, the other …: (셋 중) 하나는 ~, 또 다른 하나는 ~, 나머지 하나는 …

STEP 2

1 My three children take care of one another.
2 One is for me, and the other is for my mom.
3 Some are boys, and the others are girls.
4 One is English, another is French, and the other is Spanish.

해설

1 one another: 서로
2 one ~, the other …: (둘 중) 하나는 ~, 나머지 하나는 …

3 some ~, the others …: 어떤 것[사람]들은 ~, 나머지 모두는 …
4 one ~, another~, the other …: (셋 중) 하나는 ~, 또 다른 하나는 ~, 나머지 하나는 …

STEP 3

1 One was boring, and the other was funny.
2 Some children played basketball, and others played baseball.
3 Some are from my friends, and the others are from my family.

해설
1 one ~, the other …: (둘 중) 하나는 ~, 나머지 하나는 …
2 some ~, others … 어떤 것[사람]들은 ~, 또 다른 어떤 것[사람]들은 …
3 some ~, the others …: 어떤 것[사람]들은 ~, 나머지 모두는 …

Unit 5 all, both, each, every

p.018

Check-up

1 all	2 Each	3 All
4 Both	5 Each	

해설
1 every는 단독으로 쓰지 않음
2 each + 단수명사
3 all(+ of) + 특정명사[the/소유격 + 명사]
4 both(+ of) + 복수명사
5 each + of + 복수명사

STEP 1

1 every	2 both	3 Each
4 all	5 Both	

해석
1 Sue와 나는 2주마다 만난다.
2 나는 나의 부모님 두 분 다 매우 사랑한다.
3 우리는 각자 그 프로젝트에 대한 다른 아이디어를 갖고 있다.
4 우리는 6시간 동안 일했다. 이제 그 일은 모두 끝났다.
5 나는 도서관에서 2권의 책을 빌렸다. 둘 다 재미있었다.

해설
1 every + 복수 시간 명사: 매 ~마다
2 both(+ of) + 복수명사
3 each + of + 복수명사 + 단수동사
4 all(+ of) + 특정명사[the/소유격 + 명사]
5 both는 '둘 다'라는 의미로 단독으로 사용 가능

STEP 2

1 tables	2 finger	3 looks
4 are		

해석
1 그 식당에 있던 모든 식탁이 사라졌다.
2 그 여자아이는 각 손가락에 반지를 끼고 있다.
3 마을에 있는 모든 사람이 Wilson 씨를 존경한다.
4 나는 2명의 누나가 있다. 그들 둘 다 대학생이다.

해설
1 all 뒤에 셀 수 있는 명사가 올 경우, 복수형으로 써야 함
2 each + 단수명사
3 every + 단수명사 + 단수동사
4 both + 복수동사

STEP 3

1 I spent all (of) my money buying a new computer.
2 Each of the students gave a different answer.
3 Both of them are interested in world history.
4 She gave a hug to each of the children.
5 All (of) my friends came to my birthday party.

해석

보기 나의 언니들은 요리하기를 좋아한다.
→ 나의 언니들 둘 다 요리하기를 좋아한다.

1 나는 새로운 컴퓨터를 사는 데 내 돈을 썼다.
→ 나는 새로운 컴퓨터를 사는 데 내 돈 전부를 썼다.
2 그 학생들은 다른 답을 주었다.
→ 그 학생들은 각각 다른 답을 주었다.
3 그들은 세계사에 관심이 있다.
→ 그들 둘 다 세계사에 관심이 있다.
4 그녀는 그 아이들에게 포옹을 해주었다.
→ 그녀는 그 아이들 각자에게 포옹을 해주었다.
5 내 친구들은 나의 생일파티에 왔다.
→ 내 친구들은 모두 나의 생일 파티에 왔다.

해설
1 all(+ of) + 특정명사[the/소유격 + 명사]
2 each + of + 복수명사
3 both(+ of) + 복수대명사, they의 목적격은 them
4 each + of + 복수명사
5 all(+ of) + 특정명사[the/소유격 + 명사]

STEP 4

1 Each child received a present.
2 Did you drink all the milk in the fridge?
3 Both of my aunts live in Australia.
4 He answered every question carefully.
5 Ron visits his grandparents every two weeks.

해설

1 each + 단수명사
2 all(+ of) + 특정명사[the/소유격 + 명사]
3 both(+ of) + 복수명사
4 every + 단수명사
5 every + 복수 시간 명사: 매 ~마다

STEP 5

1 Both of us were born in London.
2 I have lost both (of) my sneakers.
3 He waters the plants every three days.
4 All (of) my friends were pleased with the news.
5 Each student has his or her ID card.
6 She told each of us what to do.

해설

1 both + of + 복수대명사 + 복수동사
2 both(+ of) + 복수명사
3 every + 복수 시간 명사: 매 ~마다
4 all(+ of) + 특정명사[the/소유격 + 명사]
5 each + 단수명사 + 단수동사
6 each + of + 복수명사, we의 목적격은 us

도전! 만점! 중등 내신 단답형&서술형 p.021

1 one[One]
2 herself
3 another
4 myself
5 All
6 One, the others
7 Some, others
8 by
9 enjoyed
10 between, for, in, beside
11 ⓐ child ⓑ themselves
12 ⓐ ourselves ⓑ were
13 Ben and Ross don't talk to each other
14 Each person is unique and special.
15 All of my money was in my wallet.
16 You should be proud of yourselves.
17 Both of them have blond hair.
18 One is a pilot, and the other is a professor.
19 ⓐ itself ⓑ his books
20 each, book, has, its, own, lesson

해석 & 해설

1
• 나는 우산이 없다. 너는 하나 있니?
• 그녀는 두 마리의 고양이가 있다. 하나는 검은색이고, 나머지 하나는 회색이다.

선행하는 명사와 같은 종류의 하나, umbrella = one
one ~, the other …: (둘 중) 하나는 ~, 나머지 하나는 …

2
• Sarah는 자기 자신을 공주라고 부른다.
• 그녀는 이 스파게티를 직접 요리했다.

Sarah(= she)의 재귀대명사는 herself이다. 재귀대명사가 강조용법으로 쓰일 때는 '직접'의 의미로 쓰임

3
• 제가 커피 한 잔 더 마실 수 있을까요?
• Adam은 3개의 선물을 얻었다. 하나는 책이고, 또 하나는 자전거이고, 나머지는 티셔츠이다.

another: 또 다른 하나
one ~, another~, the other …:
(셋 중) 하나는 ~, 또 다른 하나는 ~, 나머지 하나는 …

4
A: 다시 한번 말해 줄래? 나는 못 들었어.
B: 신경 쓰지 마. 나는 그냥 혼잣말한 거야.

talk to oneself: 혼잣말하다, I → myself

5
A: 너희 반에서 누가 애완용 뱀을 키우니?
B: 아무도 없어. 우리는 모두 뱀을 두려워해.
문맥 상 빈칸에 '전부'라는 말이 들어가야 하는데, every는 'every of'로 쓸 수 없고 each는 3인칭 단수 취급하므로 복수동사(are)랑 쓸 수 없다. 따라서 all이 적합

6
나는 네 명의 형제가 있다. 한 명은 누나이고, 나머지는 형들이다.
one ~, the others …: (여러 중) 하나는, 나머지 모두는 …

7
사람들은 스포츠를 좋아한다. 어떤 사람들은 축구를 좋아하고 다른 사람들은 야구를 좋아한다.
some ~, others … 어떤 것[사람]들은 ~, 또 다른 어떤 것[사람]들은 …

8
나는 이 집에서 혼자 산다.
by oneself: 혼자서

9
그들은 눈 축제에서 즐거운 시간을 보냈다.
enjoy oneself: 즐거운 시간을 보내다

10
(1) 이것은 비밀이다. 우리만의 비밀로 유지하자.
(2) 그녀는 스스로 자기의 프로젝트를 끝내야 한다.
(3) 스마트폰은 그 자체로 훌륭한 혁신이다.
(4) 내가 결승전에서 이겼을 때, 나는 기뻐서 제정신이 아니었다.
(1) between ourselves: 우리끼리의 (이야기이지만)
(2) for oneself: 혼자 힘으로, 스스로
(3) in itself: 본래, 그 자체로
(4) beside oneself: 제정신이 아닌

11
모든 아이는 사랑과 보살핌이 필요하고 자기 자신을 돌볼 수 없다.
ⓐ every + 단수명사 ⓑ 동작의 대상이 주어 자신이므로 재귀대명사로 고쳐야 함, them → themselves

12
나는 오늘 나의 생일파티를 했다. 내 친구들 모두 참석했다. 우리는 맛있는 음식을 마음껏 먹었다. 우리는 같이 춤추고 노래 불렀다. 모두 다 행복했다.
ⓐ help oneself to: ~을 마음껏 먹다, us → ourselves ⓑ all이 사람이면 복수 취급하므로 복수동사가 뒤따름

13
each other: 서로

14
each + 단수명사

15
all(+ of) + 특정명사[the/소유격 + 명사]

16
you(너희들) → yourselves

17
both(+ of) + 복수대명사, they의 목적격은 them

18
one ~, the other …: (둘 중) 하나는 ~, 나머지 하나는 …

19~20
A: 너 또 '리어왕'을 읽고 있니?
B: 응. 이건 내가 가장 좋아하는 책이야.
A: 너는 왜 그렇게 그것을 좋아하니?
B: 음, 그것이 그 자체로는 재미있지 않지만, 나는 옛날 왕과 권력에 관한 이야기를 좋아해.
A: 알겠어. 그러면 셰익스피어가 네가 가장 좋아하는 작가니?
B: 응. 나는 그의 모든 책을 읽었어. 어떤 것은 재미있고 어떤 것들은 지루해. 하지만 각각의 책은 그 책만의 교훈이 있어. 그의 책은 읽을 만한 가치가 있어.

19
ⓐ in itself: 본래, 그 자체로
ⓑ all 뒤에 셀 수 있는 명사가 올 경우, 복수형으로 써야 함

20
each + 단수명사 + 단수동사

Chapter 9 비교급, 최상급

Unit 1 원급 / 비교급 / 최상급 p.024

Check-up 1

1 than 2 than
3 more exciting 4 than
5 as 6 so, as
7 hers

해석

1 Jessy는 Lisa보다 더 작다.
2 나는 Tom보다 더 인기가 있다.
3 축구는 야구보다 더 흥미진진하다.
4 이것은 저것보다 덜 비싸다.
5 그녀는 그녀의 엄마만큼 날씬하다.
6 그는 Jake만큼 부지런하지는 않다.
7 나의 머리는 그녀의 것만큼이나 길다.

해설

1~3 「A 비교급 than B」: A가 B보다 더 ~하다
4 「A less 원급 than B」: A는 B보다 덜 ~하다
5 「A as + 원급 + as B」: A는 B만큼 ~하다
6 「A not as[so] + 원급 + as B」: A는 B만큼 ~하지 않다
7 비교 대상이 같아야 하므로 my hair(내 머리카락)와 hers[her hair]를 비교해야 함

Check-up 2

1 of 2 in 3 in 4 of 5 in

해석

1 그녀는 내 친구들 중에서 가장 관대하다.
2 Lisa 우리 가족 중에서 가장 어리다.
3 Rogan 씨는 그 마을에서 가장 나이가 많은 남자이다.
4 이것은 모든 TV 프로그램 중에서 가장 웃기다.
5 그는 세상에서 가장 키가 큰 사람이다.

해설

1 of + 비교 대상이 되는 복수명사(friends)
2 in + 장소, 범위의 단수명사(family)
3 in + 장소, 범위의 단수명사(village)
4 of + 비교 대상이 되는 복수명사(TV shows)
5 in + 장소, 범위의 단수명사(world)

STEP 1

1 as cheap as 2 as[so] tall as
3 the most popular of 4 the most expensive in

해설

1 「A as + 원급 + as B」: A는 B만큼 ~하다
2 「A not as[so] + 원급 + as B」: A는 B만큼 ~하지 않다
3 「the + 최상급 + of + 비교 대상이 되는 복수명사」: …에서 가장 ~하다
4 「the + 최상급 + in + 장소, 범위의 단수명사」: …에서 가장 ~하다

STEP 2

1 heavier than 2 more dangerous than
3 less crowded than 4 less difficult than

해석

1 너의 가방은 나의 것보다 더 무겁다.
2 어떤 스포츠는 다른 것들보다 더 위험하다.
3 이 방은 저 방보다 덜 붐빈다.
4 첫 번째 질문은 두 번째보다 덜 어렵다.

해설

1 heavy(무거운)의 비교급은 heavier
2 dangerous(위험한)의 비교급은 more dangerous
3~4 「less + 원급 + than」: ~보다 덜 하다

STEP 3

1 is not as expensive as, is less expensive than
2 is funnier than, is less funny than
3 more delicious than, not so delicious as

해석

1 이 의자는 저 의자보다 더 비싸다.
= 저 의자는 이 의자만큼 비싸지 않다.
= 저 의자는 이 의자보다 덜 비싸다.
2 새로운 이야기는 예전 이야기만큼 재미있지 않다.
= 예전 이야기가 새로운 이야기보다 더 재미있다.
= 새로운 이야기는 예전 이야기보다 덜 재미있다.
3 초콜릿케이크는 치즈케이크보다 덜 맛있다.
= 치즈케이크는 초콜릿케이크보다 더 맛있다.
= 초콜릿케이크는 치즈케이크만큼 맛있지 않다.

해설

1 「A not as[so] + 원급 + as B」= 「A less + 원급 + than B」
2 「A 비교급 than B」= 「B less + 원급 + than A」
3 「A 비교급 than B」= 「B not as[so] + 원급 + as A」

Unit 2 원급을 이용한 표현 / 비교급 강조

p.026

Check-up

1 as, soon, as, possible
2 as, clearly, as, possible
3 as, early, as, you, can
4 as, quickly, as, I, could
5 twice, as, heavy
6 four, times, as, large
7 seven, times, thicker, than
8 three, times, more, expensive

해설

1~2 「as + 원급 + as possible」: 가능한 한 ~하게
3 'as + 원급 + as + 주어 + can/could'은 '가능한 한 ~하게'를 뜻하는데 명령문일 경우 주어는 you를 사용
4 'as + 원급 + as + 주어 + can/could'에서 문장의 시제가 과거이면 can이 아닌 could를 사용
5~8 '배수사 + as + 원급 + as'은 '~보다 …배 ~한/하게'를 의미하는데 '배수사 + 비교급 + than'으로 바꿔 쓸 수 있음. 단, '두 배'를 말할 때는 two times가 아닌 twice를 사용

STEP 1

1 as much as I can
2 as briefly as she could
3 as soon as possible

해석

1 나는 가능한 한 많이 읽으려고 노력한다.
2 그녀는 가능한 한 간단하게 그것을 설명했다.
3 가능한 한 빨리 나에게 그 책을 반납해 주세요.

해설

1 주어가 I이고 현재시제이므로 I can이 possible을 대체
2 주어가 she이고 과거시제이므로 she could가 possible을 대체
3 possible이 you can을 대체

STEP 2

1 is three times as heavy as, is three times heavier than
2 is five times as tall as, is five times taller than
3 is ten times as expensive as, is ten times more expensive than

해설

1~3 '배수사 + as + 원급 + as'는 '~보다 …배 ~한/하게'를 의미하는데 '배수사 + 비교급 + than'으로 바꿔 쓸 수 있음

STEP 3

1 possible 2 could 3 than
4 as 5 much[still, even, far, a lot]

해석

1 가능한 한 빨리 테이블 하나를 예약해 주세요.
2 그는 가능한 한 빨리 나에게 그 소포를 보냈다.
3 이 핸드백은 저것보다 세 배 더 비싸다.
4 그녀의 방은 내방보다 두 배 더 크다.
5 중국어는 한국어보다 훨씬 더 어렵다.

해설

1 「as + 원급 + as possible」: 가능한 한 ~하게
2 문장이 과거시제이므로 can도 과거형인 could로 변경 필요
3 비교급(more expensive)이 쓰여 as가 아닌 than이 필요
4 원급비교(as large as)이므로 than이 아닌 as가 필요
5 비교급을 수식할 때 very가 아닌 much, still, even, far, a lot을 사용하며 '훨씬'의 의미를 나타냄

Unit 3 비교급을 이용한 표현

p.028

Check-up 1

1 the elder 2 the smarter
3 of 4 of

해석

1 둘 중에서 그녀가 더 나이가 많다.
2 둘 중에서 그가 더 똑똑하다.
3 둘 중에서 저 컴퓨터가 더 빠르다.
4 둘 중에서 이 색이 더 낫다.

해설

1~4 「the + 비교급 + of the two」: 둘 중에서 더 ~한

Check-up 2

1 better, and, better
2 more, and, more, interested
3 The, more, the, happier
4 The, older, the, more

해설

1 '점점 더 ~한'의 의미로 '비교급 and 비교급'을 사용
2 비교급에 more가 들어가는 경우 '점점 더 ~한'은 'more and more 원급'으로 나타냄
3~4 「the + 비교급, the + 비교급」: ~하면 할수록 더욱더 …하다

STEP 1

1 closer and closer
2 deeper and deeper
3 more and more dangerous
4 more and more difficult

해설

1~4 '점점 더 ~한'의 의미로 '비교급 and 비교급'을 쓰는데 단, 비교급에 more가 들어가는 경우 'more and more 원급'으로 표현함에 주의 필요

STEP 2

1 The more expensive, the more
2 The deeper, the darker
3 The longer, the less
4 The older, the more generous
5 The more, the wiser

해석

1 그것이 더 비싸짐에 따라 사람들이 더 많이 원한다.
= 그것이 더 비싸지면 질수록 사람들이 더 많이 원한다.
2 우리가 그 동굴에 더 깊게 들어감에 따라 더 어두워졌다.
= 우리가 그 동굴에 더 깊게 들어가면 들어갈수록 더 어두워졌다.
3 내가 이 도시에 더 오래 삶에 따라 덜 좋아하게 된다.
= 내가 이 도시에 더 오래 살면 살수록 덜 좋아하게 된다.
4 그가 나이를 더 먹음에 따라 더 관대해졌다.
= 그가 나이를 더 먹으면 먹을수록 더 관대해졌다.
5 당신은 더 배움에 따라 더 현명해 질 것이다.
= 당신은 더 많이 배우면 배울수록 현명해 질 것이다.

해설

1~5 「the + 비교급, the + 비교급」: ~하면 할수록 더욱더 …하다

STEP 3

1 The water is getting warmer and warmer.
2 The class is getting more and more difficult.
3 This essay is the longer of the two.
4 The older she got, the wiser she became.
5 The higher the Sun rose, the brighter it became.

해설

1~2 「비교급 and 비교급」: 점점 더 ~한
3 「the + 비교급 + of the two」: 둘 중에서 더 ~한
4~5 「the + 비교급, the + 비교급」: ~하면 할수록 더욱더 …하다

STEP 4

1 This shirt is the cheaper of the two.
2 She became more and more interested in nature.
3 He drove more and more slowly.
4 My uncle is getting fatter and fatter.
5 The closer we approached the exit, the colder we felt.
6 The more money they make, the more things they want to buy.

해설

1 「the + 비교급 + of the two」: 둘 중에서 더 ~한
2~3 '점점 더 ~한'의 의미로 원래 '비교급 and 비교급'을 쓰지만 비교급에 more가 들어가는 있어 'more and more 원급'으로 표현
4 「비교급 and 비교급」: 점점 더 ~한
5 「the + 비교급, the + 비교급」: ~하면 할수록 더욱더 …하다
6 형용사(much, many)가 명사(money, things)를 수식하고 있어 'the + 비교급 + 명사, the + 비교급 + 명사'로 나타냄

Unit 4 기타 비교급 표현

p.031

Check-up

1 to	2 to	3 to	4 to
5 to	6 as	7 to	8 from
9 as	10 to		

해석

1 나의 아버지는 차보다 커피를 선호하신다.
2 그는 나보다 연상이다.
3 이 디자인은 그녀의 것보다 못하다
4 우리 팀은 그의 팀보다 뛰어나다.
5 저녁식사 전에 사진이 찍혔다.
6 그의 선글라스는 나의 것과 같다.
7 내 휴대전화는 그의 것과 비슷하다.
8 그의 재킷은 나의 것과 다르다.
9 그녀는 내 것과 똑같은 컴퓨터가 있다.
10 그의 기계는 우리의 것과 비슷하다.

해설

1 prefer A to B: B보다 A를 선호하다
2 senior to: ~보다 연상의
3 inferior to: ~보다 열등한
4 superior to: ~보다 뛰어난
5 prior to: ~보다 앞선
6, 9 A the same as B: A는 B와 같은
7, 10 A similar to B: A는 B와 비슷한
8 A different from B: A는 B와 다른

STEP 1

1	junior, to	2	inferior, to
3	superior, to	4	the, same, as
5	similar, to	6	different, from

해설

1 junior to: ~보다 연하인
2 inferior to: ~보다 열등한
3 superior to: ~보다 뛰어난
4 A the same as B: A는 B와 같은
5 A similar to B: A는 B와 비슷한
6 A different from B: A는 B와 다른

STEP 2

1 I prefer vanilla ice cream to chocolate ice cream.
2 The boy is three years junior to her.
3 his car is superior to mine
4 The old machine is inferior to the new machine.
5 American English is different from British English.

해석

1 나는 초콜릿 아이스크림보다 바닐라 아이스크림을 더 좋아한다.
= 나는 초콜릿 아이스크림보다 바닐라 아이스크림을 선호한다.
2 그 남자아이는 그녀보다 세 살 더 어리다.
= 그 남자아이는 그녀보다 세 살 연하이다.
3 그는 그의 자동차가 나의 것보다 더 좋다고 말한다.
= 그는 그의 자동차가 나의 것보다 뛰어나다고 말한다.
4 그 낡은 기계는 새로운 기계보다 좋지 않다.
= 그 낡은 기계는 새로운 기계보다 못하다.
5 미국식 영어와 영국식 영어는 같지 않다.
= 미국식 영어는 영국식 영어와 다르다.

해설

1 like A better than B = prefer A to B
2 younger than = junior to
3 better than = superior to
4 not as good as = inferior to
5 not the same as = different from

STEP 3

1 He prefers a good book to a movie.
2 I am three years junior to him.
3 My parents got married prior to graduation.
4 I went to the same school as him.
5 Their ideas are similar to ours.
6 He feels superior to his brothers.

해설

1 prefer A to B: B보다 A를 선호하다
2 junior to: ~보다 연하인
3 prior to: ~보다 앞선
4 the same A as B: B와 같은 A
5 A similar to B: A는 B와 비슷한
6 superior to: ~보다 뛰어난

STEP 4

1 He looks similar to his father.
2 She is three years senior to me.
3 I am two years junior to him.
4 My brother looks different from me.
5 I prefer shopping online to visiting a store.
6 She introduced herself prior to the speech.

해설

1 A similar to B: A는 B와 비슷한
2 senior to: ~보다 선배인
3 junior to: ~보다 후배인
4 A different from B: A는 B와 다른
5 prefer A to B: B보다 A를 선호하다
6 prior to: ~보다 앞선

Unit 5 기타 최상급 표현 p.034

Check-up 1

1	of	2	students
3	the fastest	4	the most
5	the most delicious	6	I've ever heard

해석

1 그 남자는 한국에서 가장 인기 있는 배우 중 한 명이다.
2 그녀는 학교에서 가장 똑똑한 학생 중 한 명이다.
3 그 소년은 내가 지금까지 본 수영선수 중 가장 빠르다.
4 그는 세상에서 가장 유명한 가수 중 한 명이다.
5 그것은 지금까지 먹어 본 케이크 중 가장 맛있었다.
6 이것은 내가 지금까지 들어본 이야기 중에서 가장 재미있다.

해설

1, 2, 4 「one of the + 최상급 + 복수명사」: 가장 ~한 것 중 하나
3, 5, 6 「the + 최상급(+ that) + 주어 + have ever p.p.」: 지금까지 ~한 것 중에서 가장 …하다

Check-up 2

is, cheaper, this / is, as[so], cheap, this / This, cheaper

해석

이것은 가게에서 가장 싼 카메라다.
= 가게에서 이것보다 더 싼 카메라는 없다.
= 가게에서 이것만큼 싼 카메라는 없다.
= 이것은 가게에 있는 다른 어떤 카메라보다 더 싸다.

해설

최상급은 다음과 같은 비교급을 써서 같은 의미를 나타낼 수 있음
「부정어 + 비교급 + than」: …보다 더 ~한 것은 없다
「부정어 + as[so] + 원급 + as」: …만큼 ~한 것은 없다
「비교급 + than any other + 단수명사」: 어떤 …보다 더 ~하다

STEP 1

1 the most boring, I've ever read
2 the largest, I've ever visited
3 the most humorous, I've ever known
4 one of the greatest scientists
5 one of the richest people
6 one of the most expensive paintings

해설

1~3 「the + 최상급(+ that) + 주어 + have ever p.p.」: 지금까지 ~한 것 중에서 가장 …하다
4~6 「one of the + 최상급 + 복수명사」: 가장 ~한 것 중 하나

STEP 2

1 No (other) planet in the solar system is larger than Jupiter.
= No (other) planet in the solar system is as[so] large as Jupiter.
= Jupiter is larger than any other planet in the solar system.
2 No (other) girl in my neighborhood is younger than her.
= No (other) girl in my neighborhood is as[so] young as her.
= She is younger than any other girl in my neighborhood.

해석

1 목성은 태양계에서 가장 큰 행성이다.
= 태양계에서 목성보다 더 큰 행성은 없다.
= 태양계에서 목성만큼 큰 행성은 없다.
= 목성은 태양계에서 다른 어떤 행성보다 크다.
2 그녀는 우리 동네에서 가장 어린 여자아이이다.
= 우리 동네에서 그녀보다 더 어린 여자아이는 없다.
= 우리 동네에서 그녀만큼 어린 여자아이는 없다.
= 그녀는 우리 동네에서 다른 어떤 여자아이보다 더 어리다.

해설

1~2 최상급은 다음과 같은 비교급을 써서 같은 의미를 나타낼 수 있음
「부정어 + 비교급 + than」: …보다 더 ~한 것은 없다
「부정어 + as[so] + 원급 + as」: …만큼 ~한 것은 없다
「비교급 + than any other + 단수명사」: 어떤 …보다 더 ~하다

STEP 3

1 Today is the happiest day I've ever had.
2 She was the nicest student I've ever taught.
3 New York is larger than any other city in the U.S.
4 This is one of the oldest theaters in this city.
5 No other restaurant in this town is cheaper than this place.
6 No other animal in the world is as fast as the cheetah.

해설

1~2 「the + 최상급(+ that) + 주어 + have ever p.p.」: 지금까지 ~한 것 중에서 가장 …하다
3 「비교급 + than any other + 단수명사」: 어떤 …보다 더 ~하다
4 「one of the + 최상급 + 복수명사」: 가장 ~한 것 중 하나
5 「부정어 + 비교급 + than」: …보다 더 ~한 것은 없다
6 「부정어 + as[so] + 원급 + as」: …만큼 ~한 것은 없다

STEP 4

1 Vatican City is smaller than any other nation in the world.
2 No other river in the world is as[so] long as the Nile.
3 That is one of the most expensive coats I've ever bought.
4 This is one of the most popular dishes on the menu.
5 Nothing in the world is more important than health.
6 This is the longest movie I've ever watched.

해설

1 「비교급 + than any other + 단수명사」: 어떤 …보다 더 ~하다
2 「부정어 + as[so] + 원급 + as」: …만큼 ~한 것은 없다
3~4 「one of the + 최상급 + 복수명사」: 가장 ~한 것 중 하나
5 「부정어 + 비교급 + than」: …보다 더 ~한 것은 없다
6 「the + 최상급(+ that) + 주어 + have ever p.p.」: 지금까지 ~한 것 중에서 가장 …하다

도전! 만점! 중등 내신 **단답형&서술형** p.037

1 to
2 very → much[even, still, far, a lot]
3 of → in
4 in → of
5 with → as
6 eldest[oldest]
7 further
8 as soon as possible[I can]
9 not, strong
10 The, more, the, more, confused
11 No (other) violin in the world is more expensive than her violin[hers].
12 The higher a bird flies, the farther it can see.
13 My bag is three times as heavy as yours.
14 The two houses are similar to each other.
15 Korean is very different from English.
16 We walked faster and faster.
17 Cats sleep twice as much as people.
18 I got more and more bored.
19 It is the longest meeting I've ever attended.
20 This place is one of the most beautiful places in Korea.

해석 & 해설

1
그는 그녀보다 세 살 어리다.
이 진주들은 다른 것보다 못하다
그녀는 중국 음식보다 이탈리아 음식을 선호한다.
junior to: ~보다 어린
inferior to: ~보다 열등한
prefer A to B: B보다 A를 선호하다

2
이것은 저것보다 더 값이 싸다.
very는 비교급을 강조할 수 없고 대신 much, even, still, far, a lot이 쓰임

3
이곳은 이 마을에서 가장 오래된 식당이다.
'the + 최상급 + in…(…에서 가장 ~하다)'에서 전치사의 목적어가 장소의 단수명사(this town)가 나오는 경우, 전치사는 in을 사용

4
그는 주자들 중에서 가장 빠른 남자아이다.
'the + 최상급 + of …(…에서 가장 ~하다)'에서 전치사의 목적어가 비교 대상이 되는 복수명사(runners)가 나오는 경우, 전치사는 of를 사용

5
그는 그의 아버지와 치수가 같다.
A the same as B: A는 B와 같은

6
old(손위의)의 최상급으로 eldest와 oldest 둘 다 쓸 수 있으며 소유격(my)이 있을 때는 the를 쓰지 않음

7
far가 '거리'가 아닌 '정도'를 나타내는 경우 비교급은 further를 사용

8
「as + 원급 + as possible[주어 + can/could]」: 가능한 ~한/하게

9
그는 나보다 더 강하다. = 나는 그만큼 강하지 않다.
「A 비교급 than B」 = 「B not as[so] + 원급 + as A」

10
내가 더 많이 배움에 따라 나는 더 혼란스러워졌다.
= 내가 더 많이 배우면 배울수록 나는 더 혼란스러워졌다.
「the + 비교급, the + 비교급」: ~하면 할수록 더욱더 …하다

11
그녀의 바이올린은 세상에서 가장 비싸다.
= 세상에서 그녀의 것보다 더 비싼 바이올린은 없다.
「부정어 + 비교급 + than」: …보다 더 ~한 것은 없다

12
새가 더 높게 낢에 따라 더 멀리 볼 수 있다.
= 새가 더 높게 날면 날수록 더 멀리 볼 수 있다.
「the + 비교급, the + 비교급」: ~하면 할수록 더욱더 …하다

13
내 가방은 너의 것보다 세 배 더 무겁다.
「배수사 + as + 원급 + as」: ~보다 …배 ~한/하게

14
A similar to B: A는 B와 비슷한

15
A different from B: A는 B와 다른

16
「비교급 and 비교급」: 점점 더 ~한

17
「배수사 + as + 원급 + as」: ~보다 …배 ~한/하게

18
비교급이 more가 들어가는 경우 '점점 더 ~한'은 'more and more 원급'으로 나타냄

19
「the + 최상급(+ that) + 주어 + have ever p.p.」: 지금까지 ~한 것 중에서 가장 …하다

20
「one of the + 최상급 + 복수명사」: 가장 ~한 것 중 하나

Chapter 10 접속사, 전치사

Unit 1 명사절 종속접속사: whether/if, that
p.040

Check-up

1 whether, if	2 whether, if	3 Whether
4 whether	5 that	6 that
7 that	8 that	9 That

해석

1 나는 우리가 제시간에 도착할 수 있는지 없는지 궁금하다.
2 나는 그녀가 나를 방문할지 안 할지 모르겠다.
3 그녀가 그 일을 좋아하는지 아닌지는 중요하지 않다.
4 그는 그들이 학생인지 아닌지 궁금하다.
5 그들이 그 사고에서 다치지 않은 것은 행운이었다.
6 나는 그들이 믿을 만하다고 생각한다.
7 중요한 사실은 우리가 대회에서 이겼다는 것이다.
8 나의 부모님은 내가 마음만 먹으면 무엇이든 할 수 있다고 진짜로 믿으신다.
9 그의 남동생이 경찰관이 된 것은 믿기 어렵다.

해설

1 접속사 whether/if는 '~인지 아닌지'라는 뜻으로 명사절을 이끎
2 or not이 떨어져 있어 whether와 if 둘 다 적절
3 if는 주어절을 이끌지 못 함
4 whether or not으로는 쓰이지만 if or not으로는 쓰이지 않음
5~9 접속사 that은 문장에서 주어, 목적어, 보어 역할을 하는 명사절을 이끌며 '~하는 것'이라는 의미로 쓰임

STEP 1

1 that	2 that
3 Whether	4 whether
5 whether[if]	6 whether[if]
7 whether	

해석

1 당신이 자신의 잘못을 남에게 탓하는 것은 옳지 않다.
2 그가 집에 우산을 두고 왔다는 것은 확실하다.
3 우리가 시합할지 안 할지는 날씨에 달려있다.
4 그들은 Tim이 동아리에 가입할 것인지 안 할 것인지 궁금해한다.
5 나는 그녀에게 나와 함께 축제에 갈 수 있는지 물었다.
6 나는 네가 독후감을 다 썼는지 궁금하다.
7 나는 아버지가 내가 콘서트 가는 것을 허락해 줄지 모르겠다.

해설

1~2 '~하는 것'의 의미이므로 that이 적절
3 '~인지 아닌지'의 의미이므로 whether가 적절. if절은 주어를 이끌 수 없음
4, 7 '~인지 아닌지'의 의미이므로 whether가 적절. if는 or not과 붙여서 쓸 수 없음
5, 6 '~인지 아닌지'의 의미이므로 whether[if]가 적절

STEP 2

1 that I had passed the test
2 that she is[she's] allergic to pork
3 that he lives on 11th Street
4 that smoking should be banned in this building
5 that he could get there on time
6 that you turned off all the lights

해설

1~6 접속사 that은 문장에서 주어, 목적어, 보어 역할을 하는 명사절을 이끌며 '~하는 것'이라는 의미로 쓰임

STEP 3

1 I wonder if you could help me.
2 It is true that technology makes our lives convenient.
3 I told her that I'll accept their apology.
4 The problem is that we don't have enough time for the show.
5 Whether we will eat out or not is up to you. [Whether or not we will eat out is up to you.]
6 The question is whether we should rent a car or take a taxi.

해설

1 목적어절을 이끄는 접속사 if
2 주어절을 이끄는 접속사 that
3 목적어절을 이끄는 접속사 that
4 보어절을 이끄는 접속사 that
5 주어절을 이끄는 접속사 whether로 or not은 붙여서 쓰거나 띄어서 쓸 수 있음
6 보어절을 이끄는 접속사 whether

STEP 4

1 It is[It's] natural that you feel nervous before a test.
2 I think (that) Julie and her sister look alike.
3 The point is that they could have prevented the accident.
4 He wonders if you enjoy living in Seoul (or not).
5 It depends on whether he has enough time (or not). [It depends on whether or not he has enough time.]

해설

1 '~하는 것'의 의미로 주어절을 이끄는 접속사 that 필요. 주어로 쓰이는 that절은 주로 'It(가주어) ~ that(진주어)'의 구문으로 쓰임
2 목적어절을 이끄는 접속사 that 필요. that이 목적어절을 이끌 때 생략 가능
3 보어절을 이끄는 접속사 that
4 '~인지 아닌지'의 의미로 목적어절을 이끄는 접속사 if로서 or not과 같이 쓸 수 있지만 연달아 붙여서 쓸 수 없음
5 '~인지 아닌지'의 의미로 whether나 if가 쓰이지만 if는 전치사의 목적어로 쓸 수 없어 whether를 대체할 수 없음

Unit 2 부사절 종속접속사: as, while, once, if p.043

Check-up 1

1 ⓓ 2 ⓒ 3 ⓑ 4 ⓐ

해석

1 Peter는 쉴 때 음악 듣는 것을 좋아한다.
2 그가 극도로 목이 말랐기 때문에 많은 물을 마셨다.
3 사람들이 나이를 먹음에 따라 더 현명해진다.
4 로마에 있을 때는 로마사람들이 하는 대로 하라. (= 로마에 가면 로마법을 따르라.)

해설

1~4 접속사 as는 '~할 때, ~ 때문에, ~함에 따라, ~처럼, ~대로'의 의미를 갖고 있어 문맥에 맞게 해석을 해야 함

Check-up 2

1 If 2 Unless

해설

1 if: 만약 ~라면
2 unless: 만약 ~이 아니라면

STEP 1

1 As 2 As
3 While[As] 4 Once

해설

1 as: ~ 때문에, ~해서
2 as: ~함에 따라
3 while[as]: ~할 때, ~하는 동안
4 once: 일단 ~하면

STEP 2

1 If 2 Unless
3 If 4 Unless

해석

1 문제가 있으면 손을 들어주세요.
2 그녀는 규칙적으로 운동하지 않으면 살이 찔 것이다.
3 네가 연습하지 하지 않으면 너의 피아노 실력은 늘지 않을 것이다.
4 네가 나의 충고를 듣지 않으면 너는 실패할 것이다.

해설

1 if: 만약 ~라면
2 unless: 만약 ~이 아니라면
3 if: 만약 ~라면
4 unless: 만약 ~이 아니라면

STEP 3

1 as we planned
2 While I lived in Canada
3 if you have any questions
4 Unless you have your ID card

해설

1 '~대로'라는 의미로 as가 쓰이고 주절의 시제가 과거(went)이므로 종속절도 과거시제로 써야 함
2 '~할 때, ~하는 동안'이라는 의미로 while이 쓰이고 주절의 시제가 과거(learned)이므로 종속절도 과거시제로 써야 함
3 '만약 ~라면'이라는 의미로 if가 쓰이고 조건의 부사절에서는 현재시제가 미래시제를 대신하므로 will have가 아닌 have로 써야 함
4 '만약 ~이 아니라면'이라는 의미로 unless가 쓰이고 이미 부정의 의미를 가지고 있어 not과 함께 쓰지 않음

STEP 4

1 The noise became louder as we went upstairs.
2 I can't go fishing with you as I have an assignment to do.
3 Sam called three times while I was sleeping.
4 You'll love it once you try tasting it.
5 They can catch the first train If they arrive at the station by 5 a.m.
6 We will go on a picnic tomorrow unless it rains.

해설

1 as: ~함에 따라
2 as: ~ 때문에, ~해서
3 while: ~할 때, ~하는 동안
4 once: 일단 ~하면
5 if: 만약 ~라면
6 unless: 만약 ~이 아니라면

STEP 5

1 As I walked down the street, I saw a car accident.
2 As we are early for the class, let's have a cup of coffee.
3 While I was talking on the phone, the doorbell rang.
4 Once I finish my homework, I can watch TV.
5 If you don't reserve a ticket in advance, you won't be able to get a seat.

해설

1 as: ~할 때
2 as: ~ 때문에, ~해서
3 while: ~할 때, ~하는 동안
4 once: 일단 ~하면
5 if: 만약 ~라면

Unit 3 부사절 종속접속사: since, until, (al)though

p.046

Check-up 1

1 Since　2 since
3 until　4 Although
5 Even though

해석

1 네가 그를 보고 싶어 하니 우리가 함께 그를 방문하는 게 어때?
2 그녀는 열 살 이후로 서울에서 살고 있다.
3 당신의 이름이 불릴 때까지 기다려주세요.
4 비록 그는 매우 피곤했지만, 일찍 일어나야 했다.
5 비록 그녀는 배고팠지만, 아무것도 먹지 않았다.

해설

1 since: ~ 때문에
2 그녀가 열 살부터 현재까지 서울에 살고 있다는 의미이므로 since(~한 이래로)가 적절
3 until: ~할 때까지
4~5 (al)though, even though: 비록 ~일지라도

Check-up 2

1 since　2 since
3 until　4 Although
5 until

해설

1 since: ~ 때문에
2 since: ~한 이래로
3, 5 until: ~할 때까지
4 although: 비록 ~일지라도

STEP 1

1 I won't forgive them until they apologize to me.
2 Even though she was young, she was thoughtful.
3 Since the tickets have been sold out, we can't go to the concert.
4 I can't read this novel since it is written in Chinese.
5 We kept swimming until the Sun set.

해설

1, 5 until: ~할 때까지
2 even though: 비록 ~일지라도
3, 4 since: ~ 때문에

STEP 2

1 Since it's raining heavily
2 since we were kids
3 until I count to ten
4 until the rest of the members arrive
5 Although the task was difficult
6 even though he studied very hard

해설

1 '~ 때문에'라는 의미의 since를 쓰고 비가 지금 내리고 있으므로 시제는 현재진행으로 씀
2 '~한 이래로'라는 의미의 since를 쓰고 어렸던 것은 과거이므로 시제는 과거로 씀
3~4 '~할 때까지'라는 의미의 until을 쓰고 시간을 나타내는 부사절이므로 미래시제를 대신하는 현재시제로 씀
5 '비록 ~일지라도'라는 의미의 although를 쓰고 힘들었던 것은 과거이므로 시제는 과거로 씀
6 '비록 ~일지라도'라는 의미의 even though를 쓰고 공부했던 것은 과거이므로 시제는 과거로 씀

Unit 4 시험에 꼭 나오는 전치사 p.048

Check-up 1

1 from 2 of
3 in 4 in
5 on 6 against

해석

1 그들은 배고픔 때문에 힘이 없었다.
2 그의 아버지는 심장 마비로 돌아가셨다.
3 그녀는 연필로 필기가 된 노트를 들고 있었다.
4 Mark는 빨간 재킷을 입고 있는 남자아이다.
5 나는 미술사에 관한 도서를 찾고 있다.
6 그녀는 항상 나의 의견에 반대하고 내 말을 듣지 않는다.

해설

1 from: ~에 때문에
2 of: ~로 인해
3 in: ~로 (수단, 도구)
4 in: ~을 입은 (착용)
5 on: ~에 관한
6 against: ~에 반대하는

Check-up 2

1 from, stress 2 by, air 3 in, black

해설

1 from: ~에 의해서
2 by: ~을 타고
3 in: ~을 입은

STEP 1

1 of 2 by 3 on 4 for 5 As

해석

1 그녀는 암으로 사망했다.
2 나의 아버지는 대개 버스를 타고 출근하신다.
3 우리는 현재의 사안에 관한 토론을 했다.
4 당신은 나에게 찬성하십니까 아니면 반대하십니까?
5 나는 학부모로서 학교폭력에 대해 매우 많이 걱정합니다.

해설

1 of: ~로 인해
2 by: ~을 타고
3 on: ~에 관한
4 for: ~에 찬성하는
5 as: ~로서

STEP 2

1 I was exhausted from the sleepless nights.
2 The title was written in capital letters.
3 You look very handsome in your uniform.

해설

1 from: ~에 때문에
2 in: ~로 (수단, 도구)
3 in: ~을 입은 (착용)

STEP 3

1 We are against their decision.
2 The man in red is our new homeroom teacher.
3 Some people go to work by train.
4 I bought a book on birds.

해설

1 against: ~에 반대하는
2 in: ~을 입은 (착용)
3 by: ~을 타고
4 on: ~에 관한

Unit 5 주의해야 할 접속사 vs. 전치사

p.050

Check-up

1	during	2	for
3	by	4	until
5	because	6	because of
7	although	8	in spite of
9	while	10	during

해석

1 그 군인은 전쟁 동안에 다쳤다.
2 나는 그를 몇 달 동안 본 적이 없다.
3 나는 늦어도 2시까지 떠나야 한다.
4 그 쿠폰은 3월 말까지 유효하다.
5 그녀는 초과근무를 해야 해서 일찍 올 수가 없었다.
6 그는 낮은 급여 때문에 그 일자리를 수락하지 않았다.
7 교통체증이 심했어도 버스는 제시간에 도착했다.
8 그는 어려움에도 불구하고 절대로 희망을 잃지 않았다.
9 나의 부모님은 대학을 다닐 때 만나셨다.
10 모든 전등이 그 행사 동안에 꺼졌다.

해설

1 during + 특정기간
2 for + 숫자로 표현된 구체적인 기간
3 by + 일회성 동작이나 상태가 완료되는 시점
4 until + 계속되던 상태가 완료되는 시점
5 because + 주어 + 동사
6 because of + 명사구
7 although + 주어 + 동사
8 in spite of + 명사구
9 while + 주어 + 동사
10 during + 특정기간

STEP 1

1	until	2	by
3	for	4	During

해석

1 내 여자친구는 나의 전화를 새벽 1시까지 기다렸다.
2 정오까지 콘서트홀에 입장하세요.
3 그들은 30분째 이야기를 하고 있다.
4 여름 동안에 그녀는 안전요원으로 근무했다.

해설

1 완료되는 시점까지 동작이 계속되므로 until
2 동작이 계속되는 것이 아닌 완료되는 시점이 중요하므로 by
3 for + 숫자로 표현된 구체적인 기간
4 during + 특정기간

STEP 2

1 because
2 because of
3 even though[(al)though]
4 despite[in spite of]

해설

1 because + 주어 + 동사
2 because of + 명사구
3 even though[(al)though] + 주어 + 동사
4 despite[in spite of] + 명사구

STEP 3

1 even though[(al)though]
2 because 3 while

해석

1 그는 늦게 일어났음에도 불구하고 제시간에 그곳에 도착했다.
= 그는 비록 늦게 일어났지만, 제시간에 그곳에 도착했다.
2 악천후 때문에 운항이 취소되었다.
= 날씨가 나빠서 운항이 취소되었다.
3 나의 발표 동안에 아무도 말하지 않았다.
= 내가 발표를 하는 동안에 아무도 말하지 않았다.

해설

1 in spite of + 명사구 = even though + 주어 + 동사
2 because of + 명사구 = because + 주어 + 동사
3 during + 명사구 = while + 주어 + 동사

STEP 4

1 The ticket is valid until May.
2 The report needs to be ready by next Friday.
3 Bake the cake for 40 minutes.
4 I was excited because I got the lead role in the play.
5 We couldn't go on the field trip because of rain.
6 Although I was tired, I did the laundry. [I did the laundry although I was tired.]

해설

1 until + 계속되던 상태가 완료되는 시점
2 by + 일회성 동작이나 상태가 완료되는 시점
3 for + 숫자로 표현된 구체적인 기간
4 because + 주어 + 동사
5 because of + 명사구
6 although + 주어 + 동사

STEP 5

1 I should be there by noon.
2 They have been waiting for 30 minutes.
3 My parents will be out of town until next week.
4 Although she called him aloud, he didn't hear her.
5 During the interview, I got a question about my family.
6 The house was not[wasn't] damaged at all despite the earthquake.

해설

1 by + 일회성 동작이나 상태가 완료되는 시점
2 for + 숫자로 표현된 구체적인 기간
3 until + 계속되던 상태가 완료되는 시점
4 although + 주어 + 동사
5 during + 특정기간
6 despite + 명사구

도전! 만점! 중등 내신 **단답형&서술형** p.053

1 ⓐ whether ⓑ that
2 in
3 as[As]
4 since[Since]
5 by
6 on
7 from
8 unless you sign up in advance
9 Even though he is very old
10 because of a snowstorm
11 They are neither for nor against the law.
12 Once you go in, you can't come out.
13 We had a meeting for about 30 minutes.
14 A cell phone rang loudly during the class.
15 I stayed in London until May.
16 They respected her as a teacher.
17 I was late for school because[since] I missed the bus.
18 Maybe you called me while I was sleeping.
19 if[whether]
20 by

해석 & 해설

1
• 그녀는 그 소문이 진실인지 아닌지 궁금해한다.
• 그는 다음 달에 결혼한다고 말했다.
ⓐ '~인지 아닌지'라는 의미로 접속사 whether나 if를 쓰는데 or not이 붙어 있어서 if는 쓸 수 없음
ⓑ '~하는 것'이라는 의미의 접속사 that

2
• 그 편지는 영어로 쓰였다.
• 흰옷을 입은 저 키 큰 여자는 나의 이모이다.
in: ~로, ~을 입은

3
• 그는 나이를 먹음에 따라 더 현명해졌다.
• 날이 어두워지고 있어서 나는 집에 가야 한다.
as: ~함에 따라, ~ 때문에

4
• 그는 졸업한 이후로 서울에 머무르고 있다.
• 너는 너의 숙제를 마쳤기 때문에 밖에 나가서 놀아도 된다.
since: ~한 이래로, ~ 때문에

5
그들은 기차를 타고 파리로 여행을 갔다.
by: ~를 타고

6
Smith 씨는 한국사에 관한 책을 썼다.
on: ~에 관한

7
그녀는 허약한 건강 때문에 고생했다.
from: ~에 의하여, ~때문에

8
미리 신청하지 않으면 강의에 참석할 수 없습니다.
if ~ not = unless

9
나이를 많이 먹었음에도 불구하고 그는 여전히 활동적인 삶을 산다.
= 비록 그는 나이를 많이 먹었지만, 그는 여전히 활동적인 삶을 산다.
even though + 주어 + 동사 = despite + 명사구

10
눈보라가 쳐서 학교는 휴교했다.
= 눈보라 때문에 학교는 휴교했다.
because + 주어 + 동사 = because of + 명사구

11
neither A nor B: A와 B 둘 다 아닌
for: ~에 찬성하는, against: ~에 반대하는

12
once: 일단 ~하면

13
for + 숫자로 표현된 구체적인 기간

14
during + 특정기간

15
until + 계속되던 상태가 완료되는 시점

16
as: ~로서

17
because[since] + 주어 + 동사: ~때문에

18~20
A: 내가 어젯밤에 네게 전화를 했는데 안 받았어.
B: 정말? 아마도 내가 잠을 자고 있을 때 네가 전화를 했나 봐. 왜 전화했어?
A: 내가 콘서트 표가 2장 있거든. 네가 나랑 같이 가고 싶은지 궁금해.
B: 좋지! 콘서트가 언제니?
A: 내일 저녁 7시야. 우리 집 근처에서 열려.
B: 공연 전에 밥을 먹어야겠다. 우리 언제 만날까?
A: 우리는 6시 반까지 콘서트에 도착해야 하니까 그 피자가게에서 5시에 만나자.

18
while: ~하는 동안

19
'~인지 아닌지'라는 의미로 접속사 if나 whether가 필요

20
by + 일회성 동작이나 상태가 완료되는 시점

Chapter 11 관계사

Unit 1 관계대명사 who / which / whose

p.056

Check-up 1

1 who, that
2 which, that
3 whom, who, that
4 that
5 whose

해석

1 Jackson 여사는 엄격한 선생님이다.
2 나는 신분증이 들어있는 가방을 발견했다.
3 그녀는 우리 학교에서 내가 가장 좋아하는 선생님이다.
4 이것은 내가 너에게 말했던 책이다.
5 Jason은 색상이 검은색인 재킷이 있다.

해설

1 선행사: a teacher(사람), 관계대명사: who, that(주격)
2 선행사: a bag(사물), 관계대명사: which, that(주격)
3 선행사: the teacher(사람), 관계대명사: whom, who, that(목적격)
4 선행사: the book(사물), 관계대명사: which, that(주격)
5 선행사: a jacket(사물), 관계대명사: whose(소유격)

Check-up 2

1 which[that]
2 who(m)[that]
3 which[that]
4 whose

해석

1 냉장고에 있던 주스는 어디에 있니?
2 내가 말을 한 그 소년은 매우 예의가 있었다.
3 이것은 내가 내 생일에 받은 선물이다.
4 나는 가수가 되는 것이 꿈인 소녀를 만났다.

해설

1 선행사: the juice(사물), 관계대명사: which[that](주격)
2 선행사: the boy(사람), 관계대명사: who(m)[that](목적격)
3 선행사: the gift(사물), 관계대명사: which[that](목적격)
4 선행사: a girl(사람), 관계대명사: whose(소유격)

STEP 1

1 who[that] are waiting outside
2 which[that] was written by a famous writer
3 who[that] lives next door
4 which[that] was on the table

해석

1 나는 밖에서 기다리고 있는 많은 사람들을 본다.
2 그의 엄마는 유명한 작가에 의해 쓰여진 책 한 권을 읽었다.
3 옆집에 사는 그 여자는 매우 친절하다.
4 탁자 위에 있는 그림을 보았니?

해설

1 선행사: lots of people(사람), 관계대명사: who[that](주격)
2 선행사: a book(사물), 관계대명사: which[that](주격)
3 선행사: the woman(사람), 관계대명사: who[that](주격)
4 선행사: the picture(사물), 관계대명사: which[that](주격)

STEP 2

1 which[that] he is wearing
2 who(m)[that] she invited to the party
3 who(m)[that] I talked about yesterday
4 which[that] I wanted to read

해석

1 나는 그가 쓰고 있는 모자를 좋아한다.
2 저 사람이 그녀가 파티에 초대했던 그 소년이다.
3 이 사람이 내가 어제 이야기했던 여성이다.
4 내가 읽고 싶었던 그 책은 책꽂이에 없다.

해설

1 선행사: the cap(사물), 관계대명사: which[that](목적격)
2 선행사: the boy(사람), 관계대명사: who(m)[that](목적격)
3 선행사: the lady(사람), 관계대명사: who(m)[that](목적격)
4 선행사: the book(사물), 관계대명사: which[that](목적격)

STEP 3

1 whose mother is a professor
2 whose walls are green
3 whose title is *The Little Foxes*

해석

1 나는 어머니가 교수인 친구가 한 명 있다.
2 그녀는 벽이 녹색인 집에 살기를 원한다.
3 〈작은 여우들〉이라는 제목의 책은 매우 재미있다.

해설

1 선행사: a friend(사람), 관계대명사: whose(소유격)
2 선행사: the house(사물), 관계대명사: whose(소유격)
3 선행사: the book(사물), 관계대명사: whose(소유격)

STEP 4

1 a friend who has the French accent
2 movies which have happy endings
3 The man who guided us around the city
4 a friend whose name is Mike
5 a title whose meaning is clear
6 the same habit that my father has

해설

1 선행사: a friend(사람), 관계대명사: who(주격)
2 선행사: movies(사물), 관계대명사: which(주격)
3 선행사: The man(사람), 관계대명사: who(주격)
4 선행사: a friend(사람), 관계대명사: whose(소유격)
5 선행사: a title(사물), 관계대명사: whose(소유격)
6 선행사: the same habit(사물), 관계대명사: that(목적격)

STEP 5

1 The photo which[that] I took
2 the girl who(m)[that] he introduced to me
3 Anyone who[that] gets the highest score
4 The bicycle which[that] is in the backyard
5 a dog whose fur is as white as snow
6 a woman whose son is a famous gymnast

해설

1 선행사: The photo(사물), 관계대명사: which[that](목적격)
2 선행사: the girl(사람), 관계대명사: who(m)[that](목적격)
3 선행사: Anyone(사람), 관계대명사: who[that](주격)
4 선행사: The bicycle(사물), 관계대명사: which[that](주격)
5 선행사: a dog(동물), 관계대명사: whose(소유격)
6 선행사: a woman(사람), 관계대명사: whose(소유격)

Unit 2 관계대명사 that p.059

Check-up 1

1 who, that
2 who, that
3 which, that
4 that
5 that
6 that

해석

1 나는 강아지를 산책시키고 있는 소녀를 보았다.
2 내가 말을 한 그 소년은 매우 친절했다.
3 캥거루는 호주에 사는 동물이다.

4 뒷마당에서 놀고 있던 아이 한 명과 강아지 한 마리를 보았니?
5 포크는 네가 음식을 집기 위해 사용하는 것이다.
6 그 영화는 내가 보았던 가장 긴 영화이다.

해설

1 선행사가 a girl(사람)이므로 주격 관계대명사 who, that 가능
2 선행사가 The boy(사람)이므로 목적격 관계대명사 who, that 가능
3 선행사가 an animal(동물)이므로 주격 관계대명사 which, that 가능
4 선행사가 a child and two dogs(사람 + 동물)이므로 주격 관계대명사 that만 가능
5 선행사가 something(부정대명사)이므로 목적격 관계대명사 that 가능
6 선행사가 the longest movie(최상급의 수식을 받는 경우)이므로 목적격 관계대명사 that 가능

Check-up 2

1 who[that]	2 which[that]	3 who[that]
4 that	5 that	

해석

1 수의사는 아픈 동물을 치료하는 사람이다.
2 서울행 버스는 매 두 시간마다 운행한다.
3 그는 에베레스트 산 정상을 도달한 최초의 사람이다.
4 이것은 내가 찾고 있었던 바로 그 책이다.
5 그녀는 당신이 가진 것과 같은 똑같은 모자를 갖고 있다.

해설

1 선행사가 a person(사람)이므로 주격 관계대명사 that, who 가능
2 선행사가 The bus(사물)이므로 주격 관계대명사 that, which 가능
3 선행사가 the first man(서수의 수식을 받는 사람인 경우)이므로 주격 관계대명사 that, who 가능
4 선행사가 the very book(the very의 수식을 받는 경우)이므로 목적격 관계대명사 that 가능
5 선행사가 the same hat(the same의 수식을 받는 경우)이므로 목적격 관계대명사 that 가능

STEP 1

1 which[that]	2 who[that]
3 who(m)[that]	4 which[that]
5 whose	6 which[that]

해석

1 그녀는 이해하기 어려운 책을 갖고 있다.
2 병원으로 이송되었던 소년은 내 반 친구이다.
3 그는 내가 가장 보고 싶었던 음악가이다.
4 그들은 자신들이 필요한 정보를 발견했다.
5 그녀는 여동생이 영화배우인 친구가 한 명 있다.
6 우리는 네가 놀라게 될 소식을 갖고 있다.

해설

1 선행사: a book(사물), 관계대명사: which[that](주격)
2 선행사: The boy(사람), 관계대명사: who[that](주격)
3 선행사: the musician(사람), 관계대명사: whom[that](목적격)
4 선행사: the information(사물), 관계대명사: which[that](목적격)
5 선행사: a friend(사람), 관계대명사: whose(소유격)
6 선행사: news(사물), 관계대명사: which[that](목적격)

STEP 2

1 that	2 that	3 that
4 that	5 that	

해석

1 그는 내가 지금까지 보았던 가장 빠른 소년이었다.
2 그녀는 결승선을 통과한 세 번째 사람이었다.
3 이것은 그 화가가 살아있을 때 지금까지 팔았던 유일한 그림이다.
4 냉장고에 보관되었던 모든 음식이 상했다.
5 그는 우리 모두를 정말 놀라게 하는 뭔가를 했다.

해설

1 선행사: the fastest boy(최상급의 수식을 받는 경우), 관계대명사: that(목적격)
2 선행사: the third person(서수의 수식을 받는 경우), 관계대명사: that(주격)
3 선행사: the only picture(the only의 수식을 받는 경우), 관계대명사: that(목적격)
4 선행사: All the food(all의 수식을 받는 경우), 관계대명사: that(주격)
5 선행사: something(선행사가 –thing으로 끝나는 경우), 관계대명사: that(주격)

STEP 3

1 that I've ever seen
2 that walked on the moon
3 that I want to work with
4 that I heard on the radio
5 that I can do for you

해설

1 최상급의 수식을 받는 선행사 + 관계대명사 that절
2 서수의 수식을 받는 선행사 + 관계대명사 that절
3 the very의 수식을 받는 선행사 + 관계대명사 that절
4 the same의 수식을 받는 선행사 + 관계대명사 that절
5 –thing로 끝나는 선행사 + 관계대명사 that절

STEP 4

1 The clerk that helped us was very nice.
2 This is the only apple that we have now.
3 Everything that he said was recorded on tape.
4 The first student that came to the school is Peter.
5 They have the same problem that we have.
6 This is the most interesting book that I've ever read.

해설

1 선행사: The clerk(사람), 관계대명사: that(주격)
2 선행사: the only apple(the only의 수식을 받는 경우), 관계대명사: that(목적격)
3 선행사: Everything(선행사가 -thing으로 끝나는 경우), 관계대명사: that(목적격)
4 선행사: The first student(서수의 수식을 받는 경우), 관계대명사: that(주격)
5 선행사: the same problem(the same의 수식을 받는 경우), 관계대명사: that(목적격)
6 선행사: the most interesting book(최상급의 수식을 받는 경우), 관계대명사: that(목적격)

STEP 5

1 She is a person who[that] is warm-hearted.
2 The novel is about a woman and her dog that saved a lot of people.
3 That is the very man that I saw at the café.
4 You are the only person that can change your life.
5 This is the same wallet that he lost yesterday.
6 There was nothing that we could do about it.

해설

1 선행사: a person(사람), 관계대명사: who[that](주격)
2 선행사: a woman and her dog(사람 + 동물), 관계대명사: that(주격)
3 선행사: the very man(the very의 수식을 받는 경우), 관계대명사: that(목적격)
4 선행사: the only person(the only의 수식을 받는 경우), 관계대명사: that(주격)
5 선행사: the same wallet(the same의 수식을 받는 경우), 관계대명사: that(목적격)
6 선행사: nothing(선행사가 -thing으로 끝나는 경우), 관계대명사: that(목적격)

Unit 3 관계대명사 what / 관계대명사의 생략

p.062

Check-up 1

1 What 2 what 3 what

해석

1 그가 말했던 것은 사실이다.
2 이 셔츠가 내가 찾고 있었던 것이다.
3 나는 네가 지난 일요일에 했던 일을 안다.

해설

1~3 the thing(s) + 관계대명사 that절은 선행사를 포함하는 what이 이끄는 관계대명사절로 바꾸어 쓸 수 있음

Check-up 2

1 that 2 whom
3 who is 4 who is
5 who was

해석

1 이것은 내가 사고 싶은 시계이다.
2 그녀는 어제 내가 이야기했던 소녀이다.
3 신문을 읽고 있는 남자는 우리 아버지이다.
4 청바지를 입고 있는 소녀는 내 사촌이다.
5 사고에서 부상을 당한 경찰관은 병원에 있다.

해설

1 선행사: the watch, 목적격 관계대명사: that(생략 가능)
2 선행사: the girl, 목적격 관계대명사: whom(생략 가능)
3 선행사: The man, 주격 관계대명사 + be동사: who is(생략 가능)
4 선행사: The girl, 주격 관계대명사 + be동사: who is(생략 가능)
5 선행사: The police officer, 주격 관계대명사 + be동사: who was(생략 가능)

STEP 1

1 What I want
2 What you need
3 What they believe
4 What he wants for lunch

해설

1~4 선행사를 포함하는 관계대명사 what이 이끄는 절은 문장에서 주어 역할을 할 수 있음

STEP 2

1 what she wants
2 what annoys us
3 what she asked for

해설

1~3 선행사를 포함하는 관계대명사 what이 이끄는 절은 문장에서 보어 역할을 할 수 있음

STEP 3

1 what he said today
2 what she already has
3 what you saw on your way home
4 what we had for dinner yesterday

해설

1~4 선행사를 포함하는 관계대명사 what이 이끄는 절은 문장에서 목적어 역할을 할 수 있음

STEP 4

1 What I'm going to say
2 What you know
3 What happened
4 what you shouldn't forget
5 what you want
6 what I should do next

해석

1 내가 말하려고 하는 것이 너를 놀라게 할지 모른다.
2 네가 아는 것이 전부가 아니다.
3 발생했던 일은 내 실수가 아니었다.
4 이것이 네가 잊지 말아야 하는 것이다.
5 네가 원하는 것을 얻는 것은 종종 어렵다.
6 내가 다음에 해야 하는 것을 내게 말해줘.

해설

1~6 선행사(the thing(s))를 포함하는 관계대명사 what이 이끄는 절은 문장에서 주어, 보어, 목적어 역할을 함

STEP 5

1 what I mean
2 what you eat
3 what she bought yesterday
4 What we did yesterday
5 What made her angry
6 What I like most about him

해설

1~6 선행사를 포함하는 관계대명사 what이 이끄는 절은 문장에서 주어, 보어, 목적어 역할을 함

Unit 4 관계대명사의 용법 p.065

Check-up

1 a coat which	2 The woman that
3 softball, which	4 My grandfather, who
5 , which	6 , which

해설

1 선행사: a coat, 목적격 관계대명사: which(제한적 용법)
2 선행사: The woman, 주격 관계대명사: that(제한적 용법)
3 선행사: softball, 주격 관계대명사: , which(계속적 용법)
4 선행사: My grandfather, 주격 관계대명사: , who(계속적 용법)
5 선행사: She changed her mind, 주격 관계대명사: , which (계속적 용법)
6 선행사: She was late for school, 주격 관계대명사: , which(계속적 용법)

STEP 1

1 who is from Spain
2 whose dream is to be a scientist
3 which is the tallest building in Paris.
4 who is an old friend of mine.
5 which made him angry.

해설

1 선행사: Selena, 관계대명사: who(주격)
2 선행사: My brother, 관계대명사: whose(소유격)
3 선행사: the Eiffel Tower, 관계대명사: which(주격)
4 선행사: Ben, 관계대명사: who(주격)
5 선행사: They kept making fun of him, 관계대명사: which(주격)

STEP 2

1 The boy who I met yesterday was a very quiet person.
2 They live in Ottawa, which is the capital city of Canada.
3 I miss Korean food, which I have not eaten for years.
4 This morning he met Laura, who is from England.
5 The soccer team won the game, which surprised us.

해설

1 선행사: The boy, 관계대명사: who(목적격)
2 선행사: Ottawa, 관계대명사: which(주격)
3 선행사: Korean food, 관계대명사: which(목적격)
4 선행사: Laura, 관계대명사: who(주격)
5 선행사: The soccer team won the game, 관계대명사: which(주격)

Unit 5 관계부사

p.067

Check-up

1 when 2 where
3 why 4 how

해설

1 선행사: the time, 관계부사: when(시간)
2 선행사: the place, 관계부사: where (장소)
3 선행사: the reason, 관계부사: why(시간)
4 선행사: the way(생략됨), 관계부사: how(방법)

STEP 1

1 when 2 where 3 why
4 how 5 x

해석

1 세계 2차 대전이 발생한 연도를 알고 있니?
2 이곳은 우리 어머니께서 태어나신 집이다.
3 그는 그들이 비행기를 놓친 이유를 알고 있다.
4 나에게 그 기계를 작동할 수 있는 방법을 보여줄 수 있나요?
5 그 문제를 해결할 수 있는 방법을 내게 알려주세요.

해설

1 선행사: the year, 관계부사: when(시간)
2 선행사: the house, 관계부사: where(장소)
3 선행사: the reason, 관계부사: why(이유)
4 선행사: the way(생략됨), 관계부사: how(방법)
5 선행사: the way, 관계부사: how(생략됨)

STEP 2

1 when it is pretty cold
2 where you can eat
3 why he left
4 why I changed my mind
5 the way she learned to play the guitar
6 how I can make a cake

해설

1 선행사: a month, 관계부사: when(시간)
2 선행사: restaurants, 관계부사: where (장소)
3 선행사: the reason, 관계부사: why(이유)
4 선행사: the reason, 관계부사: why(이유)
5 선행사: the way, 관계부사: how(생략됨)
6 선행사: the way(생략됨), 관계부사: how(방법)

STEP 3

1 where we stayed
2 why he quit the job
3 how you use the software
4 how the machine works
5 where I can buy a bottle of water
6 when I have to hand in my essay

해설

1 선행사: The hotel, 관계부사: where(장소)
2 선행사: the reason, 관계부사: why(이유)
3 선행사: the way(생략됨), 관계부사: how(방법)
4 선행사: the way(생략됨), 관계부사: how(방법)
5 선행사: any place, 관계부사: where(장소)
6 선행사: the date(생략됨), 관계부사: when(시간)

STEP 4

1 on which he first came to my school / when he first came to my school
2 in which some of Picasso's paintings were exhibited / where some of Picasso's paintings were exhibited
3 in which he passed the test / how he passed the test
4 for which many people are waiting in line over there / why many people are waiting in line over there

해석

1 나는 그가 처음 우리 학교에 온 날을 기억한다.
2 그는 피카소의 그림 중 일부가 전시된 미술 박물관에 갔다.
3 그가 시험을 통과한 방법을 나에게 말해주세요.
4 많은 사람들이 저 너머에서 줄을 서서 기다리고 있는 이유를 알고 있니?

해설

1 선행사: the day, 전치사 + 관계대명사: on which(시간)
2 선행사: an art museum, 전치사 + 관계대명사: in which(장소)
3 선행사: the way, 전치사 + 관계대명사: in which(방법)
4 선행사: the reason, 전치사 + 관계대명사: for which(이유)

Unit 6 복합관계대명사 p.070

Check-up

1 Whoever
2 whomever
3 Whatever
4 whichever
5 Whatever
6 Whichever
7 Whoever

해설

1 whoever (= anyone who): 명사절 이끎
2 whomever (= anyone whom): 명사절을 이끎
3 whatever (= anything that): 명사절을 이끎
4 whichever (= anything which): 명사절을 이끎
5 whatever (= no matter what): 양보의 부사절을 이끎
6 whichever (= no matter which): 양보의 부사절을 이끎
7 no matter who (= whoever): 양보의 부사절을 이끎

STEP 1

1 Whoever
2 whatever
3 whichever
4 No, matter, who
5 No, matter, what
6 anyone, who
7 whoever
8 whomever
9 whatever
10 whatever

해석

1 그의 부모님이 누구라 해도 그는 정직한 남자이다.
2 무엇이 일어난다 해도 그들은 나를 배신하지 않을 것이다.
3 네가 어떤 길을 택한다 해도 대략 4시간이 걸린다.
4 선거에서 누가 이긴다 해도 그것은 나에게 중요하지 않다.
5 내가 무엇을 제안하든 상관없이, 내 친구들은 항상 동의하지 않는다.
6 우리는 우리 동아리에 가입하고자 하는 사람은 누구나 환영한다.
7 그 퍼즐을 푸는 사람은 누구든 상을 받을 것이다.
8 우리는 자유롭게 우리가 원하는 사람은 누구든 선택할 수 있다.
9 그들은 아들이 원하는 것은 무엇이든 사 주었다.
10 그들은 무엇이든 더 저렴한 것을 살 것이다.

해설

1 no matter who (= whoever): 양보의 부사절을 이끎
2 no matter what (= whatever): 양보의 부사절을 이끎
3 no matter which route (= whichever route): 양보의 부사절을 이끎
4 whoever (= no matter who): 양보의 부사절을 이끎
5 whatever (= no matter what): 양보의 부사절을 이끎
6 whoever (= anyone who): 명사절을 이끎
7 anyone who (= whoever): 명사절을 이끎
8 anyone whom (= whomever): 명사절을 이끎
9~10 anything that (= whatever): 명사절을 이끎

STEP 2

1 Whatever happens
2 whatever I wanted to eat
3 whomever you want
4 Whichever you choose
5 Whoever wants to participate in the event
6 Whoever solved this problem

해석

1 무슨 일이 일어난다 해도 우리는 그 프로젝트를 끝낼 것이다.
2 나는 먹고 싶은 것은 무엇이든 주문했다.
3 너는 네가 원하는 사람이면 누구든지 초대할 수 있다.
4 네가 어느 것을 선택하든 너는 만족할 것이다.
5 그 행사에 참석하고자 하는 사람은 누구든 올 수 있다.
6 누가 이 문제를 풀었다 해도 그는 천재가 분명하다.

해설

1 no matter what (= whatever): 양보의 부사절을 이끎
2 anything that (= whatever): 명사절을 이끎
3 anyone whom (= whomever): 명사절을 이끎
4 no matter which (= whichever): 양보의 부사절을 이끎
5 anyone who (= whoever): 명사절을 이끎
6 no matter who (= whoever): 양보의 부사절을 이끎

STEP 3

1 whoever[anyone who] needs his help
2 Whoever[No matter who] criticizes them
3 whichever[anything which] you like among those
4 Whichever[No matter which] method he used
5 Whatever[No matter what] she decides to do
6 whatever[anything that] is on my mind

해설

1 whoever (= anyone who): 명사절을 이끎
2 whoever (= no matter who): 양보의 부사절을 이끎
3 whichever (= anything which): 명사절을 이끎
4 whichever (= no matter which): 양보의 부사절을 이끎
5 whatever (= no matter what): 양보의 부사절을 이끎
6 whatever (= anything that): 명사절을 이끎

Unit 7 복합관계부사

p.073

Check-up 1

1 whenever 2 wherever
3 However 4 Whenever

해설
1 whenever는 시간의 부사절을 이끎
2 wherever는 장소의 부사절을 이끎
3 however는 양보의 부사절을 이끎
4 whenever는 시간의 부사절을 이끎

Check-up 2

1 Whenever 2 wherever 3 However

해석
1 네가 우리를 방문할 때면 언제든지 우리는 항상 너를 환영할 것이다.
2 그녀가 가는 곳은 어디든지 그녀의 팬들이 뒤따랐다.
3 그것이 얼마나 어렵다 할지라도 나는 그 프로젝트를 끝낼 것이다.

해설
1 no matter when = whenever: 시간의 부사절을 이끎
2 no matter where = wherever: 장소의 부사절을 이끎
3 no matter how = however: 양보의 부사절을 이끎

STEP 1

1 Whenever 2 Wherever 3 However

해설
1 whenever는 시간의 부사절을 이끎
2 wherever는 장소의 부사절을 이끎
3 however는 양보의 부사절을 이끎

STEP 2

1 whenever you want to
2 wherever we like
3 Wherever she goes
4 however I tried
5 however much it costs

해설
1 whenever는 시간의 부사절을 이끎
2~3 wherever는 장소의 부사절을 이끎
4~5 however는 양보의 부사절을 이끎

STEP 3

1 Whenever I have a problem
2 However dark the moment
3 wherever the climate is warm enough

해석
1 나는 문제가 있을 때면 언제든지 그것에 대해 어머니와 이야기한다.
2 시대가 아무리 어두워도, 사랑과 소망은 언제나 존재한다.
3 기후가 충분히 따뜻한 곳이면 어디든지 이 식물은 잘 자란다.

해설
1 at any time when(=whenever): 시간의 부사절을 이끎
2 no matter how(=however): 양보의 부사절을 이끎
3 at any place where(=wherever): 장소의 부사절을 이끎

도전! 만점! 중등 내신 단답형&서술형

p.075

1 which
2 What
3 Whatever
4 when
5 However smart he is
6 Whichever she chooses
7 who → whose
8 what → that
9 , that → that
10 the way how → how[the way]
11 What is the title of the book Jane is reading?
12 The girl standing over there is Tom's girlfriend.
13 He will help whoever needs his support.
14 Some people followed the singer wherever he went.
15 Whatever goes into the black hole cannot come out again.
16 The village where I grew up has a park.
17 Pick whatever[whichever] you want.
18 Whenever he goes out, he wears sunglasses.
19 The people who work at the bank are friendly.
20 I know the reason why the sky is blue.

해석 & 해설

1

• 내가 어제 산 콜라 캔이 어디에 있니?

• 그녀는 어젯밤에 나를 바람 맞혔는데, 그것은 정말 나를 화나게 했다.

선행사가 사물일 경우와 문장 전체일 경우에 공통으로 사용 가능한 관계대명사는 which

2

선행사를 포함하며 문장의 주어로 쓰일 수 있는 것은 관계대명사는 what

3

문맥상 '무엇을 ~해도'를 뜻하고, 선행사를 포함하며 양보의 부사절을 이끄는 것은 복합관계대명사 whatever

4

선행사가 시간을 나타내는 the year이고, 빈칸 이후에 완전한 절이 이어지므로 관계부사 when이 필요

5

그가 아무리 똑똑하다 해도 그는 그 문제를 풀지 못할 것이다.

no matter how(= however): 양보의 부사절을 이끎

6

그녀가 어느 것을 고른다 해도 나는 그녀를 위해 그것을 사줄 것이다.

no matter which(=whichever): 양보의 부사절을 이끎

7

나는 형이 유명한 가수인 친구가 한 명 있다.

관계대명사절에서 who의 역할이 소유격이므로 whose로 바꿔야 함

8

너는 내가 알기를 원하는 뭔가가 있니?

선행사 anything이 있으므로 선행사가 포함된 관계대명사 what이 아닌 that이 가능

9

이 회사는 날 수 있는 최초의 차를 발명했다.

관계대명사 that은 ,(쉼표)와 함께 쓸 수 없으므로 ,(쉼표)를 뺀 that으로 바꿔야 함

10

나는 너에게 내가 컴퓨터를 고쳤던 방법을 보여줄게.

선행사 the way와 관계부사 how는 같이 쓰지 않으므로 둘 중 하나만 사용해야 함

11

Jane이 읽고 있는 그 책의 제목은 무엇이니?

목적격 관계대명사는 생략 가능하므로, that 생략 가능

12

저기 서 있는 소녀는 Tom의 여자친구이다.

'주격 관계대명사 + be동사'는 생략 가능하므로, who is 생략 가능

13

whoever는 선행사를 포함하며 명사절을 이끎

14

wherever는 선행사를 포함하며 장소의 부사절을 이끎

15

whatever는 선행사를 포함하며 명사절을 이끎

16

선행사: The village, 관계부사: where(장소)

17

whatever, whichever는 선행사를 포함하며 명사절을 이끎

18

whenever는 선행사를 포함하며 시간의 부사절을 이끎

19

선행사: The people(사람), 관계대명사: who(주격)

20

선행사: the reason, 관계부사: why(이유)

Chapter 12 가정법

Unit 1 가정법 과거 p.078

Check-up 1

1 a, b 2 b, a 3 b, a

해설

1~3 단순 조건: If + 주어 + 동사의 현재형, 주어 + 조동사의 현재 + 동사원형 → 실현 가능성이 높을 때

가정법 과거: If + 주어 + 동사의 과거, 주어 + 조동사의 과거 + 동사원형 → 실현 가능성이 낮거나 현재 사실과 반대일 때

Check-up 2

1 goes 2 spoke
3 had 4 will, arrive
5 would, ask 6 wouldn't, buy

해석

1 그가 프랑스로 가면, 그는 프랑스어를 배울 것이다.
2 만약 그녀가 중국어를 한다면, 그녀는 혼자 중국에서 여행할 수 있을 텐데.
3 만약 내가 시간이 충분하다면, 너를 도울 수 있을 텐데.
4 우리가 서두른다면, 제시간에 도착할 거야.
5 네가 나의 입장이라면, 너는 도움을 요청할 텐데.
6 내가 너라면, 저 운동화를 사지 않겠어.

해설

1 단순 조건: If + 주어 + 동사의 현재형, 주어 + 조동사의 현재 + 동사원형
2~3 가정법 과거: If + 주어 + 동사의 과거, 주어 + 조동사의 과거 + 동사원형
4 단순 조건: If + 주어 + 동사의 현재형, 주어 + 조동사의 현재 + 동사원형
5~6 가정법 과거: If + 주어 + 동사의 과거, 주어 + 조동사의 과거 + 동사원형

STEP 1

1 were, would, accept 2 were, would, fit
3 were, would, give 4 were, would, invite
5 would, do, were

해설

1~5 현재 사실을 반대로 가정하거나 실현 가능성이 없으므로 'If + 주어 + 동사의 과거형, 주어 + 조동사의 과거형 + 동사원형'으로 가정법 과거를 나타냄. 이때 if절에서 be동사가 쓰인 경우, 주어의 인칭에 상관없이 were를 쓰는 것이 원칙

STEP 2

1 were, not, would, go 2 had, could, lend
3 is, not, can't, join 4 am, not, can't, buy
5 am, not, can't, prepare

해석

1 내가 바쁘기 때문에 우리는 여행을 가지 않을 것이다.
= 만약 내가 바쁘지 않다면, 우리는 여행을 갈 텐데.
2 그가 그 책을 가지고 있지 않기 때문에 그는 그것을 나에게 빌려줄 수 없다.
= 만약 그가 그 책을 가지고 있다면, 나에게 빌려줄 수 있을 텐데.
3 만약 그녀가 수영을 잘하는 사람이라면, 수영 동아리에 가입할 수 있을 텐데.
= 그녀는 수영을 잘하는 사람이 아니기 때문에 그녀는 수영 동아리에 가입할 수 없다.
4 만약 내가 부자라면, 해변에 있는 집을 살 수 있을 텐데.
= 나는 부자가 아니기 때문에, 해변에 있는 집을 살 수 없다.
5 만약 내가 요리를 잘한다면, 혼자서 식사를 준비할 수 있을 텐데.
= 내가 요리를 잘하지 못하기 때문에 혼자서 식사를 준비할 수 없다.

해설

1~2 현재 사실의 반대를 가정하므로 'If + 주어 + 동사의 과거형, 주어 + 조동사의 과거형 + 동사원형'으로 씀
3~5 가정법 과거 문장을 직설법 문장으로 바꿀 때 동사는 현재형으로 써야 하며 동사는 주어와 수일치 되도록 주의 필요

STEP 3

1 If he had a cell phone, he could call her. [He could call her if he had a cell phone.]
2 If I were you, I would prepare for the competition. [I would prepare for the competition if I were you.]
3 If they had time, they would go to the concert. [They would go to the concert if they had time.]
4 If she had enough money, she could lend him some. [She could lend him some if she had enough money.]
5 If it weren't snowing, he would drive to work. [He would drive to work if it weren't snowing.]
6 If I lived near the school, I wouldn't have to take the bus. [I wouldn't have to take the bus if I lived near the school.]

해설

1~6 현재 사실의 반대를 가정하거나 실현 가능성이 거의 없는 일을 나타내므로 'If + 주어 + 동사의 과거형, 주어 + 조동사의 과거형 + 동사원형'으로 쓰는데 if절과 주절의 위치를 서로 바꾸어 '주어 + 조동사의 과거형 + 동사원형~ + if + 주어 + 동사의 과거형'으로도 쓸 수 있음

STEP 4

1 If the traffic weren't so heavy, we could arrive at the station earlier.
2 If I had a piano lesson, I couldn't go to the movies.
3 If it were Sunday, I wouldn't go to school.
4 If I didn't have much work to do, I could go for a walk.
5 If you were the President, what would you do for your country?

해설

1~5 'If + 주어 + 동사의 과거형, 주어 + 조동사의 과거형 + 동사원형'으로 쓰는데 if절에서 be동사가 쓰일 경우, 주어의 인칭과 상관 없이 were를 씀

Unit 2 가정법 과거완료 p.081

Check-up 1

1 had been 2 would have told
3 had gotten up 4 wouldn't have broken
5 could have passed

해석

1 네가 좀 더 조심했었더라면, 얼음 위에서 넘어지지 않았을 텐데.
2 내가 사실을 알았더라면, 너에게 말을 했을 텐데.
3 그녀가 좀 더 일찍 일어났었더라면, 그녀는 지각하지 않았을 텐데.
4 그가 조심했더라면, 그는 그 꽃병을 깨지 않았을 텐데.
5 그녀가 열심히 공부했었더라면, 그녀는 시험을 통과할 수 있었을 텐데.

해설

1~5 가정법 과거완료: If + 주어 + had + p.p., 주어 + 조동사의 과거형 + have + p.p.

Check-up 2

1 hadn't, made 2 might, have, bought
3 had, taken 4 hadn't, rained

해설

1 make의 과거완료형은 had made이고 부정어 not이 had 뒤에 추가됨
2 조동사 may의 과거형은 might이고 buy의 현재완료형인 have bought가 뒤따름
3 take의 과거완료형은 had taken
4 rain의 과거완료형은 had rained이고 부정어 not이 had 뒤에 추가됨

STEP 1

1 had, polished
2 hadn't, been, translated
3 couldn't, have, paid
4 would, have, won
5 could, have, gone
6 wouldn't, have, been

해설

1 과거 사실을 반대로 가정하는 문장으로서 if절은 'if + 주어 + had + p.p.'로 나타냄
2 과거 사실을 반대로 가정하는 문장으로서 if절은 'if + 주어 + had + p.p.'로 나타내는데 부정문의 경우 not을 had 뒤에 추가함
3 가정법 과거완료에서 주절은 '주어 + 조동사의 과거형 + have + p.p.'로 나타내는데 '할 수 없다'는 내용이 나오므로 조동사는 couldn't를 씀
4 가정법 과거완료에서 주절은 '주어 + 조동사의 과거형 + have + p.p.'로 나타내는데 '~했을 것이다'라는 내용이 나오므로 조동사는 would를 씀
5 가정법 과거완료에서 주절은 '주어 + 조동사의 과거형 + have + p.p.'로 나타내는데 '~했을 것이다'라는 내용이 나오므로 조동사는 could를 씀
6 조동사 will의 과거형은 would이고 be의 현재완료형인 have been이 뒤따름

STEP 2

1 hadn't been, would have bought
2 were not, couldn't finish
3 had booked, could have gotten
4 didn't play, lost
5 hadn't ignored, wouldn't have failed

해석

1 그 재킷이 비쌌기 때문에 나는 그것을 사지 않았다.
= 만약 그 재킷이 비싸지 않았더라면, 나는 그것을 샀었을 텐데.
2 만약 그들이 협조적이었으면, 우리는 그 업무를 더 일찍 끝낼 수 있었을 텐데.
= 그들이 협조적이지 않았기 때문에 우리는 그 업무를 더 일찍 끝낼

수 없었다.

3 우리가 표를 더 일찍 예매하지 않아서 우리는 좋은 좌석을 구할 수가 없었다.
= 만약 우리가 표를 더 일찍 예매했었더라면, 우리는 좋은 좌석을 구할 수 있었을 텐데.

4 만약 우리가 수비를 잘했더라면, 게임에서 패배하지 않았을 텐데.
= 우리가 수비를 잘하지 못했기 때문에 게임에서 패배했다.

5 네가 나의 충고를 무시했기 때문에 너는 실패했다.
= 만약 네가 나의 충고를 무시하지 않았더라면, 너는 실패하지 않았을 텐데.

해설

1 과거 사실(was, didn't buy)의 반대를 나타내는 가정법 과거완료이므로 각각 hadn't been과 wouldn't have bought가 적절

2 가정법 과거완료(had been, could have finished)의 반대를 나타내는 과거 사실이므로 각각 were not과 couldn't finish가 적절

3 과거 사실(didn't book, couldn't get)의 반대를 나타내는 가정법 과거완료이므로 각각 had booked와 could have gotten이 적절

4 가정법 과거완료(had played, wouldn't have lost)의 반대를 나타내는 과거 사실이므로 각각 didn't play와 lost가 적절

5 과거 사실(ignored, failed)의 반대를 나타내는 가정법 과거완료이므로 각각 hadn't ignored와 wouldn't have failed가 적절

STEP 3

1 you wouldn't have caught a cold.
2 If they had lived in Seoul
3 we could have won the game.
4 If I had gone to bed earlier
5 she would have become a singer.
6 If I had had enough time

해설

1~6 가정법 과거완료: If + 주어 + had + p.p., 주어 + 조동사의 과거형 + have + p.p.

STEP 4

1 As he didn't know the answer,
2 As she was sick,
3 As the DVD wasn't available,
4 If we had kept our dog on a leash,
5 If I had answered the question correctly,
6 If I hadn't lost your phone number,

해석

1 만약 그가 답을 알았더라면, 그는 그녀에게 말했을 것이다.
= 그가 답을 알지 못했기 때문에 그는 그녀에게 말하지 않았다.

2 만약 그녀가 아프지 않았더라면, 그녀는 그 회의에 참석했었을 것이다.
= 그녀가 아팠기 때문에 그녀는 그 회의에 참석하지 않았다.

3 만약 그 DVD가 사용 가능 했었더라면, 우리는 그것을 빌릴 수 있었을 텐데.
= 그 DVD가 사용 가능하지 않아서 우리는 그것을 빌릴 수 없었다.

4 우리는 우리의 개를 줄로 묶어놓지 않았기 때문에 그것을 잃어버렸다.
= 만약 우리가 우리의 개를 줄로 묶어놓았었더라면, 우리는 그것을 잃어버리지 않았을 텐데.

5 내가 그 질문에 바르게 대답하지 않았기 때문에 상을 타지 못했다.
= 만약 내가 그 질문에 바르게 대답했다면, 상을 탔었을 텐데.

6 내가 너의 전화번호를 잃어버렸기 때문에 네게 전화를 할 수 없었다.
= 만약 내가 너의 전화번호를 잃어버리지 않았었더라면, 네게 전화를 할 수 있었을 텐데.

해설

1~3 가정법 과거완료 문장을 직설법으로 바꿀 때 if 대신에 as가 쓰이며 과거시제로 써야 함. 이때 긍정형은 부정형으로, 부정형은 긍정형으로 전환이 필요

4~6 과거의 사실과 반대로 가정할 때 'If + 주어 + had + p.p., 주어 + 조동사의 과거형 + have + p.p.'로 나타내며 이때 긍정형은 부정형으로, 부정형은 긍정형으로 전환이 필요

Unit 3 I wish / as if[as though] p.084

Check-up 1

1 a 2 a 3 b 4 a

해설

1 'I wish + 가정법 과거'는 현재에 이루기 힘든 소망이나 현재 사실에 대한 유감 등을 표현할 때 쓰므로 주어진 문장은 애완동물이 없다는 것을 나타냄

2 'I wish + 가정법 과거완료'는 과거에 이루지 못한 소망이나 유감 등을 표현할 때 쓰므로 주어진 문장은 상을 못 탔다는 것을 나타냄

3 'as if + 가정법 과거'는 현재 사실에 반대되는 내용을 가정하는 것으로 주어진 문장은 현재 부자가 아니라는 것을 나타냄

4 'as if + 가정법 과거완료'는 과거 사실에 반대되는 내용을 가정하는 것으로 주어진 문장은 과거에 호주에 간 적이 없음을 나타냄

Check-up 2

1 lived 2 were

해석

1 나는 저 집에 살지 않아서 유감이다.
= 내가 저 집에 산다면 좋을 텐데.

2 사실, 그는 훌륭한 가수가 아니다.
= 그는 마치 자신이 훌륭한 가수인 것처럼 행동한다.

해설

1 현재에 이루기 힘든 소망이나 현재 사실에 대한 유감 등을 표현할 때 'I wish + 가정법 과거'로 나타냄
2 현재 사실에 반대되는 내용을 가정하는 것으로 'as if + 가정법 과거'로 쓰는데 이때 be동사가 쓰일 경우, 주어에 상관없이 were를 씀

STEP 1

1 I had a beautiful voice
2 I could speak English very well
3 he had a rash
4 I were her sister
5 she[he] were angry

해설

1 동사 have의 과거형은 had
2 조동사 can의 과거형은 could
3 동사 have의 과거형은 had
4~5 가정법 과거에서 be동사의 과거형은 주어와 상관 없이 were

STEP 2

1 I had apologized to them
2 you had watched the movie
3 we had met more often
4 he hadn't slept very well
5 she had been very popular in high school

해설

1 동사 apologize의 과거완료형은 had apologized
2 동사 watch의 과거완료형은 had watched
3 동사 meet의 과거완료형은 had met
4 동사 sleep의 과거완료형의 부정형은 hadn't slept
5 be동사의 과거완료형은 had been

STEP 3

1 I wish I had a bicycle.
2 I wish today were Sunday.
3 I wish I could play the guitar.
4 I wish he had been able to swim.
5 He talks as if he could fly an airplane.

해설

1~3 I wish + 가정법 과거
4 I wish + 가정법 과거완료
5 as if + 가정법 과거

STEP 4

1 I wish I were good at soccer.
2 He looks as if[as though] he were not interested.
3 She talks as if[as though] she knew how to play the guitar.
4 I wish I had listened to your advice.
5 He acts as if[as though] he had won first prize.
6 They talk as if[as though] the exam had been very difficult.

해설

1 현재에 이루기 힘든 소망이나 현재 사실에 대한 유감을 나타내므로 'I wish + 가정법 과거'
2~3 현재 사실에 반대되는 내용을 가정하므로 'as if[as though] + 가정법 과거
4 과거에 이루지 못한 소망이나 유감을 나타내므로 'I wish + 가정법 과거완료'
5~6 과거 사실에 반대되는 내용을 가정하므로 'as if[as though] + 가정법 과거완료'

Unit 4 Without / But for / It's time

p.087

Check-up 1

1 Without, But for
2 But for, If it were not for
3 left
4 couldn't do
5 could have gone
6 If it had not been for

해석

1 그의 도움이 없었다면 나는 우체국을 찾지 못했을 것이다.
2 내 여동생이 없다면 나는 매우 외로울 것이다.
3 이제 우리가 서울로 떠나야 할 시간이다.
4 인터넷이 없다면 우리는 연구 조사를 못할 것이다.
5 그 과제가 없었다면 우리는 그 파티에 갈 수 있었을 것이다.
6 그의 차가 없었다면 우리는 회의에 늦었을 것이다.

해설

1 without과 but for 둘 다 '~가 없다면'이라는 의미를 나타냄
2 '~가 없다면'이라는 의미로 but for를 쓸 수 있고 주절이 가정법 과거일 때 if it were not for로 바꿔 쓸 수 있음
3 'It's time + 가정법 과거'로 '~해야 할 시간이다'를 표현
4 if it were not for가 쓰여서 주절은 가정법 과거로 써야 함
5 if it had not been for가 쓰여서 주절은 가정법 과거완료로 써야 함
6 주절이 가정법 과거완료이므로 If it had not been for를 써야 함

Check-up 2

1 you went to school
2 we arrived in Busan
3 they finished the work
4 he looked for a job

해설

1~4 '~해야 할 시간이다'라는 의미로 'It's time + 가정법 과거'로 써야 함

STEP 1

1 If it were not for the computer
2 If it were not for the map
3 If it were not for the heater
4 If it were not for his recent injury
5 If it were not for my glasses

해석

1 컴퓨터가 없다면 나는 내 에세이를 끝내지 못할 것이다.
2 지도가 없다면 우리는 길을 잃을 것이다.
3 난방기가 없다면 우리는 매우 추울 것이다.
4 그가 최근에 입은 부상이 아니라면 그는 그 팀에 포함됐을 것이다.
5 내 안경이 없다면 나는 어떤 것도 볼 수 없을 것이다.

해설

1~5 주절이 가정법 과거이므로 Without[But for] 대신에 If it were not for를 써서 '~이 없다면'을 나타낼 수 있음

STEP 2

1 If it had not been for my support
2 If it had not been for your help
3 If it had not been for the lifejackets
4 If it had not been for the traffic jam
5 If it had not been for you

해석

1 나의 지원이 없었다면 그는 자신의 사업을 시작하지 못했을 것이다.
2 너의 도움이 없었다면 나는 시험에서 낙제했을 것이다.
3 구명조끼가 없었다면 그들은 익사했을 것이다.
4 교통체증이 없었다면 나는 지각하지 않았을 것이다.
5 네가 없었다면 나는 결코 그 대학에 들어가지 못했을 것이다.

해설

1~5 주절이 가정법 과거완료이므로 Without[But for] 대신에 If it had not been for를 써서 '~이 없었다면'을 나타낼 수 있음

도전! 만점! 중등 내신 단답형&서술형

p.089

1 were
2 had played
3 If it were not for your help,
4 the news were not true
5 he had been her close friend
6 nothing had happened
7 we could use it
8 If I had finished the work,
9 I were able to play the piano
10 I hadn't missed the chance
11 They acted as if he had had enough money.
12 But for the rainy weather, we would have had a great time.
13 Without your warning, we would have been in danger.
14 It's time they finished their meals.
15 He is smiling as if[as though] he were not surprised.
16 Without the Internet, we would have to read newspapers.
17 I wish I were good at sports like you.
18 What would you do if you were in my shoes?
19 If it had not been dry on that day, the fire wouldn't have spread quickly.
20 had, not, been, wouldn't, have, been, destroyed

해석 & 해설

1

만약 내가 부자라면, 그 집을 살 수 있을 텐데.

가정법 과거: If + 주어 + 동사의 과거형 ~, 주어 + 조동사의 과거형 + 동사원형 ~

if절의 be동사는 주어에 상관 없이 were

2

만약 그가 그 게임을 했다면, 그는 이겼을 텐데

가정법 과거완료: If + 주어 + had + p.p. ~, 주어 + 조동사의 과거형 + have + p.p. ~

3

If it were not for ~, 주어 + 조동사의 과거형 + 동사원형: ~이 없다면 ~할 텐데

4

현재에 이루기 힘든 소망이나 현재 사실에 대한 유감 → I wish + 가정법 과거

be동사는 주어에 상관 없이 were

5~6

as if + 가정법 과거완료: 마치 ~였던 것처럼 ~한다

7

복사기가 고장이 나서 우리는 그것을 사용할 수 없다.

= 만약 복사기가 고장이 나지 않았다면 우리는 그것을 사용할 수 있을 텐데.

가정법 과거: If + 주어 + 동사의 과거형 ~, 주어 + 조동사의 과거형 + 동사원형 ~

8

내가 그 일을 마치지 않아서 나는 영화관에 갈 수가 없었다.

= 만약 내가 그 일을 마쳤다면 나는 영화관에 갈 수 있었을 텐데.

가정법 과거완료: If + 주어 + had + p.p.~, 주어 + 조동사의 과거형 + have + p.p.

9

나는 피아노를 연주할 수 없어서 유감이다.

= 내가 피아노를 연주할 수 있으면 좋을 텐데.

현재에 이루기 힘든 소망이나 현재 사실에 대한 유감 → I wish + 가정법 과거

be동사는 주어에 상관 없이 were

10

내가 그 기회를 놓쳐서 유감이다.

= 내가 그 기회를 놓치지 않았더라면 좋을 텐데.

과거에 이루지 못한 소망이나 유감 → I wish + 가정법 과거완료

11

과거 사실에 반대되는 내용을 가정하는 것으로 'as if + 가정법 과거완료'로 나타냄

12

But for ~, 주어 + 조동사의 과거형 + have + p.p.: ~이 없었다면 ~했을 텐데

13

Without ~, 주어 + 조동사의 과거형 + have + p.p.: ~이 없었다면 ~했을 텐데

14

It's time + 가정법 과거: ~해야 할 시간이다

15

as if[as though] + 가정법 과거: 마치 ~인 것처럼 ~하다

be동사는 주어에 상관 없이 were

16

Without ~, 주어 + 조동사의 과거형 + 동사원형: ~이 없다면 ~할 텐데

17

현재에 이루기 힘든 소망이나 현재 사실에 대한 유감 → I wish + 가정법 과거

be동사는 주어에 상관 없이 were

18

현재 사실을 반대로 가정하거나 실현 가능성이 없는 내용의 의문문이므로 '조동사의 과거형 + 주어 + 동사원형 ~ + if + 주어 + 동사의 과거형 ~?'으로 표현

19~20

지난 일요일 숲에서 산불이 발생했다. 그날은 매우 건조했기 때문에 불은 빠르게 퍼졌다. 소방관들은 불을 끄려고 매우 열심히 노력했지만, 화재 이후에 남아있는 것은 아무것도 없었다. 뉴스에서는 그 산불이 담배꽁초에서 비롯되었다고 말한다. 화재가 발생하기 전에는 그 숲은 항상 푸르렀다. 그 아름다운 숲을 다시 볼 수 있으면 좋겠다.

19

주어진 문장은 과거에 발생한 사건을 말하고 있어, 가정법 과거완료인 'If + 주어 + had + p.p., 주어 + 조동사의 과거형 + have + p.p.'로 표현

20

글은 담배꽁초로 인해서 산불이 발생한 사건을 말하고 있어 '만약 그 흡연자가 아니었다면 숲은 파괴되지 않았을 것이다.'라는 말을 'If it had not been for ~, 주어 + 조동사의 과거형 + have + p.p.'로 표현

Chapter 13 일치 화법

Unit 1 수의 일치 1: 단수동사를 쓰는 경우 p.92

Check-up 1

1 costs	2 wants	3 is
4 is	5 is	6 is

해석

1 각각의 표는 5달러의 비용이 든다.
2 소년들 중 한 명이 집에 가기를 원한다.
3 비타민을 너무 많이 섭취하는 것은 해롭다.
4 환자의 수가 증가하고 있다.
5 500달러는 많은 돈이다.
6 네덜란드는 풍차로 유명하다.

해설

1 each + 단수명사 + 단수동사
2 one of + 한정사 + 복수명사 + 단수동사
3 동명사 주어 + 단수동사
4 the number of 복수명사 + 단수동사
5 가격 단위 표현 + 단수동사
6 국가명 주어 + 단수동사

Check-up 2

1 knows	2 is
3 requires	4 causes

해설

1 -body로 끝나는 주어는 단수동사를 취함
2 one of + 한정사 + 복수명사 + 단수동사
3 동명사구 주어 + 단수동사
4 질병명 주어 + 단수동사

STEP 1

1 Each, nation, has
2 One, of, the, computers, needs
3 Eating, apples, improves
4 Thirty, minutes, is

해설

1 Each + 단수명사 + 단수동사
2 One of + 한정사 + 복수명사 + 단수동사
3 동명사 주어 + 단수동사
4 시간 단위 표현 + 단수동사

STEP 2

1 Two kilometers is a long distance to run.
2 The number of tourists is increasing.
3 Something is wrong with this calculator.
4 Economics is my least favorite subject.

해설

1 거리 단위 표현 + 단수동사
2 the number of 복수명사 + 단수동사
3 -thing으로 끝나는 부정대명사 + 단수동사
4 학문명 주어 + 단수동사

STEP 3

1 Every student has a textbook.
2 The number of newborn babies is decreasing.
3 Juggling bowling pins needs practice.
4 The Philippines is famous for its beautiful beaches.

해설

1 every + 단수명사 + 단수동사
2 the number of 복수명사 + 단수동사
3 동명사구 주어 + 단수동사
4 국가명 주어 + 단수동사

Unit 2 수의 일치 2: 복수동사를 쓰는 경우 p.94

Check-up 1

1 have	2 go	3 are
4 has	5 were	

해석

1 고양이는 뛰어난 야간 시력을 갖고 있다.
2 Jake와 Tom은 같은 학교에 다닌다.
3 일주일은 7일이다.
4 아침 식사를 거르는 학생의 수는 증가했다.
5 많은 사람들이 광장에서 시위를 하는 중이었다.

해설

1~2 복수명사 + 복수동사
3 there are + 복수명사
4 the number of + 복수명사 + 단수동사
5 a number of + 복수명사 + 복수동사

Check-up 2

1 The, rich, enjoy
2 The, blind, use
3 The, unemployed, need

해설

1~3 the + 형용사(~한 사람들) + 복수동사

STEP 1

1 are
2 catch
3 are
4 have
5 are

해석

1 부자라고 항상 행복한 것은 아니다.
2 아주 어린 아이들은 쉽게 감기에 걸린다.
3 많은 사람들이 자신의 차례를 기다리고 있다.
4 Sue와 나는 오늘 피아노 수업이 있다.
5 그 소녀들은 나의 반 친구들이다.

해설

1~2 the + 형용사(~한 사람들) + 복수동사
3 a number of + 복수명사 + 복수동사
4 'A and B' 형태의 복수명사 + 복수동사
5 복수명사 + 복수동사

STEP 2

1 are
2 support
3 has
4 is
5 is
6 has
7 are

해석

1 노인들은 보통 잘 잊어버린다.
2 많은 사람들이 그 결정을 지지한다.
3 그 학교의 학생 수는 감소했다.
4 한 달에 스무 권의 책을 읽는 것은 쉽지 않다.
5 물리학은 그가 공부하기에는 쉽지 않다.
6 각 사람들은 자신이 가장 좋아하는 노래가 있다.
7 세계에는 190개가 넘는 나라들이 있다.

해설

1 the + 형용사(~한 사람들) + 복수동사
2 a number of + 복수명사 + 복수동사
3 the number of + 복수명사 + 단수동사
4 동명사 주어 + 단수동사
5 학문명 주어 + 단수동사
6 each + 단수명사 + 단수동사
7 There are + 복수명사

STEP 3

1 Some people keep
2 A lot of people shop
3 A number of boys are
4 The old have[Old people have]
5 Ten kilometers is

해설

1~2 복수명사 + 복수동사
3 a number of + 복수명사 + 복수동사
4 the + 형용사(~한 사람들) + 복수동사
5 거리의 단위 + 단수동사

STEP 4

1 The clothes belong to my sister.
2 The injured were taken to the hospital.
3 The sick need to take care of themselves.
4 A number of people are watching the final game.
5 The number of visits to the website has exceeded forty thousand.
6 Some students have caught the flu.

해설

1 복수명사 + 복수동사
2~3 the + 형용사(~한 사람들) + 복수동사
4 a number of + 복수명사 + 복수동사
5 the number of + 복수명사 + 단수동사
6 복수명사 + 복수동사

STEP 5

1 Many students know the answer.
2 The teachers at the school were kind.
3 The young learn foreign languages quickly.
4 The homeless need safe places to rest.
5 A number of passengers were injured in the accidents.
6 The number of the children is over a thousand.

해설

1~2 복수명사 + 복수동사
3~4 the + 형용사(~한 사람들) + 복수동사
5 a number of + 복수명사 + 복수동사
6 the number of + 복수명사 + 단수동사

Unit 3 수의 일치 3: 수식어구 뒤의 명사 수

p.97

Check-up 1

1 are	2 was	3 are
4 study	5 was	6 has

해석

1 그녀의 친구들 대부분은 캐나다 출신이다.
2 그 돈 전부를 도난당했다.
3 그 책 중 나머지가 선반 위에 있다.
4 그 학생들 중 절반이 방과 후에 영어를 공부한다.
5 그녀는 삶의 대부분을 가난한 사람들을 위하여 일하는 데 보냈다.
6 그 건물의 3분의 2가 완공되었다.

해설

1 most of + 복수명사 + 복수동사
2 all of + 불가산명사 + 단수동사
3 the rest of + 복수명사 + 복수동사
4 half of + 복수명사 + 복수동사
5 most of + 불가산명사 + 단수동사
6 two thirds of + 단수명사 + 단수동사

Check-up 2

1 is	2 live	3 has

해설

1 most of + 불가산명사 + 단수동사
2 40% of + 복수명사 + 복수동사
3 half of + 불가산명사 + 단수동사

STEP 1

1 are	2 are	3 is
4 is	5 is	

해석

1 그 학생들 중 3분의 1이 다른 나라 출신이다.
2 그 야채의 일부는 신선하지 않다.
3 그 돈의 대부분은 가난한 사람들을 돕기 위해 사용된다.
4 그 파이의 나머지는 냉장고에 있다.
5 인간의 몸의 70퍼센트는 물로 이루어져 있다.

해설

1 one third of + 복수명사 + 복수동사
2 some of + 복수명사 + 복수동사
3 most of + 불가산명사 + 단수동사
4 the rest of + 단수명사 + 단수동사
5 70% of + 단수명사 + 단수동사

STEP 2

1 Three sevenths of Americans support the candidate.
2 Some of his clothes don't fit him very well.
3 All of the trees on the mountain were cut down.
4 The rest of the oil is used to make asphalt.

해설

1 분수 + of + 복수명사 + 복수동사
2 Some + of + 복수명사 + 복수동사
3 주어는 All of the trees에 일치시켜야 하므로 복수동사 were가 필요
4 the rest of + 불가산명사 + 단수동사

STEP 3

1 Some of the students look bored.
2 One fifth of the apples are rotten.
3 Most of the furniture was made in China.
4 Drinking too much Coke is not healthy.

해설

1 Some of + 복수명사 + 복수동사
2 분수 + of + 복수명사 + 복수동사
3 Most of + 불가산명사 + 단수동사
4 동명사 주어 + 단수동사

Unit 4 수의 일치 4: 상관접속사의 수

p.99

Check-up 1

1 you	2 I	3 he
4 the girls	5 Her sisters	

해석

1 Tim과 너 둘 중 한 명이 발표를 해야 한다.
2 너와 나 둘 다 그에게 불친절하지 않았다.
3 그의 여동생들뿐 아니라 그도 나를 방문할 예정이다.
4 그 소년뿐 아니라 그 소녀들도 꾸지람을 들었다.
5 그녀뿐 아니라 그녀의 여동생들도 뉴욕시에 산다.

해설

1 동사의 수는 주어 either A or B의 B에 일치, B: you
2 동사의 수는 주어 neither A nor B의 B에 일치, B: I
3 동사의 수는 주어 not only A or but also B의 B에 일치, B: he
4 동사의 수는 주어 not only A or but also B의 B에 일치, B: the girls
5 동사의 수는 주어 B as well as A의 B에 일치, B: Her sisters

Check-up 2

1 like　　2 has　　3 goes

해설

1 both A and B 다음의 동사의 수는 항상 복수
2 either A or B 다음의 동사의 수는 B에 일치
3 neither A nor B 다음의 동사의 수는 B에 일치

STEP 1

1 Both Peter and I
2 Either my sister or I
3 Neither you nor she
4 Not only she but (also) her parents

해설

1 주어: Both Peter and I, 동사: are(Peter and I에 수 일치)
2 주어: Either my sister or I, 동사: am going to call(I에 수 일치)
3 주어: Neither you nor she, 동사: is(she에 수 일치)
4 주어: Not only she but (also) her parents, 동사: are(her parents에 수 일치)

STEP 2

1 Either you or I am wrong.
2 Both he and his wife enjoy tennis.
3 Neither my parents nor I want to move out.
4 The coach as well as the team members is confident of winning.

해설

1 either A or B 다음의 동사의 수는 B에 일치
2 both A and B 다음의 동사의 수는 항상 복수
3 neither A nor B 다음의 동사의 수는 B에 일치
4 B as well as A 다음의 동사의 수는 B에 일치

STEP 3

1 Neither she nor her sons speak Korean.
2 Both John and Mark are invited to the party.
3 Not only the girl but also her friends are able to swim.
4 Tom as well as I is going to visit the city.

해석

1 그녀와 그녀의 아들들 모두 한국어를 말할 줄 모른다.
2 John과 Mark 둘 다 그 파티에 초대를 받았다.
3 그 소녀뿐 아니라 그녀의 친구들도 수영을 할 수 있다.
4 나뿐 아니라 Tom도 그 도시를 방문할 예정이다.

해설

1 neither A nor B 다음의 동사의 수는 B에 일치
2 both A and B 다음의 동사의 수는 항상 복수
3 not only A but also B 다음의 동사의 수는 B에 일치
4 B as well as A 다음의 동사의 수는 B에 일치

Unit 5 시제의 일치 p.101

Check-up

1 is　　2 will, snow　　3 went
4 didn't like　　5 would, come　　6 had, left

해설

1 주절의 시제가 현재인데 종속절의 시제는 주절의 시제와 같으므로 현재 시제 is
2 주절의 시제가 현재인데 종속절의 시제는 미래 시제이므로 will snow
3 주절의 시제가 현재인데 종속절의 시제는 과거 시제이므로 went
4 주절의 시제가 과거인데 종속절의 시제는 주절의 시제와 같으므로 과거 시제 didn't like
5 주절의 시제가 과거인데 종속절은 미래를 나타내므로 시제를 일치시켜서 would come
6 주절의 시제가 과거인데 종속절의 시제는 과거보다 앞선 시제이므로 과거완료 시제 had left

STEP 1

1 will be　　2 was　　3 enjoyed
4 would succeed　　5 had seen

해석

1 나는 그가 내년에 16살이 될 거라는 것을 알고 있다.
2 그는 어제 나를 만나게 되어 좋았다고 말했다.
3 그녀는 어렸을 때 달리기하는 것을 즐겼다고 말한다.
4 그들은 그 영화가 성공할 것이라고 믿었지만, 그렇지 못했다.
5 나의 할아버지는 전에 그 보물지도를 본 적이 있다고 말했다.

해설

1 주절의 시제가 현재이고 종속절의 미래시점 부사구 next year를 통해 빈칸은 미래 시제 will be
2 주절의 시제가 과거이고 종속절의 과거시점 부사 yesterday를 통해 빈칸은 과거 시제 was
3 주절의 시제가 현재이고 종속절의 과거 부사절 when she was young을 통해 빈칸은 과거 시제 enjoyed
4 주절의 시제가 과거인데 종속절은 과거 시점에서 미래를 의미하므로 would succeed
5 주절의 시제가 과거이고 종속절에 완료 시제의 부사 before가 있으므로 빈칸은 대과거를 나타내는 had seen

STEP 2

1 wonder, are	2 thinks, will, arrive
3 believed, liked	4 wondered, would, be
5 thought, had, eaten	

해설

1 주절: 현재 시제(wonder), 종속절: 현재 시제(are)
2 주절: 현재 시제(thinks), 종속절: 미래 시제(will arrive)
3 주절: 과거 시제(believed), 종속절: 과거 시제(liked)
4 주절: 과거 시제(wondered), 종속절: 과거 시제(would be)
5 주절: 과거 시제(thought), 종속절: 과거완료 시제(had eaten)

STEP 3

1 She knew that the couple had gotten married.
2 They didn't know where I was.
3 He thought that she would call him.
4 I believed that I had been there once.

해석

1 그녀는 그 커플이 결혼했다는 것을 알았다.
2 그들은 내가 어디 있는지 몰랐다.
3 그는 그녀가 그에게 전화할 것이라고 생각했다.
4 나는 전에 그곳에 가본 적이 있다고 믿었다.

해설

1 주절: 과거 시제(knew), 종속절: 과거완료 시제(had gotten)
2 주절: 과거 시제(didn't know), 종속절: 과거 시제(was)
3 주절: 과거 시제(thought), 종속절: 과거 시제(would call)
4 주절: 과거 시제(believed), 종속절: 과거 완료 시제(had been)

Unit 6 시제 일치의 예외 p.103

Check-up 1

1 have	2 is	3 eats
4 invented	5 rains	

해석

1 그녀는 벽에도 귀가 있다고 말했다.
2 그들은 지구가 둥글다는 것을 알고 있다.
3 그는 종종 이 음식점에서 식사를 한다고 말했다.
4 너는 갈릴레오 갈릴레이가 망원경을 발명했다는 것을 알고 있니?
5 만약 비가 오면 우리는 공원에 가지 않을 것이다.

해설

1 격언이나 속담의 경우 동사의 시제는 현재 시제
2 일반적 진리의 경우 동사의 시제는 현재 시제
3 습관적 행위의 경우 동사의 시제는 현재 시제
4 역사적 사실의 경우 동사의 시제는 과거 시제
5 시간이나 조건의 부사절에서는 현재 시제가 미래 시제를 대용

Check-up 2

1 has	2 goes	3 invented
4 need	5 get	

해설

1 불변의 진리의 경우 동사의 시제는 현재 시제
2 습관적 행위의 경우 동사의 시제는 현재 시제
3 역사적 사실의 경우 동사의 시제는 과거 시제
4~5 시간이나 조건의 부사절에서는 현재 시제가 미래 시제를 대용

STEP 1

1 rises	2 O	3 invented
4 see	5 eat	

해석

1 우리는 태양이 동쪽에서 뜬다는 것을 배웠다.
2 그는 매일 아침 조깅을 한다고 말했다.
3 너는 세종대왕이 1433년에 한글을 발명했다는 것을 알고 있니?
4 내가 그를 보게 되면 그에게 이 노트를 줄 것이다.
5 식사를 하기 전에 손을 씻으세요.

해설

1 일반적 진리의 경우 동사의 시제는 현재 시제
2 습관적 행위의 경우 동사의 시제는 현재 시제
3 역사적 사실의 경우 동사의 시제는 과거 시제
4~5 시간이나 조건의 부사절에서는 현재 시제가 미래 시제를 대용

STEP 2

1 My teacher said everyone makes mistakes.
2 When it stops raining, I'll go shopping.
3 I know the Wright brothers invented the airplane.
4 My mother said that the early bird catches the worm.

해설

1 일반적 진리의 경우 동사의 시제는 현재 시제
2 시간이나 조건의 부사절에서는 현재 시제가 미래 시제를 대용
3 역사적 사실의 경우 동사의 시제는 과거 시제
4 격언이나 속담의 경우 동사의 시제는 현재 시제

STEP 3

1 We know that Michelangelo sculpted *David*.
2 I will look after the children while you do the shopping.
3 I said that I bite my nails when I'm nervous.
4 We learned that oil and water don't mix.

해설

1 주절: 현재 시제, 종속절: 과거 시제(역사적 사실)
2 주절: 미래 시제, 종속절: 미래 시제를 대신하는 현재 시제(시간·조건 부사절)
3 주절: 과거 시제, 종속절: 현재 시제(습관적 행위)
4 주절: 과거 시제, 종속절: 현재 시제(일반적 진리)

Unit 7 화법 전환 1: 평서문 p.105

Check-up

1 she 2 tells
3 had to 4 had come
5 would 6 the next day
7 there

해석

1 그녀는 방과 후에 영화를 보러 갈 것이라고 말한다.
2 Tom은 시험을 준비해야 한다고 그녀에게 말한다.
3 우리는 집에 가야 한다고 말했다.
4 Jessica는 지난달에 파리에 왔다고 말했다.
5 그는 독일로 이주할 것이라고 말했다.
6 당신은 다음 날 당신의 부모님을 만날 예정이라고 말했다.
7 그는 그곳에서는 자신의 숙제에 집중할 수 없다고 나에게 말했다.

해설

1 간접화법에서 주절의 주어가 she이므로 직접화법의 "I"를 간접화법에서 she로 바꿈
2 직접화법의 says to는 간접화법에서 tells로 바꿈
3 간접화법 전달동사의 시제가 과거이므로 직접 화법의 현재 시제를 과거로 바꿈
4 간접화법 전달동사의 시제가 과거이고, that절의 시제가 의미상 그 이전을 나타내는 과거이므로 과거완료로 표현
5 간접화법 전달동사의 시제가 과거이므로 that절의 시제를 일치시켜 would move로 바꿈
6 직접화법의 tomorrow는 간접화법에서 the next day로 바꿈
7 직접화법의 here는 간접화법에서 there로 바꿈

STEP 1

1 said, he, was
2 told, she, had, written
3 he, was, reading, then
4 told, they, would, be, the, following, Sunday

해석

1 그는 너무 피곤해서 일을 할 수 없다고 말했다.
2 그녀는 나에게 그 독후감을 썼다고 말했다.
3 Chris는 그때 책을 읽고 있다고 말했다.
4 우리 부모님은 나에게 다음 일요일에 집으로 돌아오실 거라고 말했다.

해설

1 간접화법 전달동사의 시제가 과거이므로 직접 화법의 현재 시제를 과거로 고침
2 직접화법의 said to는 간접화법에서 told로 변경, (that)절의 시제가 의미상 그 이전을 나타내는 과거이므로 과거완료로 표현
3 간접화법 전달동사의 시제가 과거이므로 직접화법의 현재 시제를 과거로 고침
4 직접화법의 said to는 간접화법에서 told로 변경, 간접화법 전달동사의 시제가 과거이므로 will을 would로 고침

STEP 2

1 Jenny says that she is going to take the history class.
2 Mom said that it was raining heavily then.
3 He told me that he would play basketball the following[next] day.
4 She told me that she had met my sister the previous day[the day before].

해석

1 Jenny는 역사 수업을 수강할 거라고 말한다.
2 엄마는 그때 비가 몹시 내리고 있다고 말했다.
3 그는 나에게 농구를 다음날 할 거라고 말했다.
4 그녀는 나에게 이전날 내 여동생을 만났다고 말했다.

해설

1 간접화법 전달동사의 시제가 현재이므로 that절의 시제는 직접화법과 동일한 미래 시제로 표현

2 간접화법의 전달동사의 시제가 과거이므로 직접화법의 현재 시제를 과거 시제로 고침

3 직접화법의 said to는 간접화법에서 told로 변경, 간접화법 전달동사의 시제가 과거이므로 will을 would로 고침

4 직접화법의 said to는 간접화법에서 told로 변경, that절의 시제가 의미상 그 이전을 나타내는 과거이므로 과거완료로 표현

STEP 3

1 He says, "Peter and I went to the same school."
2 She said to me, "I am so happy to see you."
3 He said to me, "I have already cleaned your room."

해석

1 그는 "Peter와 나는 같은 학교에 다녔어."라고 말한다.
2 그녀는 나에게 "나는 너를 만나게 되어 정말 기뻐."라고 말했다.
3 그는 나에게 "나는 이미 네 방을 청소했어."라고 말했다.

해설

1~3 간접화법 that절의 주어가 주절의 주어와 동일할 경우 직접화법에서 화자이므로 인용절에서 I로 변경

Unit 8 화법 전환 2: 의문문 p.107

Check-up 1

1 asked 2 she was 3 was
4 if 5 whether

해석

1 그녀는 누가 그 카메라를 샀는지 물었다.
2 그는 그녀에게 그때 기분이 어땠는지 물었다.
3 나는 그에게 어디에 가고 있는지 물었다.
4 그녀는 나에게 그 영화를 보았는지 물었다.
5 그 숙녀는 그에게 뭔가 필요한 것이 있는지 물었다.

해설

1 간접화법에서 의문사가 이끄는 절은 ask로 물음

2 간접화법에서 의문사가 이끄는 절의 어순은 '의문사 + 주어 + 동사'로 나타냄

3 간접화법의 시제가 과거이므로 의문사가 이끄는 절의 시제도 과거

4~5 간접화법에서 의문사가 없는 의문문은 'if/whether + 주어 + 동사'로 나타냄

Check-up 2

1 her, hobby, was 2 he, had
3 I, had, gone 4 he, could, use
5 she, would, come

해설

1~5 간접화법에서 의문사가 있는 의문문은 '의문사 + 주어 + 동사'의 어순, 의문사가 없는 의문문은 'if/whether + 주어 + 동사'의 어순으로 바꿈

STEP 1

1 what I wanted
2 who had bought
3 if[whether] she would go
4 if[whether] he had seen

해석

1 그는 나에게 점심으로 무엇을 먹고 싶은지 물었다.
2 그들은 그녀에게 누가 그 재킷을 사주었는지 물었다.
3 나는 내 딸에게 나와 쇼핑을 갈 것인지 물었다.
4 그녀는 그에게 자신의 휴대전화를 보았는지 물었다

해설

1 어순: 의문사 + 주어 + 동사, 시제: 간접화법 전달동사의 시제가 과거이므로 의문사가 이끄는 절의 시제도 과거

2 어순: 의문사 + 주어 + 동사, 시제: 간접화법 전달동사의 시제가 과거이고, 의문사가 이끄는 절의 시제가 의미상 그 이전을 나타내는 과거이므로 과거완료로 표현

3 어순: if/whether + 주어 + 동사, 간접화법 전달동사의 시제가 과거이므로 if/whether가 이끄는 절에서 will을 would 로 수정

4 어순: if/whether + 주어 + 동사, 간접화법의 전달동사의 시제가 과거이고, if/whether가 이끄는 절의 시제가 의미상 그 이전을 나타내는 과거이므로 과거완료로 표현

STEP 2

1 The lady asked me where the nearest bank was.
2 I asked her if[whether] she wanted something to eat.
3 Chris asked him if[whether] he had enjoyed his trip.
4 She asked me what was happening then.

해석

1 그 숙녀는 나에게 가장 가까운 은행이 어디인지 물었다.
2 나는 그녀에게 무엇인가 먹고 싶은 것이 있는지 물었다.
3 Chris는 그에게 여행이 즐거웠는지 물었다.
4 그녀는 나에게 그때 무슨 일이 일어나고 있었는지 물었다.

해설

1~4 간접화법에서 의문사가 있는 의문문은 '의문사 + 주어 + 동사'의 어순, 의문사가 없는 의문문은 'if/whether + 주어 + 동사'의 어순으로 바꿈

STEP 3

1 She said to him, "How can I help you?"
2 He said to her, "Are you coming to the concert?"
3 She said to me, "Do you take the subway to school?"

해석

1 그녀는 "내가 어떻게 너를 도와줄 수 있니?"라고 그에게 말했다.
2 그는 "너는 콘서트에 올 예정이니?"라고 그녀에게 말했다.
3 그녀는 "너는 학교에 갈 때 지하철을 타니?"라고 나에게 말했다.

해설

1~3 간접화법에서 직접화법으로 전환할 경우 직접화법의 인용절은 다시 원래의 의문문의 어순으로 표시하고, 주어, 동사, 부사를 알맞게 변형해야 함

Unit 9 화법 전환 3: 명령문 p.109

Check-up 1

1 to watch 2 to get
3 not to worry 4 to be quiet
5 not to be late

해석

1 그녀는 그에게 조심하라고 말했다.
2 나는 그에게 잠을 충분히 자라고 조언했다.
3 그녀는 나에게 걱정하지 말라고 말했다.
4 그들은 우리에게 조용히 하라고 명령했다.
5 선생님은 나에게 늦지 말라고 말했다.

해설

1~5 간접화법의 전달동사가 tell, ask, order, advise 등일 경우 직접화법의 명령문 인용절이 간접화법에 쓰이게 되면 긍정일 경우 'to부정사', 부정일 경우 'not + to부정사'로 나타냄

Check-up 2

1 asked, to, open
2 advised, to, drink
3 told, to, be
4 told, not, to, be

해설

1~4 간접화법의 전달동사가 tell, ask, advise 등일 경우 직접화법의 명령문 인용절이 간접화법에 쓰이게 되면 긍정일 경우 'to부정사', 부정일 경우 'not + to부정사'로 나타냄

STEP 1

1 He asked her to wait a second.
2 She told me to be polite.
3 He advised us to be patient.
4 The teacher ordered them not to use their cell phones during class hours.

해석

1 그는 그녀에게 잠시 기다리라고 요청했다.
2 그녀는 나에게 예의를 지키라고 말했다.
3 그는 우리에게 인내심을 가지라고 조언했다.
4 선생님은 그들에게 수업시간 동안 휴대전화를 사용하지 말라고 명령했다.

해설

1~4 간접화법의 전달동사가 tell, ask, order, advise 등일 경우 직접화법의 명령문 인용절이 간접화법에 쓰이게 되면 긍정일 경우 'to부정사', 부정일 경우 'not + to부정사'로 나타냄

STEP 2

1 He said to his daughter, "Wash your hands first."
2 My grandfather said to me, "Be honest."
3 The doctor said to him, "Do not smoke."
4 Mom said to me, "Don't be picky with food."

해석

1 그는 "손을 먼저 씻어라."라고 딸에게 말했다.
2 우리 할아버지는 "정직해라."라고 나에게 말씀하셨다.
3 의사는 "담배를 피우지 마세요."라고 그에게 말했다.
4 엄마는 "음식에 까다롭게 굴지 마라."라고 나에게 말했다.

해설

1~4 간접화법에서 직접화법으로 전환할 경우 간접화법의 to부정사의 인칭대명사와 부사에 유의하여 알맞게 변형해야 함

STEP 3

1 I asked them to turn off the lights.
2 He told me to be brave.
3 She told me not to be nervous.
4 Mr. Wilson ordered his students not to run around in the classroom.

해설

1 asked + 목적어 + to부정사
2 told + 목적어 + to부정사
3 told + 목적어 + not + to부정사
4 ordered + 목적어 + not + to부정사

단답형&서술형

p.111

1 is
2 are
3 is
4 take
5 travels
6 not to be silly
7 takes → take
8 have → has
9 is → are
10 will miss → miss
11 He as well as his sisters is good at swimming.
12 Not only you but also he needs more exercise.
13 He was sad that the accident had happened.
14 I believed that he would get a high score on the test.
15 Both he and I are interested in joining the band.
16 Either my brother or I has to bathe the cat.
17 Neither John nor his friends want to participate in the competition.
18 The teacher asked me whether[if] I had brought my homework.
19 ❶ → why he is late
20 He told me (that) he wouldn't be able to come because he had the flu.

해석 & 해설

1
그 도시에서 집 없는 사람들의 수는 증가하고 있다.
주어가 'the number of + 복수명사'일 경우 단수동사가 필요하므로 is가 와야 함

2
많은 사람들이 그 버스를 기다리고 있다.
주어가 'a number of + 복수명사'일 경우 복수동사가 필요하므로 are가 와야 함

3
20마일은 걷기에는 먼 거리이다.
'거리의 단위'가 주어일 경우 단수 취급하므로 동사는 단수동사 is

4
나이 든 사람들은 젊은 사람들보다 약을 더 먹는다.
'the + 형용사'가 주어일 경우 복수 취급하므로 동사는 복수동사 take

5
일반적 진리를 나타낼 경우 시제는 항상 현재로 나타냄

6
tell + 목적어 + not + to부정사

7
학생들 중 절반이 방과 후에 영어 수업을 듣는다.
Half of 뒤에 복수명사 the students가 왔으므로, 동사는 복수동사 take가 필요

8
그 빵의 나머지 부분이 사라졌다.
The rest of 뒤에 불가산명사 the bread가 왔으므로, 동사는 단수동사 has가 필요

9
서랍의 마커펜이 말라버렸다.
in the drawer는 앞에 있는 명사 The markers를 수식하는 수식어일 뿐, 주어는 복수명사인 The markers이므로, 동사는 복수동사 are가 필요

10
우리가 마지막 버스를 놓친다면 집에 걸어가야만 할 것이다.
시간이나 조건의 부사절에서는 현재 시제가 미래 시제를 대신하므로, 미래 시제 will miss는 현재 시제 miss가 되어야 함

11
그의 여동생들뿐 아니라 그도 수영을 잘한다.
not only A but also B = B as well as A: 둘 다 B에 일치

12
너뿐 아니라 그도 더 많은 연습이 필요하다.
not only A but also B = B as well as A: 둘 다 B에 일치

13
그는 그 사고가 발생했던 것에 슬퍼했다.
주절의 시제가 과거가 되면 종속절의 시제도 변하는데, 현재완료는 과거완료로 바꿔야 함

14
나는 그가 그 시험에서 높은 점수를 받을 거라고 믿었다.
주절의 시제가 과거가 되면 종속절의 시제도 변하는데, 미래의 will은 과거의 would로 바꿔야 함

15
both A and B 다음의 동사의 수는 항상 복수로 표현

16
either A or B 다음의 동사의 수는 B에 일치

17
neither A nor B 다음의 동사의 수는 B에 일치

18
선생님은 나에게 숙제를 가져왔는지 물었다.

의문사가 없는 의문문을 간접화법으로 바꿀 때 'if/whether + 주어 + 동사'의 어순

19~20
A: 5시가 지났는데 Mike는 아직 도착하지 않았어. 그에게 전화해서 왜 늦는지 물어볼까?
B: 아, 난 그가 너에게 말했다고 생각했었는데. 그는 "나는 독감에 걸려서 갈 수 없을 거야."라고 나에게 말했어.
A: 그가 너에게 전화했니?
B: 응, 그가 어젯밤 나에게 전화했어. 그가 나에게 너한테 올 수 없어서 미안하다고 전해달라고 부탁했어.

19
의문사가 있는 간접의문문의 어순은 '의문사 + 주어 + 동사'

20
직접 화법을 간접 화법으로 고칠 때, say to[said to]는 tell[told]로, that절 이하의 시제는 주절 동사의 시제에 맞춰서 적절히 변형함

Chapter 14 특수 구문

Unit 1 병렬구조 p.114

Check-up

1 slowly, silently
2 Seoul, Busan
3 a singer, a pianist
4 in my bag, on my desk
5 funny, intelligent
6 Jane, I
7 hiking, swimming
8 went to the mart, bought some flour

해석
1 그녀는 천천히 그리고 조용하게 방에 들어갔다.
2 너는 서울에서 태어났니 아니면 부산에서 태어났니?
3 그는 가수가 아니라 피아니스트다.
4 나는 내 가방 안이나 책상 위에서도 나의 지갑을 찾을 수 없었다.
5 그녀는 재미있을 뿐만 아니라 똑똑하다.
6 나뿐만 아니라 Jane은 그리스를 방문할 것이다.
7 그는 하이킹과 수영 둘 다 매우 좋아한다.
8 나는 마트에 가서 밀가루를 샀다.

해설
1 and가 부사를 연결
2 or가 명사를 연결
3 not A but B가 명사를 연결
4 neither A nor B가 전치사구를 연결
5 not only A but also B가 형용사를 연결
6 A as well as B가 명사를 연결
7 both A and B가 동명사를 연결
8 and가 절을 연결

STEP 1

1 her
2 beautiful
3 singing
4 taking
5 clearly

해석
1 나는 그가 아니라 그녀에게 전화했다.
2 그 성은 크기가 클 뿐만 아니라 아름답기도 하다.
3 그들은 춤추는 것뿐만 아니라 노래하는 것도 좋아한다.
4 그는 잠을 자고 있거나 샤워를 하고 있을지 모른다.
5 그는 우리에게 친절하고 명료하게 설명해 주었다.

해설

1 him(목적격), she(주격) → her
2 large(형용사), beauty(명사) → beautiful
3 dancing(동명사), sing(동사원형) → singing
4 sleeping(현재분사), take(동사원형) → taking
5 kindly(부사), clear(형용사) → clearly

STEP 2

1 handsome but impolite
2 watch TV or listen to the radio
3 eggs, butter, and sugar
4 but (she) failed the exam

해석

1 그들은 잘생겼다. 그들은 예의가 없다.
= 그들은 잘생겼지만, 예의가 없다.
2 너는 TV를 봐도 된다. 너는 라디오를 들어도 된다.
= 너는 TV를 보거나 라디오를 들어도 된다.
3 나는 달걀을 샀다. 나는 버터를 샀다. 나는 설탕을 샀다.
= 나는 달걀, 버터, 그리고 설탕을 샀다.
4 그녀는 열심히 공부했다. 그녀는 시험에 낙제했다.
= 그녀는 열심히 공부했지만, 시험에 낙제했다.

해설

1 A but B: A지만 B
2 A or B: A 또는 B
3 A, B, and C: A, B, 그리고 B
4 A but B: A지만 B

STEP 3

1 This car runs both on land and (on) water.
2 Not only they but also I was excited about the game.
3 You can contact us either by phone or (by) email.
4 The house is neither big nor small.
5 She is not a student but a teacher.

해석

1 이 자동차는 육상에서 달린다. 이 자동차는 수상에서 달린다.
= 이 자동차는 수상과 육상 둘 다에서 달린다.
2 그들은 그 시합에 대해 들떠있었다. 나는 그 시합에 대해 들떠있었다.
= 그들뿐만 아니라 나도 그 시합에 들떠있었다.
3 당신은 전화로 우리에게 연락할 수 있습니다. 당신은 이메일로 우리에게 연락할 수 있습니다.
= 당신은 전화나 이메일로 우리에게 연락할 수 있습니다.
4 그 집은 크지 않다. 그 집은 작지 않다.
= 그 집은 크지도 작지도 않다.
5 그녀는 학생은 아니다. 그녀는 선생님이다.
= 그녀는 학생이 아니라 선생님이다.

해설

1 both A and B: A와 B 둘 다
2 not only A but also B: A뿐만 아니라 B도
3 either A or B: A와 B 중 하나
4 neither A nor B: A와 B 둘 다 아닌
5 not A but B: A가 아니라 B

STEP 4

1 I wanted to eat at home, but she wanted to eat out.
2 You can either go for a walk or take a nap.
3 They like both comedies and horror movies.
4 She not only sings but also plays the piano.
5 Neither Brian nor I enjoy rock music.
6 He decided either to watch a movie or to go to the concert.

해설

1 A but B: A지만 B
2 either A or B: A와 B 중 하나
3 both A and B: A와 B 둘 다
4 not only A but also B: A뿐만 아니라 B도
5 neither A nor B: A와 B 둘 다 아닌
6 either A or B: A와 B 중 하나

STEP 5

1 He said he wanted both money and fame.
2 The TV show is not only fun but (also) educational.
3 You have to answer either "Yes" or "No."
4 My sister as well as I likes classical music.
5 She is in Japan not on vacation but on business.

해설

1 both A and B: A와 B 둘 다
2 not only A but (also) B: A뿐만 아니라 B도
3 either A or B: A와 B 중 하나
4 A as well as B: B뿐만 아니라 A도
5 not A but B: A가 아니라 B

Unit 2 「It ~ that ...」 강조 구문 p.117

Check-up 1

1 that, who
2 that, which
3 that, whom
4 that, when
5 that, where

해석

1 시합에서 이긴 사람은 바로 Paul이었다.
2 내가 어제 산 것은 바로 역사책이었다.
3 그가 그의 책을 함께 공유한 사람은 바로 Mindy였다.
4 Carol이 나를 방문한 것은 바로 지난달이었다.
5 그가 그의 신분증을 잃어버린 것은 바로 극장에서였다.

해설

1 강조되는 대상이 사람(Paul)이므로 that과 who 둘 다 사용 가능
2 강조되는 대상이 사물(a history book)이므로 that과 which 둘 다 사용 가능
3 강조되는 대상이 사람(Mindy)이고 목적어이므로 that과 whom 둘 다 사용 가능
4 강조되는 대상이 시간(last month)이므로 that과 when 둘 다 사용 가능
5 강조되는 대상이 장소(in the theater)이므로 that과 where 둘 다 사용 가능

Check-up 2

1 It, was, Peggy, that[who]
2 It, was, Gary, that[who(m)]
3 It, was, at, the, bank, that[where]
4 It, was, yesterday, that[when]

해석

1 어제 은행에서 Gary를 본 사람은 바로 Peggy였다.
2 어제 은행에서 Peggy가 본 사람은 바로 Gary였다.
3 어제 Peggy가 Gary를 본 곳은 바로 은행이었다.
4 은행에서 Peggy가 Gary를 본 때는 바로 어제였다.

해설

1 강조되는 대상이 사람(Peggy)이고 주어이므로 that과 who 둘 다 사용 가능
2 강조되는 대상이 사람(Gary)이고 목적어이므로 that과 who(m) 사용 가능
3 강조되는 대상이 장소(at the bank)이므로 that과 where 둘 다 사용 가능
4 강조되는 대상이 시간(yesterday)이므로 that과 when 둘 다 사용 가능

STEP 1

1 It was Rachel that[who] studied Russian literature in college.
2 It was my uncle that[who] fixed the refrigerator.
3 It was the vase that[which] was broken yesterday.
4 It is Portuguese that[which] is spoken in Brazil.

해석

1 Rachel은 대학에서 러시아 문학을 공부했다.
= 대학에서 러시아 문학을 공부했던 사람은 바로 Rachel이었다.
2 나의 삼촌께서 냉장고를 수리하셨다.
= 냉장고를 수리한 사람은 바로 나의 삼촌이었다.
3 그 꽃병은 어제 깨졌다.
= 어제 깨진 것은 바로 그 꽃병이었다.
4 포르투갈어는 브라질에서 사용된다.
= 브라질에서 사용되는 것은 바로 포르투갈어다.

해설

1 강조되는 대상이 사람(Rachel)이고 주어이므로 that과 who 둘 다 사용 가능. 'It is/was ~ that'의 시제는 원래 문장의 시제와 통일하는 것이 일반적임
2 강조되는 대상이 사람(my uncle)이 주어이므로 that과 who 둘 다 사용 가능
3 강조되는 대상이 사물(the vase)이므로 that과 which 둘 다 사용 가능
4 강조되는 대상이 사물(Portuguese)이므로 that과 which 둘 다 사용 가능

STEP 2

1 It was a new tablet PC that[which] I wanted.
2 It was *The Phantom of the Opera* that[which] they saw last night.
3 It was my younger sister that[who(m)] I called this morning.
4 It was me that[who(m)] she ran into on her way from school.

해석

1 나는 새로운 태블릿 PC를 원했다.
= 내가 원했던 것은 새로운 태블릿 PC였다.
2 그들은 어젯밤에 '오페라의 유령'을 봤다.
= 그들이 어젯밤에 본 것은 바로 '오페라의 유령'이었다.
3 나는 오늘 아침 내 여동생에게 전화했다.
= 내가 오늘 아침에 전화를 한 사람은 바로 내 여동생이었다.
4 그녀는 학교에서 오는 길에 나를 우연히 만났다.
= 그녀가 학교에서 오는 길에 우연히 만난 사람은 바로 나였다.

해설

1 강조되는 대상이 사물(a new tablet PC)이므로 that과 which 둘 다 사용 가능
2 강조되는 대상이 사물(*The Phantom of the Opera*)이므로 that과 which 둘 다 사용 가능
3 강조되는 대상이 사람(my younger sister)이고 목적어이므로 that과 who(m) 사용 가능
4 강조되는 대상이 사람(me)이고 목적어이므로 that과 who(m) 사용 가능

STEP 3

1 It was two weeks ago that[when] he left for Korea.
2 It is by six o'clock that[when] she is supposed to be here.
3 It was in the garage that[where] they found this dog last night.
4 It was under the bed that[where] I found the photo.

해석

1 그는 2주 전에 한국으로 떠났다.
= 그가 한국으로 떠난 것은 바로 2주 전이었다.
2 그녀는 6시까지 여기에 오기로 되어 있다.
= 그녀가 여기에 오기로 되어 있는 시간은 바로 6시까지이다.
3 그들이 어젯밤에 차고에서 이 개를 발견했다.
= 어젯밤에 그들이 이 개를 발견한 곳은 바로 차고였다.
4 나는 그 사진을 침대 아래서 발견했다.
= 내가 그 사진을 발견한 곳은 바로 침대 아래이다.

해설

1 강조되는 대상이 시간(two weeks ago)이므로 that과 when 둘 다 사용 가능
2 강조되는 대상이 시간(by six o'clock)이므로 that과 when 둘 다 사용 가능
3 강조되는 대상이 장소(in the garage)이므로 that과 where 둘 다 사용 가능
4 강조되는 대상이 장소(under the bed)이므로 that과 where 둘 다 사용 가능

STEP 4

1 It was the cat that broke the glass.
2 It is these flowers which need watering.
3 It was my umbrella that I lost last week.
4 It is basketball which they like to play.
5 It was two months ago when we visited Australia.
6 It was in Vancouver that he met his wife.

해설

1 강조되는 대상은 the cat(그 고양이)
2 강조되는 대상은 these flowers(이 꽃들)
3 강조되는 대상은 my umbrella(내 우산)
4 강조되는 대상은 basketball(농구)
5 강조되는 대상은 two months ago(2달 전)
6 강조되는 대상은 Vancouver(밴쿠버)

STEP 5

1 It was the icy road that[which] caused the accident.
2 It was Tim that[who(m)] I met in the library last Sunday.
3 It was the bronze medal that[which] she won at the Olympics last year.
4 It was three years ago that[when] my sister graduated from university.
5 It was in the meeting room that[where] they discussed the matter.
6 It was a bottle of juice that[which] I bought at the supermarket.

해설

1 강조되는 대상이 사물(the icy road)이므로 that과 which 둘 다 사용 가능
2 강조되는 대상이 사람(Tim)이고 목적어이므로 that과 who(m) 사용 가능
3 강조되는 대상이 사물(the bronze medal)이므로 that과 which 둘 다 사용 가능
4 강조되는 대상이 시간(three years ago)이므로 that과 when 둘 다 사용 가능
5 강조되는 대상이 장소(in the meeting room)이므로 that과 where 둘 다 사용 가능
6 강조되는 대상이 사물(a bottle of juice)이므로 that과 which 둘 다 사용 가능

Unit 3 부정어 도치 p.120

Check-up 1

1	have they	2	could she
3	had I gone	4	did they arrive
5	does she see	6	did he know

해석

1 그들은 결코 유럽에 가 본 적이 없다.

2 그녀는 그가 하는 말을 거의 믿을 수가 없었다.
3 내가 밖에 나가자마자 비가 내리기 시작했다.
4 정오가 되어서야 그들은 도착했다.
5 그녀는 좀처럼 뮤지컬을 보지 않는다.
6 그는 무슨 일이 일어나고 있는지 거의 알지 못했다.

해설

1~2 'never[hardly, seldom, little, rarely] + 조동사 + 주어 + 동사'에서는 이미 부정의 의미가 포함되어 not과 함께 쓰지 않음에 주의 필요
3 no sooner had + 주어 + p.p. + than …: ~하자마자 …했다
4 not until ~ + 조동사 + 주어 + 동사원형: ~가 되어서야 비로소 …하다
5~6 'never [hardly, seldom, little, rarely] + 조동사 + 주어 + 동사'에서는 이미 부정의 의미가 포함되어 not과 함께 쓰지 않음에 주의 필요

Check-up 2

1 have, I, heard
2 had, he, arrived
3 did, the, store, open
4 does, she, make

해석

1 나는 그 회사에 대해서 거의 못 들어봤다.
2 그가 집에 도착하자마자 전화가 울렸다.
3 그 가게는 10시가 되어서야 문을 열었다.
4 그녀는 거의 실수를 하지 않는다.

해설

1, 4 never[hardly, seldom, little, rarely] + 조동사 + 주어 + 동사원형
2 no sooner had + 주어 + p.p. + than …: ~하자마자 …했다
3 not until ~ + 조동사 + 주어 + 동사원형: ~가 되어서야 비로소 …하다

STEP 1

1 Never have we seen
2 Hardly does he regret
3 Little do they know
4 Rarely can I find

해석

1 우리는 결코 그런 이상한 동물을 본 적이 없다.
2 그는 그가 이미 한 일을 좀처럼 후회하지 않는다.
3 그들은 그 나라에 대해서 거의 알지 못한다.
4 나는 나에게 완벽하게 맞는 옷을 좀처럼 찾을 수가 없다.

해설

1~4 never[hardly, seldom, little, rarely] + 조동사 + 주어 + 동사원형

STEP 2

1 No sooner had the class started
2 No sooner had the man seen a police officer
3 No sooner had she seen her mother
4 No sooner had the phone rung

해석

1 수업이 시작하자마자 전등이 꺼졌다.
2 그는 경찰관을 보자마자 도망갔다.
3 그녀는 자기의 엄마를 보자마자 울기 시작했다.
4 전화가 울리자마자 그는 전화를 받았다.

해설

1~4 no sooner had + 주어 + p.p. + than …: ~하자마자 …했다

STEP 3

1 did I hear from him
2 did they let us go
3 did I realize I made a big mistake

해석

1 나는 오늘까지 그에게서 연락을 받지 못했다.
= 오늘이 되어서야 그에게 연락을 받았다.
2 그들은 6시까지 우리를 보내주지 않았다.
= 6시가 되어서야 그들은 우리를 보내줬다.
3 때가 너무 늦을 때까지 나는 내가 큰 실수를 했다는 것을 깨닫지 못했다.
= 때가 너무 늦어서야 나는 내가 큰 실수를 했다는 것을 깨달았다.

해설

1~3 not until ~ + 조동사 + 주어 + 동사원형: ~가 되어서야 비로소 …하다

STEP 4

1 Never did I imagine I could win a gold medal.
2 Hardly do they eat out on weekends.
3 Rarely does he have breakfast.
4 Seldom do they keep their promises.
5 Little did she know about the city.
6 No sooner had the speaker finished his speech than the audience clapped.

해석

1 나는 내가 금메달을 딸 수 있다고 전혀 상상하지 않았다.
2 그들은 좀처럼 주말에 외식하지 않는다.
3 그는 아침 식사를 거의 먹지 않는다.
4 그들은 좀처럼 그들의 약속을 지키지 않는다.

5 그녀는 그 도시에 대해서 거의 알지 못했다.
6 연설가가 그의 연설을 마치자마자 청중은 손뼉을 쳤다.

해설

1~5 never[hardly, seldom, little, rarely] + 조동사 + 주어 + 동사원형
6 no sooner had + 주어 + p.p. + than …: ~하자마자 …했다

STEP 5

1 Hardly could he breathe.
2 Never have I seen such a large full moon.
3 Rarely do we have sunny weather here.
4 Little did I hear about the accident.
5 No sooner had she seen the picture, she laughed.
6 Not until last year did they start building the tower.

해설

1~4 never[hardly, seldom, little, rarely] + 조동사 + 주어 + 동사원형
5 no sooner had + 주어 + p.p. + than …: ~하자마자 …했다
6 not until ~ + 조동사 + 주어 + 동사원형: ~가 되어서야 비로소 …하다

Unit 4 부분부정 / 전체부정 p.123

Check-up 1

1 b, a 2 a, b 3 b, a
4 a, b 5 b, a

해설

1 not every: 모두 ~한 것은 아니다 (부분 부정)
no one: 아무도 ~하지 않다 (전체 부정)
2 not both: 둘 다 ~한 것은 아니다 (부분 부정)
neither: 둘 중 아무(것)도 ~하지 않다 (전체 부정)
3 not always: 언제나 ~한 것은 아니다 (부분 부정)
never: 결코 ~ 하지 않다 (전체 부정)
4 not all: 모두 ~한 것은 아니다 (부분 부정)
none: 아무(것)도 ~하지 않다 (전체 부정)
5 not any: 아무(것)도 ~하지 않다 (전체 부정)
not all: 모두 ~한 것은 아니다 (부분 부정)

STEP 1

1 Not all, No 2 both, neither
3 always, never 4 all, None

해설

1 not all: 모두 ~한 것은 아니다 (부분 부정)
no: 아무(것)도 ~하지 않다 (전체 부정)
2 not both: 둘 다 ~한 것은 아니다 (부분 부정)
neither: 둘 중 아무(것)도 ~하지 않다 (전체 부정)
3 not always: 언제나 ~한 것은 아니다 (부분 부정)
never: 결코 ~ 하지 않다 (전체 부정)
4 not all: 모두 ~한 것은 아니다 (부분 부정)
none: 아무(것)도 ~하지 않다 (전체 부정)

STEP 2

1 Not, all, agree
2 None, likes[like]
3 doesn't, both
4 am, neither
5 doesn't, always

해설

1 not all: 모두 ~한 것은 아니다 (부분 부정)
2 none: 아무(것)도 ~하지 않다 (전체 부정)
none이 주어로 쓰일 경우 단·복수 동사 가능
3 not both: 둘 다 ~한 것은 아니다 (부분 부정)
4 neither: 둘 중 아무(것)도 ~하지 않다 (전체 부정)
5 not always: 언제나 ~한 것은 아니다 (부분 부정)

STEP 3

1 I don't always get up late.
2 None of us has been to Egypt.
3 I didn't answer any questions correctly.
4 Not all of the students got a perfect score.
5 No one complained about what they did.
6 I didn't read any books on the shelf.

해설

1 not always: 언제나 ~한 것은 아니다 (부분 부정)
2 none: 아무(것)도 ~하지 않다 (전체 부정)
3 not any: 아무(것)도 ~하지 않다 (전체 부정)
4 not all: 모두 ~한 것은 아니다 (부분 부정)
5 no one: 아무도 ~하지 않다 (전체 부정)
6 not any: 아무(것)도 ~하지 않다 (전체 부정)

STEP 4

1 Mike doesn't always walk his dog in the morning.
2 He is never rude to the old.
3 Not all poor people are unhappy.
4 Neither of us likes spicy food.
5 There is no food in the refrigerator. [There isn't any food in the refrigerator]
6 No one believes (that) the news is true.

해설
1 not always: 언제나 ~한 것은 아니다 (부분 부정)
2 never: 결코 ~ 하지 않다 (전체 부정)
3 not all: 모두 ~한 것은 아니다 (부분 부정)
4 neither: 둘 중 아무(것)도 ~하지 않다 (전체 부정)
neither가 주어로 쓰일 경우 3인칭 단수로 취급
5 no: 아무(것)도 ~하지 않다 (전체 부정)
not any: 아무(것)도 ~하지 않다 (전체 부정)
6 no one: 아무도 ~하지 않다 (전체 부정)
no one이 주어로 쓰일 경우 3인칭 단수로 취급

Unit 5 기타 (강조, 생략, 도치) p.126

Check-up 1

1 do	2 does	3 did
4 much	5 even	

해석
1 나는 너를 정말 사랑해.
2 그녀는 노래를 정말 잘해.
3 우리는 그들과 정말 즐거운 시간을 보냈다.
4 치타는 인간들보다 훨씬 더 빨리 달리 수 있다.
5 이 소파는 내가 생각했던 것보다 훨씬 편하다.

해설
1~3 do[does/did] + 동사원형: 정말 ~하다
4~5 much, still, even, far, a lot은 비교급을 강조

Check-up 2

1 it	2 want to play soccer
3 it is	4 who is
5 which were	6 lose weight

해석
1 태양은 동쪽에서 뜨고 서쪽으로 진다.
2 그는 축구를 하고 싶었지만, 나는 하고 싶지 않았다.
3 매우 아름다운 날이구나!
4 당신은 벤치에 앉아있는 저 노부인을 아십니까?
5 Anderson 씨가 쓴 소설들은 매우 재미있다.
6 나는 살을 빼려고 했지만, 할 수 없었다.

해설
1 it은 앞 절의 The sun을 가리키므로 생략 가능
2 동사구(want to play soccer)가 반복되므로 생략 가능
3 감탄문에서 '주어 + 동사' 생략 가능
4~5 '관계대명사 + be동사' 생략 가능
6 동사구(lose weight)가 반복되므로 생략 가능

Check-up 3

1 they come
2 comes my mother
3 stood a windmill
4 was the puppy
5 goes your science teacher

해석
1 그들이 이리로 온다.
2 여기 우리 엄마가 온다.
3 언덕 위에 풍차가 있다.
4 소파 아래에 그 강아지가 있다.
5 저기 너의 과학선생님께서 가신다.

해설
1 here/there로 시작하는 문장에서 주어가 인칭대명사(they)일 경우 주어와 동사는 도치 불가
2~5 부사(구) + 동사 + 주어

Check-up 4

1 do I	2 is Harry
3 has Jane	4 am I

해석
1 A: 나는 책 읽는 것을 좋아해.
B: 나도 그래.
2 A: Helen은 수학을 잘한다.
B: Harry도 그래
3 A: Jamie는 독감에 걸렸다.
B: Jane도 그래.
4 A: 나는 배고프지가 않아.
B: 나도 그래.

해설
1~3 So + be동사/조동사 + 주어.
4 Neither + be동사/조동사 + 주어. 이때 neither가 이미 부정의 의미가 있어 not을 추가로 쓰지 않음

STEP 1

1 You do look young for your age.
2 Tom can run even faster than me.
3 This is the very best restaurant in the village.
4 The boy wearing blue jeans is my friend.
5 The first train leaves at 5:20 a.m. and the last train at 11:30 p.m.

해설

1 do[does/did] + 동사원형: 정말 ~하다
2 even은 비교급(faster)을 강조
3 the very는 최상급(best)을 강조
4 '관계대명사 + be동사' 생략 가능, 이 경우에 who[that] is가 생략됨
5 동사 leaves가 반복되므로 생략됨

STEP 2

1 So do I.
2 Neither do I.
3 So have I
4 Neither did I.
5 So did Tim.
6 Neither does Mindy.
7 So can Maggie.

해석

1 A: 나는 탐정 소설 읽기를 좋아해.
B: 나도 그래.
2 A: 나는 그녀의 이름이 기억이 안 난다.
B: 나도 그래.
3 A: 나는 스페인에 한번 가 본 적이 있어.
B: 나도 그래.
4 A: 나는 그 음식을 즐기지 않았어.
B: 나도 그랬어.
5 A: 나는 어제 좋은 시간을 보냈다.
B: Tim도 그랬어.
6 A: James는 공상 과학 영화를 좋아하지 않는다.
B: Mindy도 그래.
7 A: Peter는 기타를 연주할 수 있어.
B: Maggie도 그래.

해설

1 일반동사(enjoy) → So + do/does + 주어.
2 조동사(don't) → Neither + do/does + 주어.
3 조동사(have) → So + have/has + 주어.
4 조동사(didn't) → Neither + did + 주어.
5 일반동사(had) → So + did + 주어.
6 조동사(doesn't) → Neither + do/does + 주어.
7 조동사(can) → So + can + 주어.

도전! 만점! 중등 내신 **단답형&서술형** p.129

1 fluent → fluently
2 I got → did I get
3 comes she → she comes
4 the bus goes → goes the bus
5 never
6 not always
7 Neither
8 both
9 does, look
10 Hardly, do, we, see
11 It was Paul that gave her those flowers.
12 It was Edward that I ran into in the park.
13 It was in the library that I lost my cell phone.
14 playing
15 the club doesn't accept everyone that wants to join it
16 much[even, still, far, a lot]
17 Neither had my friends.
18 No sooner had I lain down to sleep than the phone rang.
19 Among the mountains lies a small village.
20 There, are, no, eggs, in, the, refrigerator

해석 & 해설

1
나는 영어를 올바르고 유창하게 말하고 싶다.
동사(speak)를 수식하기 위해 부사를 써야 하므로 형용사인 fluent가 fluently로 변경되어야 하며 correctly와 병렬을 이룸

2
6시가 되어서야 내가 필요했던 정보를 얻었다.
not until ~ + 조동사 + 주어 + 동사원형: ~가 되어서야 비로소 …하다

3
여기 그녀가 온다.
here/there로 시작하는 문장에서 주어가 인칭대명사(she)일 경우 주어와 동사는 도치 불가

4
저기 버스가 간다.
부사(구) + 동사 + 주어

5
never: 결코 ~ 하지 않다 (전체 부정)

6
not always: 언제나 ~한 것은 아니다 (부분 부정)

7
neither: 둘 중 아무(것)도 ~하지 않다 (전체 부정)

8
not both: 둘 다 ~한 것은 아니다 (부분 부정)

9
그녀는 저 드레스를 입으면 아름다워 보인다.

그녀는 저 드레스를 입으면 정말 아름다워 보인다.

do[does/did] + 동사원형: 정말 ~하다

주어(she)가 3인칭 단수이고 현재시제이므로 동사 앞에 조동사 does가 적절

10
우리는 이 지역에서 이런 날씨를 거의 겪지 않는다.

never[hardly, seldom, little, rarely] + 조동사 + 주어 + 동사원형

현재시제에 주어는 we이므로 do가 적절

11
Paul은 그녀에게 저 꽃들을 주었다.

= 그녀에게 저 꽃들을 준 사람은 바로 Paul이었다.

It was와 that 사이에 강조되는 대상(Paul)을 집어넣고 나머지 부분을 옮겨 씀

12
나는 공원에서 Edward를 우연히 만났다.

= 내가 공원에서 우연히 만난 것은 Edward였다.

It was와 that 사이에 강조되는 대상(Edward)을 집어넣고 나머지 부분을 옮겨 씀

13
나는 도서관에서 나의 휴대전화를 잃어버렸다.

= 내가 나의 휴대전화를 잃어버린 곳은 바로 도서관이었다.

It was와 that 사이에 강조되는 대상(in the library)을 집어넣고 나머지 부분을 옮겨 씀

14~17
나는 야구를 정말 좋아한다. 나는 시청하는 것뿐만 아니라 경기를 하는 것도 즐긴다. 우리 학교는 야구 동아리가 있어서 가입하기를 원했다. 하지만 그 동아리는 가입하고 싶은 모든 사람들을 받아들이지 않는다. 사람들은 그 동아리에 가입하기 위해서 시험을 통과해야 한다. 불행하게도, 나보다 훨씬 잘하는 사람들이 많아서 나는 시험에서 떨어졌다. 나는 내가 떨어질 것이라고 절대 예상하지 않았고 나의 친구들도 그랬다.

14
'not only A but also B(A뿐만 아니라 B도)'에서 A와 B의 형태는 같아야 하므로 동명사인 watching에 따라 play도 playing으로 바뀜

15
not every: 모두 ~한 것은 아니다 (부분 부정)

16
비교급(better)을 수식하는 표현은 by far가 아닌 much, even, still, far, a lot

17
'I had never thought ~'는 부정문이므로 이에 동의하기 위해 so가 아닌 neither가 쓰이고 조동사 had가 그대로 쓰인 'Neither had my friends.'가 적절

18
내가 자려고 눕자마자 전화가 울렸다.

no sooner had + 주어 + p.p. + than …: ~하자마자 …했다

19
작은 마을 하나가 산간에 있다.

= 산간에 작은 마을 하나가 있다.

부사(구) + 동사 + 주어

20
냉장고에는 달걀이 하나도 없다.

not any: '아무(것)도 ~하지 않다'의 의미로 쓰이는 not any를 no가 대체 가능

Chapter 8 대명사 p.132~136

Unit 01 재귀대명사

1 I cut myself while I was cooking.
2 He was disappointed with himself.
3 She burned herself while she made coffee.
4 We must protect ourselves.
5 They call themselves Team Genius.
6 He wrote the story himself.
7 I fixed the computer myself.
8 They painted the walls themselves.
9 Josh himself prepared breakfast. [Josh prepared breakfast himself.]
10 Did you draw the picture yourself? [Did you yourself draw the picture?]

Unit 02 재귀대명사의 관용 표현

1 She traveled to Japan by herself.
2 Let me introduce myself.
3 Mr. Hamilton taught himself Korean.
4 I sometimes talk to myself.
5 Come in and make yourself at home.
6 Please help yourselves to food and drinks.
7 The plan wasn't bad in itself.
8 We were beside ourselves with worry.
9 She enjoyed herself in the swimming pool.
10 This is a secret between ourselves.

Unit 03 one, another

1 This towel is dirty. Will you bring me a new one?
2 Do you prefer brown boots or black ones?
3 I bought a bracelet yesterday, but I lost it this morning.
4 If you need a pen, I will lend you one.
5 Which do you want, red apples or green ones?
6 Let me ask you another question.
7 This orange is too sour. Will you give me another?
8 Will you give me another chance?
9 I dropped my spoon. Please bring me another.
10 Would you like another cup of tea?

Unit 04 부정대명사의 표현

1 Grace and Ross are smiling at each other.
2 There are four members in my family. We love one another very much.
3 The girl is holding two balloons. One is blue, and the other is red.
4 I bought two muffins. One is for me, and the other is for my mom.
5 I have three sisters. One is fifteen, another is ten, and the other is six.

6 Chris can speak three languages. One is English, another is French, and the other is Spanish.
7 I have four children. One is a girl, and the others are boys.
8 Some read novels, and others read poems.
9 Some children played basketball, and others played baseball.
10 There were twenty students in the class. Some passed the test, and the others didn't.

Unit 05 all, both, each, every

1 All were happy at the news.
2 Did you drink all the milk in the fridge?
3 All (of) the guests have arrived.
4 All the people in the building escaped safely.
5 I spent all (of) my money buying a new computer.
6 Both players are doing well in the game.
7 Each child has his or her own talent.
8 Each of them spoke a different language.
9 He answered every question carefully.
10 Sue and I meet every two weeks.

Chapter 9 비교급, 최상급 p.137~141

Unit 01 원급 / 비교급 / 최상급

1 The first question is less difficult than the second one.
2 Some sports are more dangerous than others.
3 Writing is more difficult than reading (is).
4 He reads as much as me[I do].
5 My car is as cheap as his.
6 Julia is not as[so] sensitive as me[I am].
7 He is the most popular of all the boys.
8 This is the funniest of all the TV shows.
9 It is the most expensive in the store.
10 Lisa is the youngest in my family.

Unit 02 원급을 이용한 표현 / 비교급 강조

1 Let me know the test results as soon as possible.
2 I try to read as much as possible.
3 Please come home as early as you can.
4 She explained it as briefly as she could.
5 He is twice as heavy as me.
6 His room is four times as large as mine.
7 The green building is five times taller than the white building.
8 This table is ten times more expensive than that chair.
9 This hat is much bigger than that hat.
10 Chinese is a lot more difficult than Korean.

Unit 03 비교급을 이용한 표현

1 She is the elder of the two.
2 That computer is the faster of the two.
3 Things are getting better and better.
4 The lion is approaching closer and closer.
5 I became more and more interested in science.
6 The exams are getting more and more difficult.
7 The more you smile, the happier you become.
8 The older she gets, the more she looks like her mother.
9 The more you learn, the wiser you will become.
10 The higher the Sun rose, the brighter it became.

Unit 04 기타 비교급 표현

1 My father prefers coffee to tea.
2 Their technology is inferior to ours.
3 He feels superior to his brother.
4 My parents got married prior to graduation.
5 She is three years senior to me.
6 She is four years junior to him.
7 His sunglasses are the same as mine.
8 I went to the same school as him.
9 These two pictures are very similar to each other.
10 Dogs are different from wolves.

Unit 05 기타 최상급 표현

1 He is one of the greatest soccer players in the world.
2 The *Mona Lisa* is one of the most expensive paintings in the world.

3 This is the most touching movie (that) I've ever seen.
4 This is the most boring book I've ever read.
5 No (other) camera in the store is cheaper than this.
6 No (other) planet in the solar system is larger than Jupiter.
7 No (other) girl in my neighborhood is as[so] young as her.
8 No other river in the world is as long as the Nile.
9 Vatican City is smaller than any other nation in the world.
10 New York is larger than any other city in the U.S.

Chapter 10 접속사, 전치사

p.142~146

Unit 01 명사절 종속접속사: whether/if, that

1 Whether we will play the game or not depends on the weather.
2 I wonder if[whether] you could help me.
3 The question is whether we should rent a car or take a taxi.
4 It is not right that you blame others for your fault.
5 It is true that technology makes our lives convenient.
6 I think that Julie and her sister look alike.
7 Are you sure that he lives on 11th Street?
8 I heard that she is allergic to pork.
9 The problem is that we don't have enough time for the show.
10 The point is that they could have prevented the accident.

Unit 02 부사절 종속접속사: as, while, once, if

1 Peter likes to listen to music as he rests.
2 As he was extremely thirsty, he drank a lot of water.
3 As people get older, they get wiser.
4 When in the Rome, do as the Romans do.
5 While I was waiting at the bus stop, it started to snow.
6 Once you start to read it, you can't stop.
7 If it is fine tomorrow, we will go on a trip.
8 Give me a call if you have any questions.
9 Unless you wear warm clothes, you'll feel cold.
10 Unless you have your ID card, you can't enter the library.

Unit 03 부사절 종속접속사: since, until, (al)though

1 I've known him since we were kids.
2 She has lived in Seoul since she was ten.
3 Since the tickets have been sold out, we can't go to the concert.
4 I can't read this novel since it is written in Chinese.
5 I won't forgive them until they apologize to me.
6 We kept swimming until the Sun set.
7 Although the task was difficult, we completed it on time.
8 Although it rained heavily, they kept playing soccer.
9 Although she was young, she was thoughtful.
10 He failed the exam although he studied very hard.

Unit 04 시험에 꼭 나오는 전치사

1 His father died of a heart attack.
2 I was exhausted from the sleepless nights.
3 Some people go to work by train.
4 The title was written in capital letters.
5 You look very handsome in your uniform.
6 The man in red is our new homeroom teacher.
7 I bought a book on birds.
8 They voted for the candidate.
9 We are against their decision.
10 He is famous as a singer.

Unit 05 주의해야 할 접속사 vs. 전치사

1 During the summer she worked as a lifeguard.
2 I haven't seen him for a few months.
3 The coupon is good until the end of March.
4 I should be there by noon.
5 I was excited because I got the lead role in the play.

6 We couldn't go on the field trip because of rain.
7 Although[Even though] she called him aloud, he didn't hear her.
8 The house wasn't damaged at all despite[in spite of] the earthquake.
9 He never lost his hope despite[in spite of] the difficulties.
10 Nobody spoke while I was giving a presentation.

Chapter 11 관계사 p.147~153

Unit 01 관계대명사 who / which / whose

1 His mom read a book which was written by a famous writer.
2 He usually watches movies which have happy endings.
3 The bicycle which is in the backyard is a gift from my mother.
4 I see lots of people who are waiting outside.
5 The woman who lives next door is very kind.
6 I like the cap which he is wearing.
7 The book which I wanted to read is not on the bookshelf.
8 This is the girl who he introduced to me.
9 She wants to live in the house whose walls are green.
10 She has a friend whose name is Mike.

Unit 02 관계대명사 that

1 The boy that I spoke to yesterday was very nice.
2 The bus that goes to Seoul runs every two hours.
3 Did you see a child and a dog that were playing in the backyard?
4 The movie is the longest movie that I've ever seen.
5 Everything that he said was recorded on tape.
6 That is the very man that I saw at the cafe.
7 She has the same hat that you have.
8 She was the third person that crossed the finish line.
9 All the food that was kept in the refrigerator has gone bad.
10 You are the only person that can change your life.

Unit 03 관계대명사 what / 관계대명사의 생략

1 What I want is good sleep.
2 What they believe is not true.
3 She doesn't appreciate what she already has.
4 Don't forget what he said today.
5 This camera is what she wants.
6 That's not what I mean.
7 This is the watch I want to buy.
8 She is the girl I talked about yesterday.
9 The man playing the piano is a famous pianist.
10 The girl in blue jeans is my cousin.

Unit 04 관계대명사의 용법

1 The woman who[that] is playing the piano is my cousin.
2 My grandfather, who passed away last year, was a police officer.
3 My brother, whose dream is to be a scientist, is very smart.
4 He saw the Eiffel Tower, which is the tallest building in Paris.
5 I ran into Ben, who is an old friend of mine.
6 They live in Ottawa, which is the capital city of Canada.
7 They are playing softball, which is a sport similar to baseball.
8 She changed her mind, which surprised us all.
9 They kept making fun of him, which made him angry.
10 She was late for school yesterday, which made her teacher upset.

Unit 05 관계부사

1 February is a month when it is pretty cold.
2 I remember the day when he first came to our school.
3 What is the date when I have to hand in my essay?
4 The hotel where we stayed was expensive.

5 This village has no restaurants where you can eat.
6 I wanted to know the reason why he left.
7 She doesn't know the reason why I changed my mind.
8 Tell me how I can make a cake.
9 Let me show you how you use the software.
10 This is the way[how] I solve the problem.

Unit 06 복합관계대명사

1 Whoever saw Medusa's face turned into stone.
2 I'll sing this song to who(m)ever I like.
3 Who(m)ever you ask, the answer will be the same.
4 Can I tell you whatever is on my mind?
5 It takes about four hours, whichever route you take.
6 Whichever you buy, you can get a 20% discount.
7 No matter who his parents are, he is an honest man.
8 You can invite anyone whom you want.
9 No matter what I suggest, my friends always disagree.
10 No matter which you choose, you'll be satisfied.

Unit 07 복합관계부사

1 Whenever I hear the song, I feel so warm.
2 Whenever I have a problem, I talk about it with my mother.
3 Wherever he went, he attracted a lot of attention.
4 We can travel wherever we want to go.
5 This plant grows well wherever the climate is warm enough.
6 However he tried to explain it, I couldn't understand it.
7 He really wants the car, however much it costs.
8 No matter when you visit us, we'll always welcome you.
9 She was followed by her fans no matter where she went.
10 No matter how it is difficult, I'll finish the project.

Chapter 12 가정법

p.154~157

Unit 01 가정법 과거

1 If she were here, she would give me advice.
2 If I were in your shoes, I would invite him to the party.
3 What would you do if you were a millionaire?
4 If he had a cell phone, he could call her.
5 If I lived near the school, I wouldn't have to take the bus.
6 If I had a piano lesson, I couldn't go to the movies.
7 If I didn't have much work to do, I could go for a walk.
8 If you were the President, what would you do for our country?
9 If it were Sunday, I wouldn't go to school.
10 If she spoke Chinese, she could travel alone in China.

Unit 02 가정법 과거완료

1 If I hadn't made a mistake in the exam, I would have gotten a higher score.
2 If he had saved enough money, he might have bought a car.
3 If this book hadn't been translated into Korean, I wouldn't have read it.
4 If I hadn't brought my wallet, I couldn't have paid for the meal.
5 If they hadn't lied, they wouldn't have been in trouble.
6 If they had lived in Seoul, I could have met them more often.
7 If I had gone to bed earlier, I could have gotten enough sleep.
8 If I had answered the question, I would have won the prize.
9 If we had booked the tickets earlier, we could have gotten good seats.
10 If you hadn't ignored my advice, you wouldn't have failed.

Unit 03 I wish / as if[as though]

1 I wish I had a pet.
2 I wish today were Sunday.
3 I wish I could play the guitar.
4 He acts as if[as though] he were rich.
5 She treats me as if[as though] I were her sister.
6 I wish you had watched the movie.
7 I wish I had listened to your advice.
8 I wish he had been able to swim.
9 She talks as if[as though] she had visited Australia.
10 He looks as if[as though] he hadn't slept very well.

Unit 04 Without / But for / It's time ~

1 Without the computer, I couldn't finish my essay.
2 But for the map, we would be lost.
3 Without the heater, we would feel very cold.
4 If it were not for my glasses, I couldn't see anything.
5 But for my support, he could not have started his own business.
6 Without your help, I would have failed the exam.
7 But for the lifejackets, they would have drowned.
8 If it had not been for the traffic jam, I would not have been late.
9 It's time you went to bed.
10 It's time you went to school.

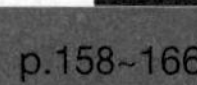

Chapter 13 일치, 화법 p.158~166

Unit 01 수의 일치 1: 단수동사를 쓰는 경우

1 Each nation has its own national flag.
2 Something is wrong with this calculator.
3 Eating apples improves your health.
4 One of the computers needs fixing.
5 The number of newborn babies is decreasing.
6 The Philippines is famous for its beautiful beaches.
7 Two kilometers is a long distance to run.
8 Thirty minutes is a long time to wait.
9 Measles causes symptoms such as fever, runny nose, and rashes.
10 To collect[Collecting] stamps is my hobby.

Unit 02 수의 일치 2: 복수동사를 쓰는 경우

1 There are over 190 countries in the world.
2 Some people keep unusual pets.
3 The clothes belong to my sister.
4 Many students know the answer.
5 Sue and I have a piano lesson today.
6 A number of people are waiting for their turns.
7 A number of boys are sitting in the classroom.
8 The rich are not always happy.
9 The young learn foreign languages quickly.
10 The injured were taken to the hospital.

Unit 03 수의 일치 3: 수식어구 뒤의 명사 수

1 70% of the human body is water.
2 Three sevenths of Americans support the candidate.
3 Most of her friends are from Canada.
4 Most of the information is wrong.
5 The rest of the pie is in the fridge.
6 The rest of the books are on the shelf.
7 All of the money was stolen.
8 All of the trees on the mountain were cut down.
9 Some of the students look bored.
10 Half of the money has been given to charities.

Unit 04 수의 일치 4: 상관접속사의 수

1 Either Tim or you have to make a presentation.
2 Either you or he has to clean the room.
3 Neither you nor I was unfriendly to him.
4 Neither she nor her sons speak Korean.
5 Not only his sisters but also he is going to visit me.
6 Not only the boy but also the girls were scolded.
7 Her sisters as well as she live in New York City.
8 Tom as well as I is going to visit the city.

9 Both my brother and I like traveling abroad.
10 Both he and his wife enjoy tennis.

Unit 05 시제의 일치

1 It seems (that) it will snow soon.
2 I know (that) he will be 16 next year.
3 He believes (that) his son is smart.
4 I wonder why they are here at this time.
5 They don't understand why he went to America.
6 She knows (that) the couple got married.
7 I thought (that) you didn't like the movie.
8 She thought (that) he would come home early.
9 Tina realized (that) she had left her book at home.
10 He thought (that) you had eaten all the cookies.

Unit 06 시제 일치의 예외

1 She said (that) she goes hiking every Sunday.
2 I said (that) I bite my nails when I'm nervous.
3 Wash your hands before you eat.
4 If it rains, we won't go to the park.
5 My teacher said (that) everyone can make mistakes.
6 We learned (that) oil and water don't mix.
7 I know (that) the Wright brothers invented the airplane.
8 Do you know (that) Galileo invented the telescope?
9 My mother said (that) the early bird catches the worm.
10 She said (that) the walls have ears.

Unit 07 화법 전환 1: 평서문

1 He said to me, "I have already cleaned your room."
2 She said to me, "I am so happy to meet you."
3 He says, "Peter and I went to the same school."
4 He said, "I will move to Germany."
5 He said to me, "I can't concentrate on my homework here."
6 Tom tells her (that) he has to prepare for the exam.
7 Chris said (that) he was reading a book then.
8 Jessica said (that) she had come to Paris the previous month.
9 My parents told me (that) they would be back home the following Sunday.
10 Mom said (that) it was raining heavily then.

Unit 08 화법 전환 2: 의문문

1 He said to me, "What do you want to eat for lunch?"
2 She said to him, "How can I help you?"
3 Chris said to him, "Did you enjoy your trip?"
4 I said to her, "Do you want something to eat?"
5 She said to him, "Have you seen my cell phone?"
6 I asked him where he was going.
7 He asked me who(m) I had gone shopping with.
8 He asked her how she was feeling then.
9 She asked me if I had watched the movie.
10 Tim asked her whether[if] she would come to the event.

Unit 09 화법 전환 3: 명령문

1 Mrs. Jackson told her son to be nice to his little sister.
2 He told his daughter to wash her hands first.
3 He told me not to be upset.
4 He advised us to be patient.
5 I advised him to get enough sleep.
6 Her doctor advised her to drink enough water.
7 Mom advised me not to be picky with food.
8 They ordered us to be quiet.
9 The teacher ordered them not to use their cell phones during class hours.
10 He asked me to open the window.

Chapter 14 특수 구문 p.167~171

Unit 01 병렬구조

1 I bought eggs, butter, and sugar.
2 Were you born in Seoul or Busan?
3 They are handsome but impolite.
4 He loves both hiking and swimming.
5 She not only sings but also plays the piano.
6 I could find my wallet neither in my bag nor on my desk.
7 He decided either to watch a movie or to go to the concert.
8 I wanted to eat at home, but she wanted to eat out.
9 He is not a singer but a pianist.
10 My sister as well as I likes classical music.

Unit 02 「It ~ that...」 강조 구문

1 It was my uncle that fixed the refrigerator.
2 It is Portuguese that is spoken in Brazil.
3 It was the cat that broke the glass.
4 It was the icy road that caused the accident.
5 It was a new tablet PC that I wanted.
6 It was me that she ran into on her way from school.
7 It was my umbrella that I lost last week.
8 It was two weeks ago that he left for Korea.
9 It was under the bed that I found the photo.
10 It was in Vancouver that he met his wife.

Unit 03 부정어 도치

1 Never have we seen such a strange animal.
2 Never have I seen such a large full moon.
3 Hardly do they eat out on weekends.
4 Seldom do they keep their promises.
5 Little did she know about the city.
6 Rarely do we have sunny weather here.
7 No sooner had the class started than the lights went off.
8 No sooner had she seen the picture than she laughed.
9 Not until today did I hear from him.
10 Not until 6 did they let us go.

Unit 04 부분부정 / 전체부정

1 Not everyone likes him.
2 I didn't watch both of the movies.
3 Not all of them agree with the idea.
4 The train doesn't always arrive on time.
5 None of us has been to Egypt.
6 I didn't answer any questions correctly.
7 No one believes (that) the news is true.
8 Neither of us likes spicy food.
9 He is never rude to the old.
10 There is no food in the refrigerator.

Unit 05 기타 (강조, 생략, 도치)

1 You do look young for your age.
2 She does sing very well.
3 We did have fun with them.
4 This is the very best restaurant in the village.
5 This sofa is even more comfortable than I thought.
6 The novels written by Ms. Anderson are very fun.
7 I tried to lose weight but I couldn't.
8 What a beautiful day!
9 How smart!
10 Under the couch was a pair of socks.

도전만점 중등내신 서술형 1 2 3 4

꼼꼼한 통문장 쓰기 연습으로 서술형 문제 완벽 대비

- 영문법 핵심 포인트를 한눈에! 기본 개념 Check-up!
- Step by Step 중등내신 핵심 영문법 + 쓰기
- 도전만점 중등내신 단답형 & 서술형 문제 완벽 대비
- 스스로 훈련하는 통문장 암기 훈련 워크북 제공
- 영작문 쓰기 기초 훈련을 위한 어휘 리스트, 어휘 테스트 제공
- 객관식, 단답형, 서술형 챕터별 추가 리뷰 테스트 제공
- 동사 변화표, 문법 용어 정리, 비교급 변화표 등 기타 활용자료 제공

www.nexusbook.com

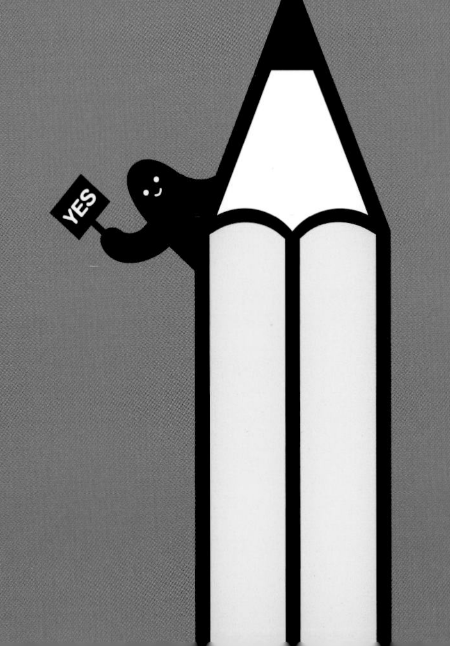